Chère lectrice,

« Ainsi, lorsque l'hiver attriste la nature,
Le gui sur un vieux chêne étale sa verdure,
Et l'arbre enorgueilli d'un éclat emprunté
Se couronne d'un fruit qu'il n'a pas enfanté. »
(Castel)

Drôle de plante que le gui…

Enigmatique, étrange, il se moque de l'hiver et du gel, auxquels il survit, mais aussi du soleil et de la lumière dont il n'a pas besoin pour croître. Très tôt, les hommes ont été sensibles à cette « magie », et ont associé au gui des coutumes et des rites sacrés. La plupart tournent autour de promesses heureuses : présage de paix, de prospérité et bien sûr d'amour, voire de mariage… et de félicité au lit ! Nous en avons hérité le fameux baiser de l'An Neuf, échangé sous le gui à minuit.

Mais toute magie bienfaisante a son revers et cette plante si singulière ne pouvait qu'éveiller de vénéneuses pensées. Ainsi, dans le langage des fleurs, le gui est-il associé aux liaisons dangereuses, aux passions adultères parce qu'« il s'attache à l'écorce de certains arbres… et vit aux dépens de leur substance ». Il empoisonne les cœurs, en somme.

Et, comme s'il n'y avait pas de hasard, devinez sur quel organe agit le gui, lorsqu'on absorbe à fortes doses ses extraits actifs ? Le cœur !

Bonne année,

La responsable de collection

L'invité de Noël

KATHRYN SHAY

L'invité de Noël

ÉMOTIONS

éditionsHarlequin

Cet ouvrage a été publié en langue anglaise
sous le titre :
A CHRISTMAS LEGACY

Traduction française de
ISABEL GAMOT

Photos de couverture
Enfants : © GRACE / ZEFA
Paysage hivernal : © DIGITAL VISION / ZEFA

83-85, boulevard Vincent-Auriol, 75013 PARIS — Tél. : 01 42 16 63 63
Service Lectrices — Tél. : 01 45 82 47 47
ISBN 2-280-07952-6 — ISSN 1768-773X

1.

Jay Lawrence fut surpris de découvrir qu'il haïssait toujours violemment Riverbend.

Il n'avait pas eu conscience que des sentiments aussi intenses avaient couvé en lui durant ces quinze années. Mais lorsqu'il vit le panneau rectangulaire qui annonçait : « Riverbend, Pays de la Rivière, Indiana, 8 793 habitants », son cœur — insensible à tant d'émotions — battit plus fort. Il se mit à transpirer en dépit du froid déjà vif de novembre qui le pénétrait, et la blessure qu'il s'était faite au genou autrefois en jouant au basket se rappela à lui, ainsi que les courbatures que lui avait values son dernier week-end de ski nautique.

Une cinquantaine de mètres après avoir dépassé le panneau de la commune, il ralentit devant une modeste habitation. La ferme. L'endroit où il avait connu les jours les plus heureux de son existence après la mort de sa mère, auprès de ses tantes, lesquelles s'étaient occupées de lui parce que son père était trop pris par son travail. Les souvenirs, prisonniers dans son inconscient, remontèrent à la surface. « Oh, Ruthie, viens voir la dictée de Jacob. Il a encore eu un A… » « Papa, tante Ruth, tante Rachel, je suis accepté à l'université de l'Indiana avec une bourse à taux plein ! »

Jay secoua la tête et appuya sur l'accélérateur. Environ huit kilomètres plus loin, la ville proprement dite apparut dans la pâle lumière du matin. Avec ses maisons à deux étages, en brique ou de bois, alignées sagement le long des rues bordées d'ormes et d'érables qui conduisaient au centre de la ville, on eût dit la reproduction d'une peinture de Norman Rockwell. Autrefois, il avait aimé ces rues peu fréquentées où les piétons semblaient déambuler plutôt que se rendre quelque part, il avait appris à faire du vélo sur ces trottoirs déserts. Aujourd'hui, lorsqu'il sortait de son bureau new-yorkais, il se fondait dans une foule de gens.

Il avait aimé ces vastes pâturages par-delà la rivière, la forêt qui s'étirait au sud de la ville, et qui attirait tous les gamins ; il avait adoré grimper dans le grand sycomore et plonger dans l'eau trouble de la Sycamore River. A présent, le seul espace de verdure qu'il avait sous les yeux, c'était Central Park ; et l'Hudson ne représentait qu'un obstacle à franchir, le plus souvent au milieu des embouteillages.

Jay évita soigneusement l'unique bâtiment de brique de Riverbend High School où il avait fait ses études secondaires, ainsi que la maison des Steele sur East Poplar Street, mais il dut passer devant la librairie. Il ne lui accorda qu'un bref coup d'œil ; cependant, les merveilleuses heures qu'il avait passées derrière la façade de bardeaux rouges, avec son toit pentu et son enseigne familière où s'inscrivait en lettres d'or sur fond vert : « Steele Books », lui revinrent à la mémoire.

Quittant River Road, il s'engagea dans Main Street et se retrouva face au parc de la ville. Les grands arbres déployaient leurs branchages nus. Il vit, comme en surimpression, l'image de leurs frondaisons d'été au-dessous desquelles se détachait la silhouette de son père, Abraham Steele. Sa haute taille, ses épaules larges, ses cheveux blond foncé, ses yeux sombres... Administrateur de la ville et président de la Société de crédit immobilier Steele, Abraham avait prononcé un discours éloquent dans le kiosque du parc chaque 4 Juillet. Jay, année après année, l'avait écouté avec la fierté innocente d'un écolier naïf qui croyait que cet homme

— auquel il ressemblait tant désormais — était un bon et honnête citoyen.

Et non le triste menteur qu'il s'était révélé être par la suite.

Ecartant ces pensées dérangeantes avec détermination, il se gara sur le petit parking qui se trouvait devant l'étude de notaires Harrison et James. Les bureaux étaient situés au premier étage d'un immeuble de béton et de verre. Sa façade avait été récemment ravalée et on n'y lisait plus l'inscription « Smith et Wesson » qui était autrefois un sujet de plaisanterie ; on ne riait pas trop fort cependant car les Smith étaient une famille bien en vue, et Wesson, l'un des pères fondateurs de la ville. Jay avait l'habitude de taquiner Sarah Smith à ce propos du temps où ils sortaient ensemble. A cette époque, il avait encore confiance en les femmes.

Jay ouvrit résolument sa portière, sortit de la Volvo, et fut aussitôt assailli par l'odeur caractéristique de l'automne dans l'Indiana : une odeur de vase et de terre, de feuilles en décomposition, mêlée de riches senteurs boisées.

Il rejoignit à grands pas la porte principale qui s'ouvrit au moment où il l'atteignait sur un homme de haute stature aux cheveux bruns et aux yeux clairs, vêtu d'un pantalon de ville noir et d'une chemise bleu pâle. Au temps du lycée, ses épaules n'étaient pas aussi larges, ni son torse aussi musclé, et bien sûr ses tempes n'étaient pas grises.

— Jacob ! Quel plaisir de te voir.

— Nick Harrison, repartit Jay, arborant son air d'homme d'affaires. Je n'en croyais pas mes yeux quand j'ai reçu ta lettre.

— C'est pourtant bien moi, dit Nick en lui tendant la main.

— Je t'entends encore dire que jamais tu ne remettrais les pieds dans cet affreux bled.

Un éclair de regret passa dans les yeux de Nick, des yeux qui avaient fait chavirer le cœur des filles de Riverbend dès le collège. Nick avait été accepté au sein des River Rats — la bande d'adolescents qui avaient passé toute leur enfance au bord de la Sycamore River —, bien qu'il n'ait pas grandi à Riverbend.

— Oui, et toi, que tu reviendrais quand tu serais passé professionnel et que tu aurais assez d'enfants pour former une équipe de basket.

Notant que Nick ne disait rien des raisons de son retour, Jay ne jugea pas utile non plus de lui expliquer pourquoi il avait changé ses plans et finalement décidé de revenir à Riverbend.

— Merci en tout cas de me recevoir si vite, dit-il. J'avais prévu d'arriver hier après-midi, mais les négociations à Chicago ont duré plus longtemps que je ne l'avais escompté.

— Aucun problème. Entre donc.

Harrison le conduisit dans son bureau, une vaste pièce habillée d'étagères en merisier chargées de livres de droit, et cependant très lumineuse grâce à deux larges fenêtres et un éclairage indirect particulièrement étudié. Un bureau massif, de merisier lui aussi, complétait l'ensemble. De toute évidence, Harrison avait fait son chemin dans la vie, tout comme Jay.

S'installant sur une chaise recouverte de velours noir, Jay regarda Harrison prendre place derrière le bureau.

— Comment allons-nous procéder, Jacob ? fit celui-ci quand il fut assis.

— Commençons par mon nom. Je m'appelle désormais Jay Lawrence. Légalement.

Un haussement de sourcil à peine perceptible trahit la surprise du juriste. Toutefois, il acquiesça :

— Bien. Je l'indiquerai sur la succession.

Puis il s'adossa à son fauteuil, sembla réfléchir une seconde, et reprit :

— Pour parler franchement, ta réponse à ma lettre du mois de juillet m'avait quelque peu choqué.

Il sortit d'un dossier le bref courrier que Jay lui avait expédié lorsque Nick, après avoir finalement réussi à retrouver sa trace, lui avait fait part du décès de son père et des dispositions testamentaires de celui-ci. La réponse était lapidaire : « Je renonce à faire valoir mes droits sur toute somme d'argent ou propriété appartenant à la famille Steele. »

Se redressant sur sa chaise, Jay répondit d'une voix intentionnellement basse et froide :

— Ma situation financière a changé.

C'était le moins qu'on puisse dire. Après avoir refusé par principe un legs d'un montant à sept chiffres, il n'avait finalement pas pu disposer d'assez de liquidités pour investir dans la société de logiciels ComputerConcepts et en devenir un des associés comme il en avait eu l'intention. Et c'est ainsi qu'il en était arrivé à avoir besoin de quelque chose qui venait d'Abraham Steele.

— C'est ce que tu m'as dit au téléphone.

— Est-ce que ça pose un problème ?

— Non. Comme je te l'ai expliqué précédemment, le seul moyen d'invalider le testament est de ne pas remplir les conditions suspensives stipulées par le testateur.

— Et ces conditions sont que je dois revenir vivre huit semaines à Riverbend avant la fin de cette année et travailler un mois à la librairie.

Bien que calme en apparence, Jay fulminait à l'intérieur ; même couché dans sa tombe, son père prétendait diriger sa vie. Mais il n'avait pas le choix, comme Mallory s'était chargé de le lui rappeler : « Je sais qu'initialement papa pensait qu'un investissement de 250 000 dollars suffirait, et il nous faut maintenant réunir trois fois cette somme. Mais tu serais associé à cinquante pour cent, chéri, et avec mes parts, nous prendrions le contrôle de ComputerConcepts. »

— Désires-tu prendre connaissance des clauses restantes ?

Jay se raidit.

— Tu es en train de me dire qu'il existe d'autres conditions ?

— Non, pas exactement. Je veux parler de la clause résolutoire, ce qui adviendrait si tu ne remplissais pas les conditions exigées.

— Je ne m'en soucie guère.

— Tu devrais peut-être. Si tu quittais Riverbend avant la fin des huit semaines, ou si tu ne travaillais pas à la librairie durant la moitié de ce temps, tous les biens Steele iraient à quelqu'un d'autre.

— A Ruth et Rachel, je suppose.

Bien qu'il s'en défendît, prononcer leur nom pour la première fois depuis quinze ans le remua profondément.

— Non, pas à tes tantes.

— Alors, à qui ?

— A une femme. Mary Katherine McMann.

Jay agrippa les accoudoirs de son fauteuil.

— Une maîtresse de mon père ? demanda-t-il avec dégoût. Quelqu'un qui courait après son argent ?

— J'en doute, même si Abraham a passé beaucoup de temps à la librairie ces cinq dernières années.

— Raison de plus.

— Non. D'abord, elle est plus jeune que toi.

— Et alors ?

— Ensuite, tout le monde en ville, y compris Kate — personne n'utilise son prénom en entier —, pense que le magasin appartient à tes tantes. Abraham m'a dit que Kate ne savait absolument rien des termes de son testament.

Harrison sourit et ajouta :

— Par ailleurs, c'est une femme qui élève seule ses deux petites filles, des jumelles de cinq ans, tout en ayant la complète responsabilité de Steele Books. Je ne vois pas quand elle aurait trouvé le temps d'entretenir une relation amoureuse avec ton père.

— N'importe quelle femme trouverait du temps pour se concilier les bonnes grâces d'un vieux protecteur.

— Kate a une excellente réputation en ville. Elle est travailleuse, va à l'église, s'occupe bien de ses enfants. Et elle ressemble davantage à une cheftaine scoute qu'à une femme fatale.

Jay se demanda pourquoi Harrison tenait tant à défendre cette femme ; l'idée qu'il était peut-être attiré par elle lui traversa l'esprit. Toutefois, il leva la main, révélant la Rolex attachée à son poignet, et laissa tomber :

— Les apparences sont souvent trompeuses.

Le juriste haussa les épaules.

— Pour ma part, je pense qu'Abraham a voulu lui léguer la librairie parce que c'est elle qui l'a fait tourner pendant si longtemps à la place de Ruth et Rachel. Et il a inclu la ferme dans le legs — toujours si tu ne remplis pas les clauses suspensives —, sans doute parce que Kate et ses enfants y ont emménagé lorsque tes tantes ont acheté la maison qui jouxte Steele Books afin de vivre en ville.

— La ferme fait partie de ce petit jeu ? Je pensais qu'il y avait longtemps qu'Abraham l'avait cédée à mes tantes.

— Pas légalement, non. Comme la librairie, elle est toujours restée au nom de ton père, même après qu'il s'était installé dans la maison d'East Poplar Street avec ta mère. Mais tu as passé beaucoup de temps à la ferme, n'est-ce pas ?

Jay le dévisagea.

— Pourquoi as-tu appelé ça « un petit jeu » ? demanda Nick, d'un ton à la fois curieux et embarrassé.

— Parce que c'est de cela qu'il s'agit. En me faisant revenir ici, il a voulu m'infliger une pénitence.

— Ecoute, Jac... Jay, je ne suis pas certain d'avoir bien compris ses motivations, mais ce que je sais, c'est que Kate héritera de tout, de la librairie et de ses livres rares, de la ferme et des terres qui l'entourent, si tu renonces à tes droits en quittant Riverbend.

« Il faudra d'abord qu'elle me passe sur le corps », pensa-t-il rageusement. Il n'avait pas voulu de cet héritage, mais puisque les circonstances l'y acculaient, il prendrait tout ce à quoi il avait droit. Egoïstement et sans le moindre scrupule. Exactement comme l'aurait fait son père.

Il secoua la tête.

— Elle n'aura rien. Je suis prêt à vivre dans ce trou paumé pendant deux mois.

ement au-dessus du magasin dans lequel tu pourrais t'installer. Il a été loué de temps à autre, mais il est vide en ce moment.

— Peut-être.

— Que comptes-tu faire de tes biens une fois passé le premier de l'an ? s'enquit Nick.

Désireux de clore la discussion, Jay répondit assez sèchement :

— C'est censé te concerner ?

— Non, bien sûr que non. Simple curiosité de ma part. Nous étions plutôt bons amis.

— Si cela t'intéresse, je te tiendrai au courant de mes projets.

Il réfléchit un instant et ajouta :

— D'ailleurs, j'aimerais que tu acceptes de représenter mes intérêts ici, à Riverbend.

— Avec plaisir.

Ils conclurent leur accord par une poignée de main.

— Parfait, dit Jay. Pour le moment, j'apprécierais que tu n'informes personne de mon retour. Je préfère avertir Ruth et Rachel moi-même.

Il se renfrogna.

— Mais d'abord, je veux rencontrer cette Kate McMann, je veux savoir à qui j'ai affaire exactement. A quelle heure ouvre le magasin ?

— Nous sommes dimanche, aujourd'hui, c'est fermé. Jay, je ne crois vraiment pas qu'elle ait été au courant des dispositions que ton père a prises.

— Tu parles ! Ce n'est pas parce qu'il ne lui en a pas fait part qu'elle ne les connaît pas. Je parierais ma nouvelle Jaguar que c'est elle qui est à l'origine de cette manœuvre. C'était un habile stratagème, en fait, qui lui permettait d'hériter de tout sans passer pour une intrigante. Ils ne s'attendaient pas que je revienne, bien sûr.

Il baissa les yeux vers le bureau.

— Il y a des papiers à signer ?

Nick les glissa devant lui et, dès que Jay eut apposé sa signature au bas de chacun d'eux, il se leva, serra la main de Nick, et se dirigea vers la porte.

— Jay…, l'arrêta Nick alors qu'il abaissait la poignée de la porte.

— Oui ? dit-il, se retournant à demi.

— Si tu n'avais pas été en Europe au moment de la mort de ton père… Si tu avais su à temps, tu serais revenu pour l'enterrement ?

A la vérité, Jay ne pouvait pas répondre à cette question. Et ne le voulait pas. Néanmoins, il lança par-dessus son épaule :

— Bien sûr que non. Pourquoi serais-je venu ?

Rachel Steele s'assit brusquement dans son vieux lit de cuivre et pressa sa main sur son cœur battant. Désorientée, elle promena son regard autour d'elle et fut soulagée de reconnaître le papier peint à fleurs passé, la grosse commode, les lampes Tiffany. Le réveil sur la table de nuit indiquait 7 h 30. Elle avait dormi trop longtemps. C'était dimanche et elle devait être à l'église dans une heure.

Un petit coup fut frappé doucement à la porte.

— Rachel, chérie, tu es réveillée ?

— Entre, Ruthie.

Sa jumelle ouvrit la porte. Elle était en peignoir et n'avait pas encore ôté le filet qu'elle portait la nuit pour protéger ses courtes boucles blanches. Elle entra gaiement dans la chambre, portant un plateau.

— Je t'ai apporté ton… Qu'y a-t-il ? Quelque chose ne va pas ?

Rachel sourit. L'intuition de sa sœur jumelle avait été mise en alerte.

— J'ai trop dormi.

Ruth la scruta comme elle l'avait fait lorsqu'elle avait essayé de convaincre Rachel de se baigner nue dans la rivière avec elle et les fils Mercer, ou lorsqu'elle avait voulu ouvrir un jardin d'enfants avant qu'elles ne reprennent la librairie.

— Tu as a fait un autre rêve ?

Soudain très lasse, Rachel retomba sur ses oreillers et hocha la tête. Ruth posa le thé sur le bureau et vint se percher sur le bord du lit. Elle lui tendit ses lunettes, puis prit sa main dans les siennes.

— Tu es glacée. Il fait bon dans la pièce, pourtant.

Rachel resta silencieuse.

— Tu as de nouveau rêvé de lui, n'est-ce pas ?

— Oui, répondit-elle, les yeux fixés sur la couverture de patchwork.

— C'est parce qu'Abraham est parti, chérie.

Vaillamment, Rachel refoula ses larmes. Jamais elle ne s'habituerait à l'idée d'avoir perdu son frère.

— Je sais, dit-elle. Mais ce rêve avait l'air si réel… Jacob était de retour à la maison.

— C'est parce que tu t'attendais qu'il rentre pour l'enterrement ; et depuis, tu continues de penser que tu vas le voir passer notre porte.

— Je n'arrive pas à croire qu'il ne soit pas venu.

— Moi si. Quelque chose de terrible s'est passé entre Jacob et Abraham, il y a des années. Nous ne le reverrons plus jamais.

Elle inspira profondément et ajouta :

— Il te faut accepter ça.

— Non. Nous reverrons Jacob, et bientôt. Je le sais. Je le sens, fit-elle en posant la main sur son cœur.

— Oui, peut-être qu'il viendra pour *nos* funérailles, ironisa Ruth.

Rachel se redressa.

— Ce n'est pas chrétien de ta part de dire une chose pareille, et ça ne te ressemble pas.

Les deux sœurs étaient connues de tous en ville et beaucoup pensaient que Ruth faisait peu de cas de sa sœur, mais personne, au fond, hormis peut-être Lynn Kendall, leur jeune pasteur, ne comprenait réellement la véritable nature de leurs relations.

— Je sais qu'il va revenir, Ruth. Exactement comme j'ai su qu'il s'était passé quelque chose le jour où il s'est retrouvé piégé avec Sarah sur ce banc de sable au milieu de la rivière. Ou quand il s'est blessé au genou durant cette compétition de basket. Ou ce jour où il s'est expliqué avec Abraham…

Ruth se leva et se tint bien droite, retrouvant le maintien de l'institutrice sévère qu'elle avait été autrefois.

— D'accord, chérie.

Elle s'interrompit et reprit d'un ton adouci :

— Mais je m'inquiète toujours de te voir espérer en dépit des événements, je crains trop que ta déception ne soit à la hauteur de tes espérances.

Elle traversa la pièce pour servir le thé, un Earl Grey sucré avec juste un nuage de lait, et apporta la tasse à sa sœur, après quoi elle retapa ses oreillers.

Ruth était peut-être une « vieille chouette », ainsi qu'Abraham la nommait — elle-même l'appelait « Big Brother » —, mais elle avait aussi un côté tendre et maternel.

— Maintenant, bois ton thé, et bouge tes…

— Ruthie !

— … fesses. Tu sais que l'orgue n'apprécie pas les doigts gourds. Tu dois jouer quelques morceaux avant le début du service pour réveiller tes vieux os.

— Mes os vont très bien, marmonna Rachel en portant la tasse à ses lèvres.

Tout comme son cœur. Et même si elle souffrait toujours de la perte du petit garçon qu'elle et Ruth avaient pratiquement élevé après la mort de Mary Steele, Rachel croyait fermement qu'elles reverraient Jacob. Bientôt.

Mais pour mettre toutes les chances de son côté, elle en parlerait à Dieu ce matin.

Les épaules douloureuses, Kate souleva la hache au-dessus de sa tête et l'abattit aussi fort qu'elle le put sur la bûche. Celle-ci se fendit en deux, juste au milieu, amenant un sourire de satisfaction sur son visage. Elle devenait aussi efficace que Paul Bunyan. Une brise légère s'était levée et elle sentait sa queue-de-cheval balayer son cou. Elle s'essuya le front d'un revers de main et se remit au travail. Un deuxième, un troisième coup, un autre encore, jusqu'à ce que la grosse bûche soit réduite en morceaux transportables, qu'elle chargea ensuite un à un dans la brouette. Puis elle cacha la hache derrière le stère de bois que Mitch Sterling, un ami qui était presque un frère pour elle, lui avait livré la veille. « J'ai un lot de bois, Katie, lui avait-il dit. Tu peux l'avoir pour une bouchée de pain. Je te le livrerai. » Bien qu'elle n'acceptât jamais qu'on lui fasse la charité, Kate était à l'affût des bonnes affaires et ne laissait jamais passer une occasion d'économiser un peu d'argent. Demain, elle ferait un saut à la quincaillerie de Mitch pour le remercier ; elle lui apporterait quelques-uns de ces brownies qu'il adorait. Mentalement, elle ajouta « faire des brownies » à sa liste Cuisine.

Comme elle saisissait les poignées de la brouette, Hannah cria :

— C'est mon tour !

Kate bougonna intérieurement, se demandant pourquoi elle s'était prêtée à ce jeu. Hannah courait vers elle, ses cheveux blonds flottant au vent, son blouson ouvert, sa salopette en jean déjà salie. Hope, la jumelle d'Hannah, vêtue d'un joli jogging rose irréprochable, était restée clouée sur place, deux doigts dans sa bouche.

Kate reposa la brouette et attrapa sa fille au vol.

— Une seconde, trésor.

Elle s'accroupit et plongea ses yeux dans les yeux bleu ardoise de sa fille — les mêmes que ceux de son ex-mari, Billy.

— Est-ce que c'est vraiment ton tour, Hannah ?

Le diable dansait dans les prunelles de l'enfant comme elle acquiesçait du chef. Kate continua de la fixer de son regard sévère. Enfin, Hannah secoua la tête de droite à gauche.

— Ce n'est pas beau de mentir, Hannah, ni de faire de la peine à Hope en prenant son tour. Maman t'a dit plusieurs fois que c'était un péché de mentir et de tricher.

Les lèvres de la petite fille se mirent à trembler, l'effroi se peignit sur son visage.

— Je ne veux pas faire de peine à Hope, dit-elle.

— Je sais, chérie. Mais toi, tu sais que Hope donnerait n'importe quoi pour te faire plaisir.

« Et ferait n'importe quoi, malheureusement », pensa-t-elle.

— Je regrette, maman.

Kate l'embrassa sur le front.

— Allez, maintenant va attacher les cerfs-volants, que le vent ne les emporte pas. Tu ne voudrais pas les perdre, hein ?

— Le mien est le plus beau, déclara Hannah.

Kate pencha la tête.

— Le mien et celui de Hope, se rattrapa Hannah. J'ai hâte qu'Allison les voie.

Allison Pennington était la meilleure amie des jumelles. Ses parents, Grace et Ed, étaient plus âgés que Kate, ainsi que la tante d'Allison, Beth. Kate avait appris à mieux connaître cette dernière lorsqu'elle était revenue en ville, à l'automne, et s'était fiancée à Charlie Callahan, un autre de ses bons amis à Riverbend.

Kate jeta un coup d'œil aux cerfs-volants qu'elles avaient terminé de fabriquer tard la veille au soir. Après qu'elles avaient eu fini, elle avait passé une heure dans la chambre d'amis qu'elle était en train de rénover, s'était acquittée des corvées quotidiennes, puis avait mis la touche finale aux robes qu'elle avait cousues pour ses filles, avant de rejoindre enfin son lit vers 1 heure du matin.

Hannah s'éloigna et Hope sautilla jusqu'à la brouette. Elle s'arrêta pour embrasser sa mère et grimpa sur le tas de bois. Kate souleva la brouette, maintenant alourdie du poids de sa fille, et la poussa jusqu'à l'appentis à l'arrière de la maison qui abritait les machines à laver et à sécher le linge et dans lequel elle entreposait le bois. Là, les filles l'aidèrent à décharger les bûchettes, puis elles retournèrent à leurs cerfs-volants.

— Fermez vos blousons, il commence à faire frais, leur lança-t-elle en regardant sa montre.

Il lui restait encore une demi-heure avant de se préparer pour le service du dimanche. Un quart d'heure pour continuer sa corvée de bois, et un quart d'heure pour jouer avec les filles, décida-t-elle. La matinée était étonnamment venteuse, autant en profiter.

Entre deux coups de hache, Kate sourit en observant les décorations que Hope et Hannah avaient réalisées sur leurs cerfs-volants. Rachel avait commandé des cerfs-volants « à peindre » pour le magasin et en avait offert trois aux McMann. Sur le sien, Hope avait dessiné un paysage ensoleillé avec un ciel bleu vif et un grand à-plat d'herbe vert émeraude. Hannah, elle, avait peint une sorte de monstre, ou peut-être de dragon, avec des flammes autour, et utilisé des couleurs sombres.

« Et toi, Katie, qu'as-tu représenté ? » aurait demandé Abraham. Kate étouffa un soupir en pensant à la famille heureuse qu'elle s'était appliquée à dessiner : deux fillettes, deux grands-mères, un grand-père, une maman, un papa et un chien. Elle avait pensé ajouter un bébé, mais elle n'avait pas voulu tenter le sort. Elle serait heureuse avec juste un tout petit peu plus que ce qu'elle avait à présent.

Un cri poussé par Hannah lui fit relever la tête, la hache manqua sa cible et, au même moment, une rafale de vent lui souffla de la poussière de bois en plein visage. Elle ferma les yeux, mais trop tard ; un peu de sciure avait pénétré dans son œil gauche. Elle laissa échapper une exclamation de dépit qui attira l'attention des fillettes. Abandonnant leurs cerfs-volants, elles arrivèrent aussitôt en courant.

— J'aurais dû acheter ces lunettes de protection la semaine dernière, grommela-t-elle en pressant sa paume contre son œil.

Seulement Mitch lui avait dit qu'elles seraient en promotion la semaine suivante et elle avait décidé d'attendre.

— Maman, ça va ? demanda Hannah.

Hope la fixait sans mot dire, de nouveau les doigts à la bouche.

— J'ai quelque chose dans l'œil. Rentrons.

— Mais…, commença Hannah.

— Hannah, maman a *mal.* Je veux que tu rentres à la maison tout de suite.

Les petites mains se cherchèrent et, ensemble, les deux fillettes pivotèrent et se dirigèrent vers la maison. Kate, tel le Cyclope de *l'Odyssée,* leur emboîta le pas. Une fois à l'intérieur, elle abaissa le petit loquet qui fermait la porte grillagée et se tourna vers ses filles.

— Asseyez-vous sur le banc. Je reviens tout de suite.

— Et nos cerfs-volants ? geignit Hannah.

— Ils ne risquent rien. Je n'en ai que pour quelques minutes. Tu peux les surveiller par la fenêtre.

Hope s'agenouilla sur le banc et regarda à l'extérieur. Hannah boudait.

— Hannah, j'aimerais que tu penses un peu aux autres, dit Kate, perdant patience.

La petite fille hocha la tête et s'agenouilla près de sa sœur.

Kate courut dans la cuisine et s'efforça de rincer son œil au-dessus de l'évier. L'eau la brûlait encore plus que la poussière. Tout en baignant son œil, elle se reprochait les erreurs qu'elle avait faites avec ses enfants. Elle les avait trop gâtées, d'abord parce qu'elle avait attendu sept longues années avant de les avoir, ensuite parce qu'une fois nées, et après que Billy fut parti, elles étaient devenues le centre de son univers. Et la faiblesse de Ruth et Rachel à leur égard ne faisait qu'aggraver les choses. Kate savait que les deux femmes se comportaient ainsi parce que leur neveu, le mystérieux Jacob Steele qui leur avait brisé le cœur en abandonnant sa famille à l'âge de vingt ans, leur manquait terriblement. Alors, elle les laissait gâter ses filles. En partie pour cette raison, et en partie parce qu'elle avait ainsi l'impression d'avoir une vraie famille.

Au lieu de s'avancer dans l'allée de la ferme — il ne voulait pas avertir Mme McMann de son arrivée —, Jay se gara de l'autre côté de River Road, le long du trottoir. Il attendit que plusieurs voitures, qui roulaient bien au-dessus de la vitesse autorisée, passent, pour ouvrir sa portière et descendre de la petite Volvo de location. Son genou le fit grimacer une nouvelle fois. Il avait bien fait d'emporter son orthèse ; il serait obligé de la mettre si la douleur s'accentuait. Ironiquement, cette douleur était un souvenir des jours heureux qui avaient commencé et pris fin à Riverbend. Debout près de la voiture, il observa un moment la maison. Bien que la toiture parût neuve, elle ne semblait pas en très bon état. La façade de bois avait besoin d'être repeinte. Le porche avait l'air branlant. Des marches en béton avaient été ajoutées à l'entrée du jardin, et on avait pavé l'allée qui menait à l'arrière de la maison.

Il était sur le point de traverser la rue quand il vit un cerf-volant flotter sur le côté de la maison. Ensuite, tout se passa très vite.

D'abord, une tête blonde surgit de nulle part et courut en direction de la route. Puis une autre suivit.

Le cerf-volant prit de la hauteur.

Jay se redressa et mit ses mains en porte-voix pour avertir les enfants du danger.

Une camionnette apparut en haut de la pente que suivait la route à cet endroit, et la dévala à plus de soixante kilomètres/heure, toutes fenêtres ouvertes, la radio à plein volume, le tout dans un grondement de moteur inquiétant.

Comme guidé par une main invisible, le cerf-volant passa au-dessus de la route et les enfants s'élancèrent sur la chaussée.

Jay bondit en avant. En le voyant — mesurant un mètre quatre-vingts, Jay était visible au-dessus du capot du véhicule, contrairement aux fillettes —, le chauffeur de la camionnette, un adolescent, lui sembla-t-il, klaxonna et donna un violent coup de frein. Jay saisit les deux enfants d'un seul mouvement, une sous chaque bras, et les emporta sur le trottoir, atterrissant droit sur les marches de béton.

Il eut le temps de pivoter légèrement sur le côté pour protéger les fillettes, mais ne put éviter la chute et laissa échapper un cri de douleur quand son genou blessé heurta l'escalier.

2.

Rassemblant toute l'énergie dont elle était capable, Kate fit taire la panique qui montait en elle et, affichant une assurance qu'elle était loin de ressentir, telle Jane Eyre face à M. Rochester, arrangea les couvertures du lit ancien à haut dosseret et tapota l'oreiller placé derrière l'homme qui avait sauvé la vie de ses enfants. Des visions de cauchemar essayaient de refaire surface dans son esprit, mais elle les repoussait résolument. Elle aurait le temps plus tard d'affronter ce genre de démons. Pour le moment, elle éprouvait une immense reconnaissance pour l'ange qui lui avait été envoyé.

— Vous vous sentez bien ? demanda-t-elle.

Stupide. Il souffrait tant qu'il était livide.

Il la regarda à travers ses cils, de ses yeux noirs, qui lui évoquaient quelqu'un de familier sans qu'elle puisse dire de qui il s'agissait.

— Pas vraiment, répondit-il.

— Maintenant que nous sommes à l'intérieur, je vais appeler un médecin, déclara-t-elle.

— Je n'ai pas besoin de médecin.

— Je peux comprendre que vous ne vouliez pas aller à l'hôpital, mais un médecin viendra très volontiers vous voir ici. C'est une petite ville, vous savez. Ils ont l'habitude de se déplacer pour ce genre d'accidents.

Elle fit un geste du menton en direction de son genou, qu'elle avait surélevé et enveloppé d'une serviette contenant des glaçons après l'avoir pratiquement porté jusqu'à la maison, avec l'aide de Jesse Carmichael, le jeune garçon qui conduisait la camionnette, et installé sur le lit.

— Je vous l'ai dit, c'est une vieille blessure, dit-il d'une voix rendue rauque par la douleur. Je sais ce qu'il faut faire.

Il repoussa ses cheveux blond châtain et haussa les épaules avant de reprendre :

— Est-ce que le jeune gars et l'officier Staver sont partis ?

— Oui. Et le chef de la police a appelé les parents de Jesse. Tous les quatre doivent avoir une discussion sur la sécurité au volant en ce moment.

Elle esquissa un sourire.

— Je n'ai plus qu'à prendre soin de vous, à présent.

— Vous n'avez pas à vous occuper de moi.

— Bien sûr que si !

De nouveau, l'émotion menaça de la submerger.

— Vous avez sauvé la vie de mes filles. Et… je ne connais même pas votre nom.

— Jay Lawrence.

— Moi, c'est Kate McMann. Les jumelles s'appellent Hope et Hannah. Elles ont cinq ans.

Il la dévisageait sans rien dire.

— Je suppose que vous vous demandez comment c'est arrivé ?

— Comment ?

— J'étais en train de couper du bois pendant que les filles s'amusaient avec leurs cerfs-volants, et de la sciure m'est entrée dans l'œil. Je suis allée dans la cuisine pour le rincer…

— Vous avez laissé vos filles de cinq ans dehors, sans surveillance, alors que la route est toute proche ?

Kate ne fut pas surprise par le ton de reproche sur lequel il l'avait interpellée, mais ce n'était pas tout à fait mérité.

— Non, j'ai emmené les enfants avec moi. Je leur ai demandé de rester cinq minutes sagement assises dans l'appentis dont j'ai fermé le loquet, qui se trouve hors de leur portée. Du moins le croyais-je, car il semble qu'Hannah ait réussi à l'atteindre en montant sur un tabouret.

Kate secoua la tête, horrifiée par la pensée de ce qui aurait pu arriver. Les larmes lui montaient aux yeux, mais elle les refoula.

— Jamais je n'aurais imaginé qu'elle me désobéirait aussi ouvertement. Grâce à Dieu, vous étiez là.

— Dieu n'y est pour rien.

Il avait dit ça machinalement, pour lui-même plutôt que pour elle, aurait-on dit. C'était une drôle de remarque, mais elle était trop secouée pour discuter théologie avec lui. Si seulement elle parvenait à dominer son émotion encore un moment…

— J'ai tout vu depuis le côté de la maison.

Il lui jeta un bref coup d'œil et elle vit à son expression qu'il comprenait, au moins dans une certaine mesure, ce que cela pouvait signifier de voir les êtres que l'on aimait le plus au monde frôler la mort. C'était la première émotion qu'il exprimait depuis qu'il était là.

— C'était comme dans un film, continua-t-elle. J'ai vu Hannah s'élancer la première, puis Hope. Puis la camionnette surgir en haut de la pente.

— Madame McMann, vous ne devriez pas…

Elle secoua la tête et poursuivit :

— Vous vous êtes pour ainsi dire jeté devant cette affreuse camionnette. Et… et si Jesse n'avait pas pu freiner, vous auriez été tué.

Jay avait recouvré son visage impavide. Seules ses lèvres pincées trahissaient la douleur aiguë qu'il éprouvait. Comment pouvait-on être passé aussi près de la mort, avoir sauvé deux vies, et ne manifester aucune réaction ?

— Pourquoi avez-vous fait ça ? interrogea-t-elle.

Elle crut tout d'abord qu'il n'allait pas répondre. Puis il dit, à contrecœur :

— Je savais que le chauffeur ne pouvait pas les voir, mais il me voyait, moi.

Toujours assise sur le bord du lit, elle prit sa main. Elle la serra doucement.

— Vous avez risqué votre vie pour mes enfants. Je ne sais pas… je ne sais pas comment je pourrai assez vous remercier…

Oh, non, elle ne parvenait plus à retenir ses larmes. Elle avait réussi à se maîtriser durant la crise, avait conduit les filles dans deux pièces séparées, appelé la police, réprimandé et réconforté Jesse tout à la fois, soigné Jay… mais à présent qu'elle n'avait plus rien à faire et qu'elle se retrouvait seule face à cet étranger, elle craquait.

Lorsqu'elle avait vu les filles courir vers la route, Kate avait pensé que, cette fois, sa vie était foutue, vraiment foutue. Elle avait traversé pas mal d'épreuves dans le passé ; cela n'avait pas été facile de trouver son mari au lit avec une autre femme, d'accoucher de ses jumelles deux mois avant le terme, puis d'être seule pour assumer le quotidien de sa petite famille. Mais elle s'était rarement laissée aller à pleurer. Et voilà qu'elle était incapable de contenir ses larmes. Le barrage cédait sous le flot de ses émotions. Elle baissa la tête tandis que les larmes roulaient sur ses joues.

Puis, malgré le tumulte qui l'habitait, elle sentit, incrédule, Jay Lawrence serrer sa main dans la sienne et l'entendit dire doucement :

— Chut, c'est fini. Tout va bien maintenant.

Il n'en fallait pas davantage pour que ses larmes se muent en sanglots. Elle retira sa main, se recroquevilla sur elle-même, enfouit son visage dans ses mains et pleura tout son soûl.

Au bout d'un moment, Kate sentit quelque chose dans ses cheveux. La main de Jay. Elle reposait, légère, sur le sommet de sa tête. Puis elle se mit à la caresser avec hésitation. C'était un contact apaisant et elle s'y abandonna. Kate acceptait rarement d'être réconfortée par quelqu'un, et l'accepter d'un étranger était presque inconcevable, mais elle ne pouvait pas s'en empêcher.

Il continua de lui caresser les cheveux et de lui murmurer des encouragements jusqu'à ce qu'elle se calme, relève la tête et se redresse tandis qu'il laissait retomber son bras sur le matelas.

Elle prit un mouchoir en papier sur la table de nuit, se moucha, et repoussa ses cheveux de son visage.

— Excusez-moi… Je ne me rappelle pas quand j'ai pleuré pour la dernière fois. C'est juste que…

— Je comprends.

— Non, vraiment, je ne pleure jamais d'ordinaire. Je…

Elle se leva brusquement.

— Mais ce n'est pas moi l'important, c'est vous. Vous souffrez manifestement beaucoup. Je vous en prie, laissez-moi appeler le médecin, ou au moins son assistante, Beth Pennington.

Une étincelle brilla dans les yeux de Jay à la mention du nom de Beth. Kate aurait juré qu'il le connaissait.

— Non, répondit-il. C'est une douleur chronique. J'étais étudiant quand je me suis fait cette blessure. Ça va probablement gonfler et rester douloureux pendant quelques semaines, mais tout ce dont j'ai besoin, c'est de glace, d'antalgiques et de repos.

— Vous avez vos médicaments avec vous ?

— Oui, ainsi que mon orthèse. Ce genou me fait souffrir depuis…

Il s'interrompit comme s'il en avait trop dit.

— De toute façon, j'ai ce qu'il faut dans ma voiture, reprit-il, dans ma trousse de toilette.

— Je vais aller vous la chercher.

— Non…

Il essaya de se lever et retomba aussitôt sur l'oreiller.

— Bon sang, grogna-t-il entre ses dents, je crois bien que je ne peux pas bouger.

— Je suis vraiment désolée. Est-ce que cela pourrait vous empêcher de marcher pendant un moment ?

— Oui.

— Voulez-vous que je prenne contact avec votre famille afin que quelqu'un vienne vous chercher ?

— Je n'ai pas de famille, dit-il avec raideur.

— Des amis alors ?

Il secoua la tête.

— Vous êtes de la région ?

— Autrefois.

— Oh. Bien entendu, vous pouvez rester avec nous aussi longtemps que vous voudrez. Je veux dire… jusqu'à ce que votre genou aille mieux, ou que quelqu'un puisse venir vous chercher.

— Non, je…

Il ne termina pas sa phrase.

— Je vais aller chercher vos médicaments. Nous pourrons parler de tout ça quand vous aurez moins mal.

Elle se pencha pour arranger la glace sur son genou, lui adressa un faible sourire en tendant sa main.

— Vos clés ?

— Ma trousse de toilette est dans la petite valise, expliqua-t-il en les lui donnant. Apportez-moi celle-là. S'il vous plaît.

— Je reviens tout de suite.

Alors qu'elle sortait de la pièce, elle sentit son regard posé sur elle comme s'il essayait de l'analyser. Cela lui fit une étrange impression ; elle se demanda si quelque chose lui échappait.

« Bien entendu, vous pouvez rester avec nous aussi longtemps que vous voudrez… jusqu'à ce que votre genou aille mieux ou que quelqu'un puisse venir vous chercher. »

Jay croisa ses mains derrière sa tête et, malgré la douleur lancinante de son genou, sourit. Quelle singulière opportunité. Elle venait de l'inviter à séjourner chez elle.

C'était parfait. Il ne devait travailler que quatre semaines à la librairie pour avoir droit à son héritage. Et la ferme se trouvant à l'intérieur des limites de la commune, il pourrait y rester une ou deux semaines, incognito, jouer les héros blessés et découvrir tout ce qu'il avait besoin de savoir sur Mme McMann, tout en remplissant une des conditions imposées par le testament. S'était-elle servie de ses tantes pour prendre le contrôle du magasin et pour profiter d'un logement à moindres frais ? Peut-être espérait-elle hériter de tout lorsqu'elles disparaîtraient à leur tour ? Diable ! Il pourrait lui parler, l'encourager à se confier à lui. Son regard se posa sur l'ordinateur de l'autre côté de la pièce. Avec un peu de chance, la comptabilité de la librairie s'y trouvait, et peut-être même ses comptes personnels. Il pourrait s'y plonger lorsqu'elle serait au magasin. Il pourrait aussi fureter dans tous les coins de la maison.

Il gloussa de satisfaction. S'il avait cru en Dieu, il l'aurait remercié de lui offrir pareille occasion. Mais étant donné qu'il avait appris, quinze ans plus tôt, à ne croire qu'en lui-même, il se contenterait de suivre son instinct pour découvrir ce que Mary Katherine McMann avait pu faire pour inciter un vieil homme à faire d'elle la possible bénéficiaire d'un héritage important.

Et ce pourrait même se révéler amusant.

L'image de son visage ravagé par les larmes se rappela cependant à lui. Kate McMann avait été bouleversée par les événements de la matinée. Harrison avait raison. Elle avait réellement l'apparence d'une femme seule qui travaillait dur pour élever ses enfants, avec ses cheveux roux attachés dans le dos à la hâte, son jean et son sweat-shirt fatigués. Ses yeux noisette avaient exprimé une telle terreur que lui-même en avait été remué. Mais ne pouvait-elle pas être une mère aimante et une sinistre manipulatrice tout à la fois ? Jay avait connu des femmes dont le visage innocent dissimulait la pire des roueries. N'avait-il pas lu quelque part que Marie-Antoinette était une excellente mère ? Quoi qu'il en soit, il tenait là une occasion inespérée de découvrir la vérité.

Il ferma les yeux pour ne plus voir la chambre qui avait été la sienne enfant, mais cela ne servait à rien, sa mémoire avait gardé intact chaque détail. Le papier peint jaune avait pâli, mais le mobilier n'avait pas changé. Ses coupes de basket et ses posters de Larry Bird étaient toujours là. Le bureau et l'ordinateur étaient nouveaux, mais on avait conservé sa lampe en forme de panier de basket. Il se demanda ce que ses livres étaient devenus. Ruth et Rachel lui lisaient des histoires dans cette même pièce, le soir au coucher, ou lorsqu'il était malade. L'ironie de devoir passer quelque temps ici pour se rétablir ne lui échappait pas.

— Est-ce que c'est ça ? demanda une voix douce depuis le seuil de la pièce.

Elle semblait plus calme. Son visage avait cet air de santé qu'ont les gens qui passent beaucoup de temps à l'extérieur. « J'étais en train de couper du bois avant d'aller à l'église… » Ses yeux étaient du même vert que les billes d'agate que lui et les autres River Rats dissimulaient dans des endroits secrets, et il y avait une sorte de résolution nouvelle dans son regard.

— Oui, c'est celle-là.

Elle traversa la chambre et lui tendit la petite mallette Vuitton que Mallory avait achetée pour lui à Paris. Elle posa un verre d'eau sur la table de nuit et l'observa qui ouvrait la petite valise, en sortait le tube de cachets et en avalait deux. Automatiquement, elle jeta un coup d'œil à sa montre et sourit.

— Toutes les quatre heures ?

Il hocha la tête.

— Il faudra enlever la glace dans quelques minutes, dit-elle en montrant son genou.

— Vingt minutes avec, vingt minutes sans. Je connais la chanson, repartit-il fraîchement.

— Je suis vraiment désolée.

— Vous n'y êtes pour rien.

L'expression de Kate disait clairement : « Si, tout ça est ma faute. » Pour quelque raison, il éprouva le besoin de la réconforter, de la distraire. C'était un sentiment qui lui était aussi étranger que le rire et il eut de la peine à le reconnaître.

— Où sont-elles ? interrogea-t-il en regardant la porte.

— Hannah est dans la chambre qu'elles partagent et Hope est dans la mienne. Elles n'ont droit ni à la télévision, ni aux livres, ni à leurs jouets.

— La punition est sévère.

— Elles n'ont encore rien vu. Le pire pour elles, c'est d'être séparées. Et ce qui leur est presque aussi pénible, c'est d'être tenues éloignées de leurs livres.

— Pas de leurs jouets ?

— Non. Bien qu'elles adorent les cerfs-volants que Rachel leur a donnés.

Le cœur de Jay s'accéléra. « Jacob, regarde ce que j'ai trouvé pour toi aujourd'hui. Il y a ton héros préféré dessus, Zorro. Quand tu auras fini tes devoirs, Ruthie et moi te montrerons comment le faire voler. »

— Elles les aiment un peu trop, semble-t-il.

— Je sais, fit-elle en se mordant la lèvre. Alors, qu'avez-vous décidé ? Vous restez jusqu'à ce que vous alliez mieux ?

— Eh bien… oui. Je suis en congé, mais j'ai quelques affaires à traiter dans la région. Ce que je peux faire en grande partie avec un téléphone et un ordinateur.

Elle tourna la tête vers celui qui était posé sur le bureau.

— Vous pouvez utiliser le mien.

« Et un point, un », songea-t-il. Ça allait être une partie de plaisir. Il lui suffirait de cacher son propre ordinateur portable.

— Merci.

— Votre téléphone est resté dans la voiture ?

— Oui. Ça ne fait rien. J'irai chercher mes affaires plus tard.

— Vous n'avez pas l'habitude qu'on s'occupe de vous, n'est-ce pas, monsieur Lawrence ?

— Ne devriez-vous pas m'appeler Jay ?

Il lui décocha ce sourire dévastateur dont Mallory disait qu'il charmerait un serpent. Une pointe d'intérêt traversa brièvement l'expression de la jeune femme.

— Eh bien, puisque vous restez ici, je crois qu'en effet…

Elle eut un frisson, lui sembla-t-il, puis parut se reprendre.

— Appelez-moi Kate. Je vous présenterai officiellement à mes filles dans quelques heures. Pour l'instant, elles sont punies.

— Verrai-je bientôt votre mari ? s'enquit-il bien qu'il sût pertinemment qu'elle vivait seule avec ses enfants.

— Je suis divorcée. Billy nous rend rarement visite.

« Donc, quelque chose ne va pas chez vous, mon chou. Avez-vous le cœur dur ? Etes-vous trop calculatrice ? Frigide peut-être… Abraham était vieux… »

— Je ne voulais pas me monter indiscret, dit-il hypocritement.

— Je vais enlever cette glace, déclara-t-elle, joignant le geste à la parole.

Il remarqua ses ongles courts, ses mains abîmées. Lui aimait qu'une femme ait des mains soignées, des ongles rouges. C'était tellement féminin. Elle grimaça en soulevant la glace.

— Qu'y a-t-il ?

— Oh, juste une ampoule.

Elle alla à la salle de bains attenante à la chambre que ses tantes avaient fait installer pour lui et laissa tomber la glace dans le lavabo. De la porte, elle demanda :

— Que voulez-vous que je vous rapporte de votre voiture ?

Son ordinateur portable était à l'abri sous le siège, elle ne le verrait pas.

— Mon mobile, s'il vous plaît. Il est dans la boîte à gants. La grosse valise, dans le coffre, est probablement trop lourde.

Elle sourit comme s'il venait de dire une absurdité.

— Je m'occupe de votre téléphone et de votre valise. Pourquoi ne vous reposeriez-vous pas ?

— Oui, je crois que je suis fatigué.

En réalité, il avait surtout besoin d'être seul pour mettre au point sa stratégie. Il ferma les yeux afin qu'elle parte. Elle éteignit la lampe de la salle de bains et se dirigea vers la porte à pas de loups. A travers ses paupières mi-closes, il la vit l'observer un moment. Puis elle secoua la tête et soupira.

Elle pensait probablement qu'il était un cadeau du ciel, envoyé pour sauver la vie de ses filles.

Au lieu de quoi, il allait faire voler sa vie en éclats.

Mais cela n'avait guère d'importance. Elle le méritait probablement. Et sinon, tant pis. Il était bien placé pour savoir que Riverbend, Indiana, ne protégeait pas ses enfants.

— Je me doutais bien qu'il s'était passé quelque chose quand je ne t'ai pas vue à l'église ce matin. Maintenant, j'en suis sûre. Tu rumines quelque chose.

Kate sursauta, puis éteignit le brûleur sous la poêle avant de se tourner vers sa meilleure amie qui se tenait à l'entrée de la cuisine. L'éternel sourire de Lynn Kendall s'émoussa et son masque de pasteur disparut dès qu'elle eut bien regardé Kate.

— Excuse-moi de t'avoir surprise. J'ai frappé, mais tu n'as pas entendu. Que se passe-t-il ? demanda-t-elle d'un ton inquiet.

Kate ferma brièvement les yeux.

— La matinée a été vraiment dure. Laisse-moi terminer ce minestrone, et je te raconte tout ensuite. Sers-toi un café et assieds-toi.

Avec les gestes mécaniques qui étaient les siens depuis trois heures, Kate remua les légumes revenus dans la poêle, d'où s'élevait une délicieuse odeur d'oignons et d'ail, et les versa dans son grand faitout.

S'étant servie une tasse de café, Lynn s'était assise à la table, une table de bois massif patinée par les ans, et attendait que Kate ait décidé de s'ouvrir de ce qui la tourmentait. C'était une des qualités qui faisaient d'elle un si bon pasteur et une si précieuse amie. Souvent, à l'heure du déjeuner, lorsqu'elles allaient marcher ensemble, Kate se confiait à elle.

Attrapant une tasse pour elle-même, Kate s'assit en face de Lynn.

— Les jumelles ont failli se faire écraser par une camionnette ce matin, dit-elle simplement.

— Oh, mon Dieu !

— Je pensais que tu l'aurais peut-être appris par Ethan Staver.

— Non. Je suis venue directement ici après le service.

Elle saisit la main de Kate. Les gens pensaient que Kate et Lynn avaient l'air de deux sœurs avec leurs cheveux roux, leurs taches de rousseur et le peu de goût qu'elles avaient toutes les deux pour le maquillage. Mais Lynn avait une ossature plus fine, plus fragile, pareille à celle que Kate attribuait à Emma, l'héroïne de Jane Austen.

— Mais elles vont bien, n'est-ce pas ? continua Lynn.

— Mmm. Elles sont « assignées à résidence », chacune dans une chambre, pour le moment.

Lynn sourit.

— Ont-elles le droit de recevoir des visites ?

Kate adressa un faible sourire à son amie. Sa bienveillance naturelle l'apaisait.

— Seulement toi, répondit-elle.

— J'irai tout à l'heure. Est-ce que tu veux me raconter comment ça s'est passé ?

Kate se mordit la lèvre et acquiesça. Elle savait d'expérience que parler à Lynn aidait. Refoulant ses larmes, à petites phrases hésitantes, elle raconta toute l'histoire.

— Oh, ma pauvre, ça a dû être horrible, dit Lynn quand elle eut terminé. Mais tu ne te sens pas coupable au moins ?

— Je n'aurais pas dû les laisser dans l'appentis.

— Elles ont cinq ans, Kate. Tu ne peux pas les avoir sous les yeux à chaque instant. Hannah a fait une bêtise, pas toi. Et tu as eu raison de la punir.

— J'ai puni Hope aussi. Elle doit apprendre à ne pas obéir à toutes les volontés de sa sœur.

— Qu'est-il advenu de l'homme qui les a sauvées ?

Redressant ses épaules, Kate tourna le visage vers la porte.

— Il dort dans une des chambres.

— Il dort ?

— Il s'est blessé au genou. En fait, c'est une vieille blessure qui s'est réveillée lorsqu'il est tombé sur l'escalier du jardin.

— Ah, c'est mauvais.

— Je l'ai invité à rester ici jusqu'à ce qu'il récupère, reprit Kate en sirotant son café. Et il a accepté.

— Pardon ?

Elle répéta ce qu'elle venait de dire, en ajoutant quelques détails.

Lynn hocha la tête sans rien dire, mais Kate reconnut son regard soucieux. Elle l'avait lorsque l'un de ses paroissiens s'égarait, ou qu'elle était en désaccord avec Tom Baines, son futur mari.

— Chérie, tu es sûre que c'est une bonne idée d'inviter chez toi un parfait étranger ?

— Il a sauvé la vie de mes filles, Lynn. Il aurait pu se faire tuer.

— Cela ne veut pas dire qu'il soit absolument sans risque de l'héberger chez toi.

— J'ai tout vu, tu sais. Il n'a pas hésité une seule seconde à risquer sa propre vie. D'après moi, c'est quelqu'un de foncièrement bon. Je n'ai rien à craindre de lui.

— Je crois que je peux comprendre ton raisonnement. Mais tout de même, cela reste un peu effrayant.

— C'est le moins que je puisse faire, vraiment, dit Kate.

Elle se leva et alla remuer le minestrone sur la cuisinière. Lynn suivait chacun de ses mouvements.

— Tu as cuisiné toute la matinée ?

— Hmm.

Alignés sur le comptoir se trouvaient les brownies préférés de Mitch, le gâteau à la banane de Charlie Callahan, ainsi que les biscuits à la cannelle et les *biscotti* aux amandes qu'elle apporterait à la librairie le lendemain. Tout le monde à Riverbend savait que Kate cuisinait lorsqu'elle était bouleversée.

— Il pourrait rester chez Tom, suggéra finalement Lynn.

Kate se rassit en posant une assiette de biscuits sur la table.

— Merci, non. Cet homme n'a pas sauvé mes filles pour se transformer en Mr Hyde quelques heures plus tard.

— Je suppose que non. Mais je vais m'inquiéter.

— Je t'en prie, ne t'en fais pas. Je suis tout à fait en sécurité avec Jay Lawrence. Je le sais.

Il avait dormi. La pièce baignait dans la lumière du matin quand Kate McMann était partie, et à présent des ombres rasantes de fin d'après-midi dessinaient des motifs enchevêtrés sur le mur derrière le bureau. Jay avait passé de nombreuses heures, autrefois, à regarder ces motifs changer en rêvant à son avenir, bien au chaud sous le patchwork cousu avec amour par Rachel. Mais pas un seul des vœux qu'il avait formés à cette époque ne s'était réalisé, ce qui montrait bien que les rêves d'enfants n'étaient que de folles illusions.

Sa douleur au genou s'était réveillée en même temps que lui. Il s'assit, alluma la lampe de chevet et attrapa ses médicaments. Un verre d'eau encore fraîche se trouvait à côté. L'idée que Kate était entrée pendant qu'il dormait le mit mal à l'aise. Il allait devoir trouver un moyen de la tenir éloignée de cette chambre. Il jeta un coup d'œil à la porte de la salle de bains, puis à son genou. Comment diable allait-il…

Un coup léger fut frappé à la porte.

— Entrez.

La porte grinça et Kate apparut, des béquilles à la main.

— Hello. Vous vous sentez mieux ?

— Ça va.

A dire vrai, non seulement son genou le faisait horriblement souffrir, mais il avait aussi mal au dos et son poignet gauche était douloureux.

— Où avez-vous trouvé ça ? s'enquit-il en indiquant les béquilles.

— Notre pasteur, Lynn Kendall, est passée voir pourquoi je n'étais pas à l'église ce matin. Je lui ai parlé de votre blessure et elle les a empruntées au stock de prêt de la paroisse.

— Votre pasteur vient vous voir dès que vous manquez un service ?

Kate émit un petit rire qui fit briller ses yeux. Elle s'était changée et portait un T-shirt tie-and-dye couleur d'automne, qui moulait ses hanches, sur un pantalon étroit noir. Ses formes étaient plus féminines que son jean passé et son sweat-shirt, tous deux trop larges, l'avaient laissé supposer. Elle n'était pas maquillée et ses cheveux, dont la couleur semblait sortie tout droit d'un tableau du Titien, tombaient en cascade sur ses épaules.

— Lynn est aussi ma meilleure amie, expliqua-t-elle. Elle et son fiancé, Tom Baines, sont revenus tout à l'heure pour apporter les béquilles. Ils espéraient vous rencontrer.

Tom Baines. Son cousin ? Et une femme pasteur ? Il ne pouvait pas s'agir du même gars.

— Ils sont d'ici ? demanda-t-il d'un ton désinvolte.

— Non. Tom venait en visite de temps à autre. Il appartient à l'une des plus anciennes familles de Riverbend, les Steele. Après le déménagement de sa famille, il a continué à passer les étés ici avec ses tantes, son oncle et son cousin Jacob.

Jay discerna une certaine froideur dans le ton de sa voix quand elle prononça son nom.

— Je suis surprise, continuait-elle, que vous n'ayez pas entendu parler de Tom. C'est un journaliste de renom, il a reçu le prix Pulitzer. Il est revenu à Riverbend pour un héritage, il est tombé amoureux de Lynn et il est resté.

— Un vrai conte de fées, railla-t-il.

— Ça arrive.

Jay repoussa la couverture et posa avec précaution ses pieds sur le sol.

— Puis-je avoir ces béquilles ? J'aimerais aller à la salle de bains.

La surprise et une bonne dose de compassion se peignirent sur le visage de Kate.

— Excusez-moi, dit-elle en s'empressant de les lui tendre. J'aurais dû y penser.

Il vérifia leur longueur et se leva en s'aidant de la table de nuit. Kate recula.

— Vous avez besoin d'aide ? Je peux peut-être sortir vos affaires de votre valise ?

— Non, merci. Je peux très bien me débrouiller tout seul.

Elle se mordit la langue — ce devait être une habitude chez elle — et rosit. Ses yeux avaient pris la couleur des feuilles mortes.

— Pardon.

— Il n'y a pas de quoi vous excuser, dit-il d'un ton brusque.

Kate hocha la tête et sortit.

Se laver et mettre des vêtements propres lui prirent cinq fois plus longtemps que d'habitude. Par chance, il avait emporté quelques vêtements confortables. Enfiler un pantalon de jogging était assez difficile comme ça ; inutile de seulement imaginer enfiler un jean, son genou était trop gonflé.

Il venait de réintégrer son lit quand on frappa de nouveau à la porte.

— Entrez !

Cette fois, Kate lui apportait de la glace.

Elle retapa les oreillers et il posa sa jambe dessus. Tout en arrangeant la poche de glaçons autour de son genou, elle lui demanda s'il avait faim.

— Un peu.

— J'ai fait un minestrone ce matin. C'est la recette de Rachel Steele. Elle et sa sœur sont propriétaires de la librairie où je travaille.

« Non, elles ne le sont pas », songea-t-il.

Essayant de ne pas se comporter comme un mufle, il commenta cependant d'un air aussi appréciateur que possible :

— Ça sent très bon.

Elle hésita.

— Il y a autre chose ?

— Je… euh… Deux personnes sont là qui aimeraient vous voir.

« Baines et sa fiancée, le pasteur », pensa-t-il. Il n'allait pas être facile de dissimuler son identité à Kate.

— Je n'ai pas très envie de voir du monde, Kate. Je ne me sens pas assez en forme pour faire la conversation. Ce sont vos amis qui ont apporté les béquilles ?

— Oh, non, ils sont repartis. Bien qu'ils aient eu très envie de vous rencontrer. Pour vous remercier. Beaucoup de gens en ville voudront vous dire leur reconnaissance, vous savez, quand ça se saura.

— Quand ça se saura ?

— Dès demain, tout Riverbend sera au courant. Nous avons fait un rapport à la police, après tout.

« Formidable. »

— Ecoutez, je ne suis pas quelqu'un de très sociable. Je ne me sens guère à l'aise avec les étrangers ; c'est d'ailleurs la raison pour laquelle je travaille essentiellement sur ordinateur. J'apprécierais beaucoup si vous découragiez les éventuels visiteurs.

— Vraiment ?

— J'insiste.

— D'accord, dit-elle en haussant les épaules.

Elle jeta un coup d'œil vers la porte derrière elle.

— Est-ce que cela inclut Hope et Hannah ?

— Euh, non, bien sûr que non. C'étai d'elles que vous parliez à l'instant ?

Elle acquiesça en souriant. Jay fut brièvement distrait par ses lèvres pleines, d'un rose profond, presque framboise.

— Je vais les faire entrer juste une minute, le temps pour elles de vous remercier. Puis elles dîneront, et seront de nouveau à l'isolement jusqu'à demain matin.

Jay retint un sourire. La femme qui se tenait devant lui pouvait se montrer sévère quand c'était nécessaire. Il la suivit des yeux comme elle quittait la chambre, le regard attiré malgré lui par le balancement de ses hanches. Une minute plus tard, elle revenait avec deux blondinettes à l'air contrit. Kate s'arrêta sur le pas de la porte tandis que les petites filles s'avançaient docilement vers lui.

L'une était en pyjama rouge et portait un simple turban dans ses cheveux encore humides ; l'autre, en rose, avait des petites barrettes pastel sur les côtés de la tête. Elles se tenaient devant lui comme des criminelles devant le peloton d'exécution. Elles tendirent la main en même temps.

Il accepta les deux cartes décorées de gommettes colorées et de paillettes sur lesquelles étaient écrits quelques mots.

— Maman a dit que nous pouvions faire ça pour toi, dit la petite en rouge.

L'autre, deux doigts dans sa bouche, approuva d'un mouvement du menton.

— Ah oui ? fit-il en examinant la carte que la première jumelle lui avait donnée. Le dessin représentait un camion et une route barrée d'une grande croix ; la fillette avait tracé en lettres irrégulières : « Hannah », et en dessous : « Merci. »

Sur l'autre, on lisait, sous un arc-en-ciel multicolore, et en petites lettres bâton : « Merci de nous avoir sauvées. Hope. »

— Elles sont très jolies, dit-il, la gorge serrée. Je vous remercie de les avoir faites pour moi et d'être venues me rendre une petite visite.

— Nous devons retourner directement dans notre chambre après manger, lui confia Hannah d'une petite voix.

— Pourquoi ça ?

La fillette baissa le nez, et Hope répondit :

— Nous avons fait quelque chose de très vilain.

Hannah approcha sa main du genou de Jay et demanda :

— Ça fait mal ?

— Un peu.

— C'est de notre faute, dit Hope.

— Eh bien… vous êtes responsables de vous être retrouvées en danger sur la route, mais pas du fait que je sois tombé sur mon genou blessé.

L'espace d'un instant, il éprouva de nouveau la terreur qui l'avait saisi en voyant les deux enfants se précipiter sur la route.

— Maman était vraiment fâchée, observa Hannah.

Il jeta un regard à Kate. L'expression de son visage le terrassa. C'était celle d'une mère aimante pour qui ses enfants étaient tout. Jay l'avait vue souvent, cette expression, lorsqu'il était enfant.

— Et elle a pleuré, murmura Hope.

— Vous pouvez faire quelque chose pour moi toutes les deux, dit-il avec grand sérieux.

Deux paires de grands yeux bleus le fixèrent avec étonnement.

— Promettez-moi de ne plus jamais faire une telle bêtise. Obéissez à votre mère et n'allez jamais sur la route sans elle.

Les deux fillettes hochèrent vigoureusement la tête.

Kate toussa et, cette fois, Jay évita de la regarder.

— Bien, les filles, laissez M. Lawrence se reposer, maintenant.

Hannah sourit, pivota, et gambada vers la porte. Hope parut hésiter puis, d'un mouvement si soudain que Jay sursauta, elle jeta ses petits bras potelés autour de son cou. Il sentit quelque chose d'humide sur sa joue. Poussé par un besoin totalement inconnu, il entoura l'enfant de son bras et la tint un instant contre lui. Elle sentait bon le savon et le shampoing. Il ferma les yeux, essayant de lutter contre la délicieuse sensation de chaleur qui montait en lui à cause de ce geste enfantin.

Hope se libéra et lui fit un petit sourire, puis elle rejoignit sa sœur à la porte. Le regard de Jay s'arrêta sur Kate, immobile dans l'encadrement de la porte.

— Merci, dit-elle, avec le même sourire incertain que celui de sa fille. Vous êtes un homme formidable.

Ces derniers mots lui firent l'effet d'un coup à l'estomac. Alors, la réalité de ce qu'il était en train de faire — ruiner la paisible existence de cette famille — lui apparut pour la première fois dans toute sa cruauté.

Décidément, il était tout sauf *formidable*.

3.

Tôt le lundi matin, Kate déverrouilla la porte du magasin et entra. C'était le moment de la journée qu'elle préférait, lorsqu'elle était seule à la librairie, avant que Ruth, Rachel, les autres employés et les clients arrivent.

Il n'y avait que Kate et *ses* livres. Passant devant le comptoir en L où était installée la caisse, à l'entrée — qu'elle avait repeint en vert sapin l'été précédent —, elle traversa le magasin jusqu'au bureau, situé tout au fond. Comme elle zigzaguait au milieu des piles de livres, elle inhala avec délices l'odeur si particulière du papier sorti des presses. Ici, parmi les livres, se trouvait sa vraie place. Lorsqu'elle était au lycée, obtenir un job chez Steele Books avait été une véritable aubaine. Cela lui avait permis non seulement de gagner un peu d'argent, mais aussi d'échapper aux inlassables questions de sa mère qui — quand elle était à la maison, elle travaillait beaucoup — lisait en elle à livre ouvert, et devant qui elle devait feindre d'être indifférente au fait que les jolies filles ne lui laissaient jamais une chance de se faire apprécier. Ici, entourée de Thoreau et Socrate, de Charlotte Brontë et George Eliot, de Virginia Woolf et de tant d'autres, Kate se sentait en paix.

Ayant posé sur le bureau les papiers qu'elle avait emportés chez elle pour le week-end, elle accrocha son manteau et prépara le café qu'elle offrait aux clients. Tandis qu'il passait, elle alluma l'ordinateur. Numéro un sur sa liste Magasin, mettre à jour sa comptabilité personnelle, celle dont personne ne soupçonnait l'existence. Celle qui lui permettrait un jour de racheter Steele Books à Rachel et Ruth, même si elle devait pour cela repousser l'achat de nouvelles chaussures au mois suivant, coudre elle-même les vêtements de ses filles et choisir les siens dans le catalogue L.L. Bean. Kate préférait acheter des articles de bonne qualité — quoique parfois un peu démodés — à des prix intéressants parce qu'ils duraient, et les filles aimaient encore leurs ensembles faits maison. Il serait temps d'aviser quand elles réclameraient des marques.

Rapidement, elle entra ses chiffres : quelle somme elle pouvait mettre de côté au mois d'octobre, et quelle somme serait réservée à la remise en état de la ferme. Mitch et Charlie avaient promis d'évaluer cette semaine ce que lui coûterait la réfection du porche et elle espérait pouvoir rayer cette tâche de sa liste Réparations avant l'arrivée de l'hiver.

En tout, cela ne représentait pas une fortune, mais elle avançait tout doucement vers la réalisation du rêve de sa vie : posséder la librairie. Et tant pis si elle devait économiser sur tout. « Tu es plus riche que beaucoup », se morigéna-t-elle en disposant sur le plateau les tasses, la cafetière et une assiette de biscuits, qu'elle emporta dans le magasin. Elle sourit en passant devant les posters de personnalités qui vantaient les mérites de la lecture ; elle les avaient remarqués dans une bibliothèque, un jour, s'était renseignée, et les avait commandés à son tour. Edward J. Olmos, Doug Flutie, Michael J. Fox, ils étaient tous là, souriants et familiers. En toile de fond, elle avait choisi un papier peint vert pâle, finement rayé, qui donnait à l'endroit un air chaleureux. Oui, elle était mieux pourvue que beaucoup. Et elle avait bien des raisons d'être reconnaissante à l'existence, à commencer par ses filles.

« Allons, Kate, s'encouragea-t-elle, ignorant délibérément un frisson d'angoisse, tu as évité le pire hier. Estime-toi heureuse pour ce qui t'est donné. » Et pour cet homme qui avait sauvé ses enfants.

Elle pensait à lui en arrivant à l'extrémité de la librairie, côté rue, l'endroit qu'elle préférait dans le magasin, où elle avait installé, sur une épaisse moquette vert lichen, deux canapés, quelques fauteuils recouverts de velours vert foncé et des tables basses en chêne clair, pour en faire un accueillant coin salon. Elle posa son plateau sur la console contre le mur et se servit une tasse de café. Puis elle se laissa tomber dans un des canapés, but deux ou trois gorgées et ferma les yeux. Si elle n'avait pas bien dormi, Jay non plus. Elle l'avait entendu aller à la salle de bains, puis dans la cuisine et dans la salle de séjour où il avait regardé un moment la télévision. Elle était allée lui demander s'il avait besoin de quelque chose, mais sa sollicitude avait été mal reçue. Kate ne s'était pourtant pas offensée de son « non merci » bref et irrité, parce qu'elle sentait que c'était un homme indépendant qui n'avait pas l'habitude qu'on lui vienne en aide.

En dépit de ses cheveux clairs, il lui avait rappelé le héros des *Hauts de Hurlevent*, un Heathcliff maussade. Ses yeux sombres étaient pleins de cynisme et d'une hostilité qu'elle ne comprenait pas. Elle s'était promis de respecter la solitude dont il semblait avoir besoin ; néanmoins, quelques heures plus tard, elle lui avait apporté son petit déjeuner, en même temps qu'une nouvelle poche de glace pour son genou. Cette fois, il avait paru lui en savoir gré, quoique à contrecœur, mais elle s'était rendu compte qu'il souffrait. L'idée l'avait même frappée que c'était un homme qui avait l'habitude de souffrir. Cette pensée l'attrista.

La clochette de la porte tinta, tirant Kate de ses pensées. Elle sourit en voyant le bon visage de Simon Manchester. A près de soixante-dix ans, il avait toujours l'esprit vif et rayonnait de bonne humeur.

— Je vous ai surprise, hein ?

— Mmm, j'étais perdue dans mes rêves.

Elle remarqua qu'il boitait légèrement comme il passait derrière le comptoir pour y déposer ses affaires.

— Votre jambe vous ennuie de nouveau ? s'enquit-elle.

— C'est être vieux qui m'ennuie, repartit-il du tac au tac.

— Venez vous asseoir une minute, le café est prêt.

Elle se leva et alla lui en verser une grande tasse, admirant une fois de plus les peintures de Lily Mazerick accrochées au-dessus de la console. Elle n'aurait pu souhaiter mieux que ces paysages de l'Indiana dont les souples coups de pinceaux et les couleurs pastel apaisaient l'âme. Lily étant plus âgée qu'elle, elle l'avait peu connue à l'époque du lycée, mais depuis qu'elle lui avait acheté ses tableaux, elles avaient appris à s'apprécier mutuellement.

Lorsqu'elle fut retournée s'asseoir en face de Simon, celui-ci l'observa attentivement tandis qu'elle écartait une revue d'architecture sur la table pour poser les tasses.

— Vous paraissez fatiguée, Kate, lui dit-il.

— Le week-end a été dur.

— C'est ce que j'ai entendu dire.

Il but une gorgée de café et croqua dans un biscuit à la cannelle.

— Les petites vont bien ? reprit-il.

— Oui. C'étaient de vraies petites filles modèles, ce matin, pour une fois.

— Vous avez fait du bon travail avec elles, jeune dame, dit-il avec conviction.

— Merci, Simon. Mais elles ne sont pas toujours faciles, c'est le moins qu'on puisse dire.

— Elles sont pleines de vie et auraient besoin d'un père pour les surveiller, voilà tout.

— Malheureusement, Billy refuse d'assumer ce rôle.

— Il doit être stupide, alors, commenta Simon en souriant. Mais... je me suis aussi laissé dire que vous hébergiez un étranger ?

— Les nouvelles vont vite.

En quelques mots, elle lui expliqua pourquoi elle avait invité Jay Lawrence à rester à la ferme. Simon l'écouta avec attention, en hochant la tête.

— Bon, Volvo de location, téléphone portable, se jetant sous les roues d'un camion pour sauver des fillettes... Il ne me semble pas que cela ressemble tellement au portrait d'un dangereux désaxé. Soyez tout de même prudente.

— Je le suis toujours.

— Bien. Sur ce, dit-il en se levant, je vais aller inventorier la section A des livres rares. Est-ce que Ruth et Rachel sont arrivées ?

— Non. Je les ai vues entrer dans le salon de beauté comme je déposais les filles à l'école.

— Préparez-vous à un interrogatoire serré, chère Kate. Elles voudront tout savoir de l'accident et de l'inconnu qui réside chez vous, n'en doutez pas.

Il avait raison. Juste avant midi, Ruth et Rachel arrivèrent au magasin et voulurent entendre toute l'histoire.

Pour Ruth Steele, l'inconnu qui avait surgi de nulle part pour sauver les adorables petites filles de Kate, et qui maintenant récupérait chez elle, représentait un stimulant idéal dans une journée qui, sans cela, n'aurait pas été différente des précédentes.

— Est-il beau ? demanda-t-elle à Kate une demi-heure après qu'elles avaient laissé tomber le sujet, pour ne pas paraître trop insistantes.

Elle et sa sœur auraient adoré organiser la vie de Kate — elle était la fille qu'elles n'avaient jamais eue —, mais elles étaient attentives à ne pas l'étouffer de leur affection débordante.

Kate était plongée dans le catalogue Baker and Taylor.

— Qui ?

Rachel qui passait un coup de chiffon sur les étagères derrière le comptoir lui fit un clin d'œil.

— Zorro et les trois mousquetaires réunis en une seule et même personne, d'après ce que raconte la mère de Jesse Carmichael.

— Tu te rappelles combien Jacob aimait Zorro, Ruthie ? remarqua Rachel.

Ruth refoula vaillamment le sentiment de regret et de perte qui s'empara d'elle à l'évocation de son neveu bien-aimé.

— Jacob aimait tout ce qu'il lisait. Il était à peine plus âgé que les jumelles, qu'il connaissait déjà par cœur les aventures de Zorro. Je me demande s'il lit encore, ajouta-t-elle songeusement.

Un silence s'étira. Du coin de l'œil, Ruth vit Kate rosir — de colère, elle n'en doutait pas, car Katie avait plusieurs fois laissé paraître les sentiments que lui inspirait Jacob : de l'indignation et du ressentiment. Et parfois, Ruth éprouvait la même chose.

— Quoi qu'il en soit, reprit Ruth finalement, j'aimerais savoir à quoi ressemble cet homme que tu héberges.

— Nous devrions plutôt demander quel genre de personne il est.

Seigneur ! Ce que sa sœur pouvait être obtuse, parfois.

— Je *sais* quel genre d'homme il est, rétorqua-t-elle. C'est un héros. Il a risqué sa vie pour sauver nos petits anges.

— Je me demande ce qu'il aime lire, dit Kate comme si elle réfléchissait à voix haute.

— Pourquoi ?

— Je rentre pour préparer le déjeuner, répondit-elle en regardant sa montre. Je pensais lui apporter quelques livres.

— Tu ne vas pas marcher avec Lynn, aujourd'hui ?

— Non, j'ai annulé. Alors, quels livres ?

— Les hommes plutôt bien de leur personne aiment les livres d'aventures, affirma Ruth. Est-ce qu'il est beau ?

— Comment est-il ? Brun, blond ? Décris-le-nous.

Kate pencha légèrement la tête, essayant visiblement de se le représenter.

— Il a des yeux sombres et des cheveux épais de la couleur d'un champ de blé coupé. Raides. Une mâchoire carrée. Quelques rides soucieuses au front et autour de la bouche.

Ruth échangea avec sa sœur un sourire qui disait : « Oh, oh, intéressant. »

— Il m'a tout l'air d'être le portrait type d'un héros de roman sentimental, commenta-t-elle, souriant à cette pensée.

— On pourrait dire ça, dit Kate. Il a un petit côté « las du monde » qui peut être assez séduisant.

— Que penserais-tu de celui-ci ? dit Rachel en lui tendant le dernier livre de Patricia Cornwell.

— Et celui-là, ajouta Ruth en prenant un policier non dénué d'humour d'Elmore Leonard.

En quelques minutes, Ruth et Rachel réunirent une pile de livres pour le héros en chair et en os qui était installé chez Kate et les payèrent de leur poche en signe de bienvenue.

Comme Kate sortait du magasin pour faire quelques courses avant de rentrer préparer le déjeuner pour son invité, Ruth lança :

— Demande-lui si nous pouvons venir lui rendre visite, Katie.

Kate pivota.

— Oh, Ruth, il m'a déjà dit qu'il ne tenait pas à voir du monde.

— Ça ne fait rien, chérie. Nous comprenons. Vas-y vite.

Rachel referma la porte derrière Kate et se tourna vers sa sœur.

— Ruth Steele, qu'est-ce que tu as derrière la tête ?

— Franchement, Rachel, est-ce que tu as entendu la description qu'elle a faite de lui ? Des cheveux de la couleur du blé coupé ? Je n'ai jamais entendu Kate devenir poétique comme ça.

— Tu es tellement romantique.

— Bien sûr que je le suis. Et nous savons toutes les deux que le rêve secret de Kate est d'avoir un mari et un père pour ses enfants.

— Sans doute. Néanmoins, je ne crois pas que nous devrions nous immiscer dans ses affaires.

— Qui, moi ? feignit de s'indigner Ruth qui déjà se demandait comment elle pourrait rencontrer cet homme afin de découvrir par elle-même s'il méritait Kate. Jamais de la vie !

L'ordinateur ronronnait entre les mains de Jay. Ses doigts couraient sur les touches, rapides et légers. Il était aussi doué avec les machines qu'avec les femmes, bien qu'il dût admettre que son travail répondait plus souvent à ses attentes que les femmes avec qui il sortait. Même Mallory. Surtout Mallory.

— Allez, montre-moi ce que tu sais, murmurait-il à l'ordinateur de Kate.

C'était une fille intelligente ; il avait fallu près de dix minutes à Jay pour trouver son mot de passe.

— Voilà, on y est presque.

Il pressa sur « enter » et…

— Oui !

L'icône de la librairie Steele Books apparut à l'écran. Durant quelques secondes, il éprouva un vague sentiment de culpabilité. Mais pourquoi ? Il était simplement à la recherche la vérité. Il voulait protéger ses tantes. Etre certain que le magasin et la ferme ne tomberaient pas aux mains d'une intrigante.

Il repoussa pourtant sa chaise, attrapa ses béquilles et boita jusqu'à la cuisine pour se faire un café. Sa culpabilité redoubla. Elle avait laissé du café au chaud dans la cafetière et disposé un morceau de gâteau à la banane et différentes variétés de biscuits sur une jolie assiette protégée d'un film plastique. A côté se trouvait une note : « Servez-vous. Je suis une fidèle de Julia Child… » En dessous, elle avait dessiné un petit *smiley*, et les filles avaient ajouté en lettres malhabiles : « Bonne journée, » et « Faites attention à votre genou. » Il se demanda si Kate leur épelait chaque mot. Les enfants pouvaient-ils lire et écrire à cinq ans ?

« Je t'assure, Abraham, il sait lire. Viens, Jacob, montre à papa ce que tu sais faire. » Bien que sa mère soit morte d'un cancer lorsqu'il avait sept ans, sa voix douce et mélodieuse résonnait encore parfois aux oreilles de Jay. Il avait été le centre de son univers et elle lui avait appris à lire et à aimer la vie.

Jay prit un cookie et le savoura en pensant à Kate McMann. Ce que cette femme parvenait à faire en une seule journée était ahurissant, et il savait comment elle s'y prenait. Il l'avait entendue travailler dans la chambre contiguë à la sienne au-delà de 22 heures la veille au soir. Il avait d'ailleurs l'intention d'aller voir ce qu'elle y faisait dès qu'il aurait examiné ses comptes. Puis elle avait fredonné dans la cuisine jusqu'à minuit. Et quand il s'était levé au milieu de la nuit pour manger un morceau, elle l'avait rejoint pour lui demander s'il avait besoin de quelque chose.

Pourquoi était-il là en train d'essayer d'analyser le personnage ? Qu'attendait-il au juste pour se mettre au travail ?

En retournant à sa chambre, il continuait cependant de penser à elle. Elle était venue le voir avant de partir travailler. Elle lui avait semblé différente dans sa jupe noire, classique, et son twin-set abricot, des vêtements visiblement de bonne qualité, mais passés de mode. Elle dépensait donc peu pour s'habiller. Ses chaussures, quoique usées, étaient en cuir, et elle portait une fine montre et des anneaux dorés aux oreilles. « Je vous apporte votre petit déjeuner, avait-elle dit en entrant dans la pièce. Je ne savais pas ce que vous aimiez, alors, j'ai mis un peu de tout. » Et ce n'était pas une façon de parler. Julia Child, chef vedette du petit écran, avait trouvé là une véritable rivale. Il saliva en se remémorant les toasts parfumés à la cannelle, les œufs brouillés mousseux et les pommes de terre sautées relevées de cumin.

De nouveau assis devant l'ordinateur, Jay repoussa ces pensées parasites et cliqua sur l'icône de Steele Books. Il n'allait tout de même pas s'attendrir sur un petit déjeuner, même succulent.

Il commencerait par ses tableaux comptables. L'un après l'autre, il les étudia scrupuleusement. Le chiffre d'affaires généré en douze mois l'étonna, aussi étendit-il son examen aux sept années précédentes. Les profits provenaient essentiellement de la vente des livres neufs ; toutefois, celle des livres rares n'était pas négligeable. Il se demanda quand elles avaient commencé à développer ce secteur d'activités. Globalement, les chiffres l'impressionnèrent. Cette Mme McMann gagnait de l'argent. « Elle *te* fait gagner de l'argent, Lawrence », corrigea-t-il avec un petit sourire aux lèvres.

Ah, qu'est-ce que c'était que ça ? D'autres fonds ? Un compte séparé ?

— Voilà qui devient intéressant, murmura-t-il, sentant monter en lui le frisson du chasseur.

Elle avait dissimulé de l'argent. Epargne. Placements. A son nom, pas à celui de la librairie. Et pourtant, tout ça se trouvait dans le même dossier que les comptes du magasin. Il fit défiler les feuilles successives. Pas mal ! Elle s'était constitué un pécule qui n'était pas insignifiant. Etait-ce à ses dépens ? Possible. Peut-être pourrait-il demander à Nick Harrison de trouver quelqu'un pour vérifier les comptes de la librairie. Si elle avait détourné de l'argent, elle ne l'emporterait pas en paradis. De toute façon, il aurait besoin d'une analyse financière s'il voulait vendre l'affaire.

Mais avant cela, il voulait examiner ses comptes personnels. Deuxième mot de passe. Deuxième victoire. Il pourrait lui apprendre une ou deux petites choses concernant la protection des données informatiques. Mais bien sûr, elle ne pensait pas abriter un espion chez elle ; elle avait prêté son ordinateur à l'homme qui avait sauvé ses filles, pas à un traître prêt à la dévorer toute crue.

Vers midi, il avait marqué trois points contre elle. D'abord, pourquoi son ex-mari ne lui versait-il pas de pension alimentaire pour les filles ? N'en avait-elle pas besoin, ou avait-elle fait quelque chose qui l'en privait juridiquement ? Ensuite, il y avait ce compte mystérieux ; et enfin, il n'avait trouvé nulle part mention d'un loyer qu'elle paierait à ses tantes. Comment avait-elle réussi à les entortiller pour vivre gratuitement à la ferme ?

— Bonjour.

Il s'attendait si peu à être dérangé qu'il fit un bond de côté. Sa chaise de bureau en fut déséquilibrée et Kate se précipita en avant pour l'empêcher de tomber.

— Mais qu'est-ce qui vous a pris de faire ça ? aboya-t-il.

— Faire quoi ? s'enquit-elle en reculant.

« Calme-toi, Lawrence. Ne lui donne pas matière à se méfier de toi. » Dissimulant l'écran avec son corps, il lui adressa un regard qui disait à la fois : « Désolé, vraiment » et « Je ne suis qu'un imbécile », et dit d'une voix redevenue normale :

— Excusez-moi, je ne m'attendais pas à vous voir.

Elle continuait de l'observer avec méfiance. Mais il savait comment l'atteindre.

— Je dois être plus secoué par les événements d'hier que je ne le croyais.

Elle pâlit et dit aussitôt :

— Y a-t-il quelque chose que je puisse faire ?

— Non, je vais bien, répondit-il, touché malgré lui. Pourquoi êtes-vous là ?

Elle sourit soudain, ensoleillant la morne journée de novembre.

— Je suis venue préparer votre déjeuner.

— Vous n'avez pas besoin de faire ça, je peux très bien me débrouiller. J'ai mangé quelques-uns de vos biscuits tout à l'heure. Ils sont délicieux.

— Je les ai faits hier, pour le magasin.

— Le magasin ?

— Oui. Nous avons un petit espace détente où l'on peut lire et boire une tasse de café.

— En payant, naturellement ?

— Non, non, c'est gratuit. Je crois que plus les gens passent de temps à la librairie, plus ils achètent de livres.

— Anderson Books doit tenir le même raisonnement, j'imagine. Seulement, ils font payer.

Elle fronça les sourcils en l'entendant mentionner le nom de la grande chaîne de librairies.

— Je sais. Ils se font très bien comprendre à ce sujet.

— Que voulez-vous dire ?

— Ils nous ont contactées. Pour acheter Steele Books.

— Et vous allez vendre ?

— Les sœurs Steele ne veulent pas vendre à une chaîne.

Ses yeux noisette s'assombrirent, puis s'éclairèrent de nouveau.

— En parlant du magasin, je vous ai apporté un cadeau. Venez, je servirai le déjeuner pendant que vous le regarderez.

Elle pivota et sortit de la pièce sans même jeter un coup d'œil sur l'écran. Sa nature confiante faisait d'elle une cible facile. Tout jouait contre elle. Comme il refermait le fichier de son budget personnel, il se surprit à souhaiter que cette pensée ne le déconcerte pas autant.

Il y avait un sac du magasin sur le comptoir de la cuisine. Pendant que Kate s'activait devant la cuisinière, il lut les phrases qui y étaient imprimées : « Les livres sont les plus paisibles et les plus constants des amis. Charles Eliot » ; « Quand je pense à tous les livres qu'il me reste à lire, j'ai la certitude d'être encore heureux. Jules Renard »… L'idée était originale.

Il s'assit et tira les livres du sac.

— Ils sont pour moi ?

— Oui, bien sûr. J'ai pensé que vous vous ennuieriez peut-être et que vous auriez besoin de distraction. Vous aimez lire ?

— Euh… autrefois, j'aimais. Mais je ne lis plus guère que les journaux depuis des années.

— Comment peut-on vivre sans lire ? s'exclama-t-elle. Si je n'ai pas au moins une demi-douzaine d'ouvrages empilés sur ma table de chevet, je me sens seule.

Il feignit d'étudier la photographie de Patricia Cornwell et changea de sujet.

— Je vais vous rembourser tout ça.

Après tout, il savait à présent comment elle rognait sur toutes les dépenses.

— Non. Ruth et Rachel les ont payés. Elles ont dit que c'était leur cadeau de bienvenue.

Jay sentit sa gorge se serrer ; ses tantes, sans le savoir, venaient de lui offrir des livres, comme autrefois. Au bout de quelques secondes, il réussit tout de même à dire :

— Dans ce cas, vous voudrez bien les remercier pour moi.

— Elles aimeraient vous rencontrer.

Il se figea. Il mourait d'envie de voir ses tantes, mais cela n'entrait pas dans ses plans pour le moment.

— Je ne préférerais pas, Kate.

— Je sais. Je le leur ai dit.

Elle posa une assiette devant lui. L'odeur qui s'en élevait pénétra les brumes de sa mémoire.

— Qu'est-ce que c'est ? s'enquit-il.

— Poulet aux artichauts à la cocotte.

— Quand avez-vous fait ça ?

— Hier soir.

— Ce n'était pas prévu pour ce soir ?

— Non, nous aurons des spaghettis au dîner. Bien que j'y aie réfléchi à deux fois car c'est le plat favori des filles, ajouta-t-elle avec une drôle de grimace.

— Elles sont au pain sec et à l'eau ?

Elle sourit et il vit une petite fossette se creuser dans sa joue.

— Elles étaient dociles comme des agneaux, ce matin, mais je ne sais pas combien de temps cela durera.

Ils mangèrent sans guère parler, mais dans une atmosphère détendue. Il la regarda ensuite faire la vaisselle en sirotant son café, remarquant avec quels gestes rapides et sûrs elle faisait toute chose. Lorsqu'elle eut terminé, elle s'adossa au comptoir et jeta un coup d'œil à sa montre.

— Je vais devoir y aller. Simon part à 13 heures et je veux lui parler avant demain.

Simon Manchester, soixante-huit ans, professeur à la retraite, employé chez Steele Books depuis sept ans.

— Simon ?

— Un de mes aides à temps partiel.

— Un ?

— Oui, j'en ai deux autres.

Isabel Jackson, pom-pom girl de dix-sept ans, qui travaillait de 14 heures à 18 heures trois jours par semaine, et Joan Kemp, une jeune mère qui était présente deux soirs par semaine, plus le samedi. Jay avait appris ces détails en épluchant les dossiers de Kate. Mais il était loin d'avoir fini ses recherches.

— A quelle heure rentrerez-vous ce soir ? demanda-t-il d'un ton léger.

— En général, je rentre vers 17 heures. Les jumelles me rejoignent au magasin après l'école. Mais nous allons donner un coup de main à la bourse alimentaire, aujourd'hui ; nous serons donc là un peu plus tard que d'ordinaire. Il n'y a plus qu'à réchauffer la sauce des spaghettis, de toute façon, nous pourrons dîner à une heure décente.

— La bourse alimentaire ?

— Oui, à la paroisse. C'est Lynn qui s'en occupe. Ils fournissent des repas aux personnes dans le besoin, et je pense que c'est une bonne chose pour les filles d'apprendre à aider les autres.

— Il y a beaucoup de familles nécessiteuses à Riverbend ?

Une ombre passa sur le visage de Kate comme elle ramassait son sac et cherchait ses clés du regard.

— Un certain nombre. Abraham Steele a laissé un peu d'argent pour ce programme, mais nous avons toujours besoin de bénévoles.

Ce cher père avait été un tel philanthrope… ! Jay ne put retenir un commentaire.

— Abraham Steele semble avoir été un pilier, ici.

— Oui, il l'était, dit-elle avec un sourire doux. Il me manque. Je le voyais beaucoup, surtout pendant les vacances.

— Pourquoi ?

— Ruth et Rachel disaient que c'était le moment le plus dur pour lui. Pour elles aussi.

— Ah ?

Les traits de la jeune femme se durcirent. Son dos se raidit. Elle attrapa ses clés d'un geste brusque.

— Son fils les a tous abandonnés, il y a quinze ans.

Jay resta impassible.

— Personne ne sait pourquoi il est parti, continua-t-elle, bien qu'il y ait eu quelques rumeurs. En tout cas, il n'est pas revenu pour l'enterrement de son père, ce qui a de nouveau anéanti Ruth et Rachel. Je ne peux pas imaginer une raison légitime d'abandonner une famille aussi aimante. Non, je ne peux pas. Lynn dit que nous devons nous abstenir de juger, mais je ne pense certainement pas beaucoup de bien de Jacob Steele.

— Vous le connaissiez ? Vous êtes d'ici, n'est-ce pas ?

— Il avait cinq ans de plus que moi, aussi n'ai-je pas de souvenirs de lui. Mais je le connais au travers des histoires que les Steele m'ont racontées. Ils parlent de lui comme s'il était une sorte de dieu !

— Ils ? Je croyais que le père était mort.

— Il est mort. Je l'aimais bien. J'ai partagé beaucoup avec lui durant les dernières années de sa vie.

Irait-elle jusqu'à lui confesser une liaison ?

— Je…

Un bruit à l'extérieur de la maison l'interrompit. Elle se tourna pour regarder par la fenêtre et sourit.

— Hello, Mitch, dit-elle en ouvrant celle-ci comme une silhouette s'en approchait. Tu es venu examiner le porche ?

— Non, entendit répondre Jay.

De sa chaise, il ne pouvait pas voir l'homme, et lui non plus ne le voyait pas.

— Je suis venu te demander ce qui t'avait pris d'héberger un inconnu chez toi.

— Fais le tour par-derrière, répondit-elle.

Elle reposa son sac, puis se tourna vers Jay.

— C'est Mitch Sterling. Il est comme un frère pour moi. Il est encore plus protecteur que Charlie Callahan, ajouta-t-elle en levant les yeux au ciel.

Ils entendirent frapper à la porte de derrière, qu'elle avait, apparemment, refermée derrière elle en arrivant.

— Katie, ouvre, je veux parler à ce type.

La voix de Mitch Sterling était plus basse qu'autrefois, mais Jay la reconnut immédiatement.

Et pour cause. Sterling avait été son meilleur ami jusqu'à ce que Jay *abandonne* Riverbend.

4.

Kate détestait positivement faire les courses. Tout comme aller chez le dentiste, voir ses filles pleurer quand elles s'étaient fait mal, ou regarder une mauvaise adaptation cinématographique d'un très bon livre.

— Hannah, repose ça, s'il te plaît.

— Je veux du chocolat, dit Hannah d'une voix geignarde.

C'était vendredi soir et toutes les trois se ressentaient de la fatigue de la semaine.

— Hannah, nous avons un accord. Chacune de vous peut choisir *une* chose qui lui fait plaisir, et tu as déjà choisi un soda.

Lâchant les barres de chocolat, Hannah courut vers sa sœur qui était en train de regarder quelque chose un peu plus loin dans le même rayon, probablement *sa* gâterie, qu'Hannah allait essayer de la dissuader de choisir au profit du chocolat dont elle-même avait envie. Kate nota sur sa liste : « Discuter avec Hannah du mal que l'on cause en utilisant les autres pour satisfaire ses propres désirs. »

— Ne vous éloignez pas, lança-t-elle aux filles.

Reportant son attention sur les boîtes de céréales, elle laissa échapper un profond soupir. Elle était vraiment fatiguée, ce soir, comme elle l'était généralement en fin de semaine. Même son invité l'avait observé. Elle sourit à cette pensée, puis se rembrunit. Elle savait qu'elle ne devait pas se laisser aller à trop apprécier la sollicitude de son hôte. Mais il y avait si longtemps qu'un homme ne s'était soucié d'elle…

« Vous avez l'air épuisée », lui avait-il dit comme ils finissaient de dîner. Les fillettes étaient allées se débarbouiller avant la sortie hebdomadaire au supermarché. Kate n'avait pu s'empêcher de remarquer les muscles des bras de son invité lorsqu'il avait repoussé la table et, plus tôt, les tendons saillants de ses cuisses — il portait un short de sport en molleton — quand il avait posé sa jambe gauche sur la chaise à côté de lui afin que son genou n'enfle pas davantage. Brièvement, elle s'était demandé s'il avait été très sportif, plus jeune.

— Pourquoi faites-vous les courses ce soir ? avait-il demandé.

En rentrant du travail, elle avait enfilé un jean usé aux genoux et un sweat-shirt aux couleurs de son ancien lycée, Riverbend High, qui avait paru attirer l'attention de Jay. Séchant ses mains sur son pantalon, elle avait haussé les épaules.

— Nous y allons toujours le vendredi soir. A moins qu'il n'y ait un match de basket.

— Un match de basket ?

— Bien sûr. Chaque match est un événement, ici. Tout le monde y va.

Il l'avait fixée d'un air ébahi.

— De toute façon, il y a moins de monde le vendredi soir au supermarché et, pour les filles et moi, le samedi est sacré. Je ne travaille pas, et nous passons toute la journée ensemble.

C'était un mensonge digne de Pinocchio. Elle s'occupait de la maison et vérifiait les comptes de la librairie le samedi soir, une fois que les filles étaient couchées, mais elle ne voulait pas paraître se plaindre. Sa vie était bien remplie et elle l'aimait ainsi.

Il avait secoué la tête et s'était renfrogné, comme s'il était mécontent. Cela faisait cinq jours qu'il était chez elle, et elle commençait à pouvoir déchiffrer ses expressions, bien que, à l'exemple des vieux livres de collection du magasin, il nécessitât un examen minutieux.

— Au moins, laissez-moi la vaisselle, avait-il proposé d'un ton bourru.

— Non. Vraiment, je…

— Il n'y a pas de « non » qui tienne.

Comme elle tentait de protester de nouveau, il s'était presque emporté.

— Ecoutez, mon ego de mâle en a déjà pris un sérieux coup. Vous vous êtes occupée de moi toute la semaine. Mon genou va beaucoup mieux et je veux aider. Et vous travaillez bien trop dur, avait-il marmonné pour finir.

Ces derniers mots surtout l'avaient surprise. Il s'était abstenu de faire le moindre commentaire à son propos jusque-là et avait même omis de répondre à certaines des questions qu'elle lui avait posées. A l'évidence, il tenait autant à éviter de parler de lui qu'à éviter de voir des gens.

Ainsi, lorsque Mitch était passé à la ferme, le lundi précédent, Jay avait failli renverser sa chaise et se tordre le genou en quittant la cuisine aussi vite que ses béquilles le lui permettaient. Mitch avait insisté pour le rencontrer, mais Kate avait réussi à le détourner de son objectif en lui demandant des nouvelles de Tessa, la jeune femme qui travaillait dans sa quincaillerie — une jeune femme enceinte qui, semblait-il, ne laissait pas Mitch indifférent. Kate avait sympathisé avec elle et lui avait donné quelques-unes des affaires de bébé qu'elle conservait au grenier. Kate se souvenait de sa propre grossesse avec nostalgie. Elle en avait aimé chaque précieuse minute, même si le père n'avait pas été là pour partager l'expérience avec elle.

— Oh, pardon.

Absorbée dans ses pensées, elle venait de heurter le panier d'une autre cliente avec son Caddie.

La grande et très belle femme lui jeta un bref coup d'œil, puis fit un petit signe de la tête, qui, comme d'habitude, semblait davantage fait pour éconduire que pour saluer.

— Bonsoir, Sarah. Comment allez-vous ? dit Kate.

Sarah Smith Cole fronça les sourcils, probablement surprise que Kate lui adresse la parole. Issue d'un milieu très aisé, et de cinq ans plus âgée que Kate, Sarah lui paraissait plus énigmatique encore que Rebecca, l'héroïne de Daphné du Maurier. Ses cheveux blonds étaient impeccablement coiffés, et son teint clair irréprochable ; son ensemble pantalon de soie bleue — qui, au passage, offrait un contraste saisissant avec le jean défraîchi de Kate — accentuait la froideur de ses yeux bleu acier. Veuve sans enfant, elle vivait à l'écart de tous, dans une somptueuse villa à l'extrémité de Bending Road, au sud de la ville. C'était une existence bien solitaire et Kate se sentait désolée pour elle ; c'était la raison pour laquelle elle lui avait parlé.

— Bien, merci, répondit Sarah en dévisageant Kate. Vous êtes Kate McMann, de la librairie ?

Kate hocha la tête en souriant. Puis son attention fut détournée par Hannah qui courait à l'autre bout du rayon.

— Hannah, Hope, restez dans cette allée.

— Vos enfants ? s'enquit Sarah.

— Mmm. Il faut les surveiller constamment.

Une soudaine expression de douleur crispa le visage de Sarah.

— Vous allez bien ? demanda Kate.

— Très bien, répondit Sarah froidement. Mais je dois me dépêcher.

Elle baissa les yeux vers son panier qui ne contenait qu'un plat congelé allégé et une bouteille d'eau minérale.

Tandis que Kate la regardait s'éloigner en se dirigeant vers le rayon froid, elle se souvint que Sarah avait été la petite amie de Jacob Steele au lycée. Ils s'étaient fiancés lorsqu'il était en deuxième année de faculté et il l'avait abandonnée, elle aussi, quand il était tout à coup parti sans laisser d'adresse. Un mauvais point de plus pour lui.

Le plus intéressant, cependant, à propos de Sarah Smith Cole, était que Rachel ne l'aimait pas. Sarah devait être la seule personne à Riverbend que Rachel évitait ; et la seule chose qu'elle ait jamais dite pour expliquer son attitude était que Sarah Cole n'était pas quelqu'un de bien.

— Maman, dit Hope en tirant sa mère par la manche. Je sais ce que je veux comme gâterie.

— Quoi, ma chérie ?

— De la glace à la pistache, répondit la fillette en brandissant une boîte de deux litres.

Kate se pencha vers sa fille et la regarda d'un air dubitatif.

— Hope, tu n'en as jamais goûté.

— Et ce n'est même pas sur ta liste, remarqua Hannah en tripotant une boîte de coupes glacées au chocolat.

Kate s'abstint de sourire en entendant Hannah évoquer les « listes secrètes » qu'elles conservaient précieusement dans le meuble de rangement près de l'ordinateur ; elles y notaient leurs rêves, grands ou petits, depuis les friandises qui leur faisaient envie jusqu'au cheval qu'Hannah réclamait régulièrement, en passant par le désir de Kate de posséder un jour la librairie Steele.

Hope haussa ses petites épaules.

— Ce n'est pas pour moi, murmura-t-elle.

— Je ne comprends pas.

— C'est la glace préférée de M. Lawrence. Je veux lui en apporter parce qu'il est malade, expliqua Hope. On dira que c'est ma gâterie de cette semaine.

— Oh, chérie, c'est une très gentille attention.

Kate avait demandé à Jay s'il avait envie de quelque chose de particulier et, bien sûr, il avait répondu que non. Jamais elle n'avait rencontré quelqu'un qui soit aussi peu capable d'accepter une gentillesse.

Toute la semaine durant, elle avait offert, et il avait refusé. « Je peux faire ma propre lessive... Je peux très bien marcher jusqu'à la cuisine, inutile de me servir un plateau... Entendu, je veux bien regarder la télévision si vous promettez de ne pas vous lever toutes les cinq minutes pour m'apporter quelque chose... »

Kate caressa les cheveux de Hope dont les yeux bleus brillaient de candeur.

— J'ai une idée, dit-elle. Je vais acheter cette glace et ce sera un cadeau de notre part à toutes. Et toi, tu peux choisir autre chose pour toi.

— Non, ça ne fait rien, maman. Nous n'avons pas d'argent à gaspiller, dit Hope, répétant les mots mêmes que Kate prononçait de temps à autre.

— Nous avons assez d'argent pour nourrir notre invité, ma chérie. J'ai même un coupon de réduction sur cette marque. Sais-tu ce que M. Lawrence aime d'autre ?

Kate fut étonnée du nombre de choses que les filles purent lui citer, et plus encore de constater qu'il s'agissait d'aliments et de plats très simples. Elle avait vu en lui un gourmet habitué aux restaurants raffinés, mais les filles lui assurèrent qu'il adorait les macaronis au fromage, le poulet, les biscuits à apéritif et la soupe aux asperges en boîte. Elle aurait dû se douter qu'Hannah et Hope découvriraient quantité de détails sur Jay car elles le harcelaient de questions sitôt qu'elle avait le dos tourné. Ainsi, elle les avait surprises s'installant sur le canapé à côté de lui et lui demandant de leur lire une histoire. Ils formaient un joli tableau, tous les trois, les deux toutes petites filles et l'homme grand et large d'épaules qui prenait presque toute la place sur le sofa. Et elle avait perçu de l'émotion dans sa voix tandis qu'il leur lisait une histoire de Mercer Mayer.

Mais même si les filles semblaient avoir réussi à entamer sa carapace, il restait un mystère pour Kate. Ce qui ne manquait pas d'ironie, car lui donnait l'impression d'en savoir beaucoup à son propos à elle.

— Je crois que j'ai vu Allison ! s'écria Hannah en détalant soudain, aussitôt suivie par sa sœur.

— Hannah !

Kate se précipita derrière elle, évitant un vieil homme de justesse.

— Désolée, monsieur Kemp. Comment va votre arthrite, aujourd'hui ? lança-t-elle par-dessus son épaule.

Seigneur, elle détestait vraiment faire les courses.

Jay s'assit sur une chaise et étendit sa jambe gauche devant lui avant de prendre la communication sur son téléphone portable.

— Lawrence, dit-il d'un ton sec.

— Bonjour, chéri. Qu'étais-tu en train de faire ?

La voix de Mallory, naturellement rauque, lui sembla plus basse encore que de coutume, pour lui rappeler, probablement, tout ce qu'il manquait en restant éloigné aussi longtemps de New York. Un instant, il vit sa silhouette élancée — qu'elle conservait grâce à des séances quotidiennes de fitness —, ses cheveux blonds coupés court dans un style « savamment décoiffé », son regard gris pénétrant. C'était une très belle femme, sophistiquée, exactement son type.

— Jay, je te demandais ce que tu faisais.

Il parcourut la pièce du regard, le sol couvert de bâches, les meubles protégés par des feuilles de plastique.

— Tu ne me croirais pas si je te le disais.

— Bien sûr que si.

Elle hésita.

— Tu n'es pas avec une autre femme, n'est-ce pas ?

Une femme avec de grands yeux noisette…, songea-t-il en se demandant d'où lui venait cette pensée saugrenue.

— Il n'y a aucune femme ici pour le moment, Mallory.

— Alors, qu'est-ce que tu fais ?

— Je suis en train de boucher les fissures d'un mur.

— Tu sais faire ça ?

— Je me débrouille.

Dans sa jeunesse, il avait fait pas mal de petits boulots ; cela dit, n'importe qui, doté d'un minimum de sens pratique, était capable de boucher des trous dans un mur. Mallory vivait parfois dans un autre monde.

— Pourquoi fais-tu ça ?

— Si seulement je le savais.

Cela avait un lien avec une des listes qu'il avait trouvées sur un bloc-notes, dans sa chambre, lorsqu'il furetait partout à la recherche d'informations sur Kate McMann. Elle avait griffonné : « Chambre d'amis : boucher les fissures, peindre, remplacer les moustiquaires. »

— Comment se passent les choses là-bas ? demanda Mallory.

— Ça roule.

— Tu es content d'être chez toi ?

— Ce n'est pas chez moi, Mallory.

Il s'était raidi et elle dut le sentir au timbre de sa voix car elle s'empressa de changer de sujet.

— Excuse-moi, dit-elle. Est-ce que je te manque ?

Il mentit.

— Bien sûr.

A la vérité, sa relation avec Mallory lui pesait parfois car elle réclamait souvent plus qu'il n'était prêt à offrir. Il en avait toujours été ainsi avec les femmes.

Après Sarah.

— J'aimerais te rendre une petite visite, chéri, dit-elle d'une voix de nouveau langoureuse.

— Je ne crois pas que ce soit une bonne idée. Les termes du testament sont plus complexes que je ne l'avais cru. J'essaie pour l'instant de ne pas attirer l'attention sur moi ici. Riverbend est une petite ville, et si tu venais, toute la population serait alertée.

— Oh, chéri, c'est la chose la plus gentille que tu m'aies jamais dite.

Vraiment ? Il secoua la tête et se leva, peu désireux de réfléchir au fait qu'il n'était pas très doué dans le domaine des relations amoureuses.

— Il faut que je m'y remette avant que mon plâtre durcisse, dit-il en boitillant jusqu'au mur.

— Tu m'appelleras ?

— Bien sûr.

— Tu ne l'as pas fait une fois depuis que tu es dans ce trou perdu.

— Je t'appellerai. Promis. A bientôt.

Il coupa la communication avant que Mallory ait eu le temps de lui dire qu'elle l'aimait. Il détestait le moment de flottement qui suivait toujours, alors qu'il évitait de répondre. Je t'aime… Il n'avait pas prononcé ces mots depuis quinze ans, et il n'avait pas l'intention de les prononcer de nouveau un jour.

Tout en se remettant à poncer le plâtre qu'il avait appliqué un peu plus tôt, il réfléchit à cette réticence qu'il avait à s'engager. Ou plutôt à son *refus* de s'engager, et même d'aimer quiconque. Autrefois, quand il vivait dans cette maison, les mots et l'amour faisaient partie de son environnement, tout comme les pluies de l'Indiana.

« Je t'aime, Jacob, disait Ruth. Même quand tu as été méchant. » Et Rachel n'était jamais à court de mots d'amour non plus.

Chose intéressante, la maison résonnait toujours des déclarations et de ces petits mots tendres que s'adressent les gens qui s'aiment. « Qui aimes-tu ? » demandait Kate alors qu'elle débarrassait la table avec ses filles, ou pliait le linge. « Je t'aime, maman », répondaientelles en chœur. Quoique de temps en temps, la coquine Hannah répondît : « Euh… je crois que j'aime Brad Pitt. »

Jay jeta un coup d'œil à sa montre. Il voulait avoir fini avant qu'elles rentrent. Kate ne serait pas contente qu'il se soit fatigué. Il avait mis son orthèse, mais il savait que même cette précaution ne suffirait pas à la rassurer. Sa sollicitude à son égard le rendait fou.

« Menteur », lui souffla une voix intérieure, bien qu'il ait essayé de l'étouffer. En cinq jours seulement, il s'était habitué à être gâté. Des repas dignes d'un trois étoiles. Un lit fait et une chambre rangée. Le café chaud qui l'attendait dans la cuisine préparé à son intention. Un appel téléphonique en milieu de journée lorsqu'elle ne pouvait pas rentrer déjeuner — ce qui, à vrai dire, n'était arrivé que deux fois. Tout cela faisait que dissimuler son identité et ses projets pour le magasin était plus difficile qu'il ne l'avait initialement prévu.

Comme il finissait de nettoyer ses outils, il se rendit finalement à l'évidence : s'il avait rebouché ces fichues fissures, c'était parce qu'il ne supportait pas l'idée qu'elle se remette au travail à son retour du supermarché.

Las de ruminer ses pensées, il quitta la pièce et retourna à sa chambre, avec le sentiment étrange d'être prisonnier. Il aurait bien voulu pouvoir sortir un peu de cette maison, mais il n'en avait pas encore fini avec Kate. Il devait en savoir plus.

Quand il avait décidé de rester, il avait appelé Nick Harrison pour lui demander d'envoyer quelqu'un vérifier les comptes de la librairie la semaine suivante. Comme il se déshabillait, il fronça les sourcils en se remémorant la réaction de Nick lorsqu'il avait débarqué à la ferme le mardi matin.

— Je ne m'attendais pas que tu viennes ici, avait dit Jay après avoir prudemment regardé qui était le visiteur.

— Je sais. Mais je n'arrêtais pas de penser à notre conversation d'hier.

— Tu veux t'asseoir ?

— Non. Tu ne vas pas apprécier ce que j'ai à te dire. Donc, je vais te faire part de mon opinion et partir.

— Je t'écoute.

— Je n'aime pas ça, avait dit Nick froidement.

— Qu'est-ce que tu n'aimes pas ?

— Cette façon que tu as de jouer les héros.

— J'ai évité un accident grave aux jumelles. Tu en as sûrement entendu parler, avait reparti Jay, bien qu'il fût loin de se sentir complètement à l'aise.

— Tu étais décidé à rencontrer Kate pour savoir ce qu'il en était de ses relations avec ton père et tes tantes. J'avais cru comprendre que tu allais lui dire qui tu étais et lui révéler les termes du testament.

— J'ai changé d'avis.

— Pourquoi ?

— Parce que je ne sais pas si elle avait manigancé quelque chose ou non et je veux savoir à quoi m'en tenir.

Il se redressa de toute sa taille, adoptant une posture destinée à intimider l'adversaire — posture, qui, dès qu'il en eut pris conscience, le fit se sentir stupide.

— Quand elle m'a invité à rester ici le temps de me remettre, poursuivit-il, je me suis dit que c'était l'occasion de découvrir qui elle était et de percer à jour ses motivations.

— Kate McMann n'a pas une once de fausseté en elle. Elle est exactement celle qu'elle paraît être. Je ne veux pas que tu la blesses inutilement.

— Ce que tu veux m'importe peu, Harrison.

— Combien de temps encore va durer cette comédie ?

— Plus très longtemps.

— Tu vas froidement lui annoncer que tu es là pour prendre possession du magasin ? Alors qu'elle t'a accueilli à bras ouverts ?

Jay n'aimait pas la façon dont c'était exprimé, mais c'était la stricte vérité.

— Oui.

— C'est nul de ta part.

— Comme je te l'ai déjà dit, ton opinion à ce sujet m'indiffère. Et j'espère que je n'ai pas besoin de te rappeler que tu es tenu au secret professionnel. Si tu révèles mon identité à Kate McMann ou à qui que ce soit d'autre, j'alerte le barreau de l'Indiana.

— Quand es-tu devenu un sale type ? avait demandé Nick avant de tourner les talons.

« Il y a quinze ans, quand ma vie s'est effondrée. »

— Ce ne sont pas tes affaires. Souviens-toi seulement de ce que je t'ai dit…

En se rappelant la colère à peine voilée de Nick, Jay se demanda s'il n'y avait pas quelque chose entre Kate et lui. Cela expliquerait pourquoi il la défendait avec tant de véhémence.

« Je m'en ficherais pas mal si Harrison n'était pas mon avoué, songea Jay en sortant de sa douche. Elle peut bien avoir tous les amants qu'elle veut : tout ce que je veux savoir, c'est si mon père en faisait partie et si elle fait de la captation d'héritage. » Ce qui, il commençait à s'en rendre compte, paraissait très improbable.

Il était d'humeur maussade. Ayant enfilé un jogging marine propre, il ramassa ses béquilles pour claudiquer jusqu'à la cuisine. Son genou le faisait souffrir, ce qui n'était guère surprenant après avoir fureté dans toute la maison et bouché tous ces trous dans la chambre en travaux, et il lui fallait de la glace.

Le répondeur clignotait sur le comptoir. Qui avait appelé ? Sans la moindre hésitation, il enclencha le lecteur pour écouter les messages de Kate.

Et la surprise le paralysa.

— « Katie chérie, c'est Rachel. Je voulais te parler d'un appel que nous avons reçu après ton départ. Au sujet d'une facture impayée. Rappelle-moi quand tu rentreras. »

Entendre la voix de sa tante le bouleversa à tel point qu'il dut chercher un appui et s'agripper des deux mains au comptoir. Elle lui avait semblé plus vieille, plus fragile.

Pour la première fois, il osa considérer le fait que Ruth et Rachel disparaîtraient un jour ; sa gorge se serra à la pensée de tous les événements de leurs vies qu'il avait manqués.

Réprimant violemment le sentiment de culpabilité qui s'était emparé de lui, il appuya de nouveau sur le bouton du lecteur. Ainsi, Kate avait négligé de payer une facture ? Il faudrait qu'il examine ça de plus près…

Une autre voix brisa le silence de la cuisine.

— « Katie, c'est moi, Billy. Je ne pourrai pas prendre les filles dimanche. J'ai un imprévu. Dis-leur que je regrette. Je les appellerai plus tard. »

Ce devait être l'ex-mari. Jay ne savait pas grand-chose du mariage de Kate et il se demandait comment en apprendre davantage.

Il y avait un troisième message.

— « Kate, c'est Paul. Ça tient toujours pour dimanche ? J'ai hâte de te voir. »

« Pas de chance, mon gars. Son ex ne prendra pas les filles ce week-end », songea Jay en regardant le répondeur avec un certain plaisir. Il était content, bien qu'il s'abstînt d'essayer d'en comprendre la raison.

Ayant pris de la glace dans le congélateur, il quitta la cuisine et alla dans le séjour. Là, il renonça rapidement à faire un feu comme il en avait d'abord eu l'intention, et s'installa dans le canapé, surélevant sa jambe gauche.

Puis il laissa son regard errer à travers la pièce. Ses yeux se posèrent sur le coffre dans lequel étaient rangés ses vieux jeux de société. Cela ne l'avait pas perturbé autant, quand il les avait découverts, que de découvrir ses livres, alignés sur une étagère dans la chambre des jumelles, un jour où il était seul à la ferme. Il avait à peine pu les regarder ; tous ou presque lui avaient été offerts par ses tantes, sa mère, et même quelques-uns par Abraham. Il avait immédiatement quitté la pièce. Peut-être cela l'avait-il préparé à la petite scène qui avait eu lieu un ou deux jours plus tard.

— Est-ce que tu veux bien jouer à Oncle Wiggly avec nous ? avait demandé Hannah le mercredi soir alors que Kate était occupée à ramasser le linge dehors.

— Oncle Wiggly ?

La fillette l'avait pris par la main et l'avait conduit devant le coffre qu'elle venait d'ouvrir. Tous ses jeux d'enfants étaient là : ses petits chevaux, son Monopoly, son jeu de l'oie et d'autres encore. Les voir lui avait un instant coupé le souffle. C'était comme découvrir une boîte pleine de vieilles photographies.

— Ça va, monsieur Lawrence ? avait dit Hope.

— Mmm.

— Tu joues avec nous ? avait redemandé Hannah, les yeux brillants.

— J'adorais jouer à ces jeux, avait-il laissé échapper.

— Ne leur dites pas ça. Elles vont vous harceler.

Il s'était retourné et avait vu Kate, les bras chargés de serviettes éponge. Ses cheveux roux retombaient en désordre sur son visage et ses épaules, faisant comme des flammes sur sa peau claire et sur le rose pâle de son T-shirt.

— Ça ne fait rien. Ça ne m'ennuie pas.

— On en reparlera, avait-elle lancé en riant, en s'éloignant vers la salle de bains.

Depuis lors, il avait fait quatre parties de petits chevaux, deux de jeu de l'oie et trois d'Oncle Wiggly. Et il suspectait que ce ne seraient pas les dernières. Cette perspective ne lui déplaisait pas, bien au contraire, mais il y avait de quoi se poser des questions : était-ce bien lui qui dînait au Club 21 de New York tous les vendredis soir, il n'y avait pas si longtemps ?

Tout cela faisait simplement partie de son enquête, se disait-il pour se rassurer.

« Menteur », répondait son cœur.

— Je déteste faire les courses, marmonna Kate en repoussant du talon la porte de derrière.

Elle posa ses sacs sur la table et regarda les filles qui l'observaient, l'air sombre.

— Pardon, maman, dit Hannah, les yeux baissés dans l'attitude du pécheur repentant.

— Demander pardon ne suffira pas, jeune demoiselle. Va dans ta chambre.

— Toute la soirée ?

Kate jeta un coup d'œil à l'horloge.

— Jusqu'à 20 heures. Tu peux lire pendant une demi-heure, et ensuite au lit. Pas de discussion. Je ne suis pas du tout contente, Hannah.

— … ne voulais pas…, grommela la fillette en pivotant vers la porte.

— Est-ce que je peux y aller aussi ? demanda Hope.

— Non, Hope. Hannah est punie. Tu peux aller lire ou regarder la télévision dans ma chambre.

— Tout va bien ?

— Oh ! fit Kate qui sursauta en entendant la voix venue du séjour, plongé dans l'obscurité.

— Excusez-moi, dit-il en la rejoignant, je vous ai surprise. J'étais assis à côté.

Il sortait visiblement de sa douche ; ses cheveux étaient encore mouillés et semblaient presque bruns ainsi plaqués en arrière. Et il sentait divinement bon.

— Ça ne fait rien. Je suis juste un peu sur les nerfs.

— C'est ce que je vois. Que s'est-il passé ?

— Je vous raconterai quand j'aurai apporté le reste des courses.

— Je vais vous aider.

— Pas question. Asseyez-vous et servez-vous un café. Nous pouvons bavarder pendant que je range.

— Bien, madame.

Lorsqu'elle eut rentré les huit sacs, il était installé devant une tasse de café à la table de la cuisine. Il l'observa tandis qu'elle les posait sur le comptoir et ouvrait les portes des placards.

— Alors, qu'est-ce que cette petite polissonne a inventé, aujourd'hui ? s'enquit Jay.

— Elle s'est cachée.

— Cachée ?

— Oui, dit-elle. Elle était à côté de moi, et l'instant d'après, elle n'était plus là.

— Vous avez paniqué ?

— J'aurais paniqué s'il s'était agi de Hope. Mais Hannah me joue continuellement des tours de ce genre. Elle en a fait bien d'autres, et de plus spectaculaires.

— Je ne suis pas sûr d'avoir envie de les entendre.

Kate réprima un sourire.

— Certains paraissent drôles maintenant, mais sur le moment…

— Racontez-moi.

— Un jour, commença-t-elle en s'arrêtant un instant de ranger, alors qu'elles avaient deux ans et qu'elles étaient toutes deux assises dans le Caddie, elles ont cassé un carton d'œufs sur leurs têtes pendant que je me détournais pour prendre un litre de lait.

Jay éclata de rire.

— Et il y a eu cette autre fois, continua-t-elle, toujours au supermarché, où Hannah voulait absolument manger un biscuit. C'était un peu avant le dîner et j'ai refusé. A la maternelle, on venait tout juste de leur apprendre comment réagir si un inconnu leur proposait un bonbon ou un jouet, et elle a fait exactement ce qu'on leur avait enseigné. Quand je me suis approchée d'elle pour vérifier qu'elle n'avait pas un biscuit dans la main, elle s'est jetée par terre et elle s'est mise à hurler : « Vous n'êtes pas mère, vous n'êtes pas mère ! Je n'irai pas avec vous. Laissez-moi tranquille. »

Jay éclata de nouveau d'un grand rire franc.

Kate serra ses doigts autour du paquet de serviettes en papier qu'elle tenait maintenant à la main. Le rire de Jay, un peu rauque, terriblement masculin la prenait au dépourvu. Il y avait une sorte de sensualité dans ce timbre grave, rocailleux qui remuait quelque chose en elle, qui réveillait une part d'elle-même endormie depuis longtemps.

— C'est l'histoire la plus incroyable que j'aie jamais entendue, commenta Jay, riant toujours.

— Je sais. Je ne parviens pas à y croire moi-même, quelquefois.

Ayant terminé de ranger l'épicerie, elle s'approcha de la cafetière.

— Oh, j'ai des messages, dit-elle en remarquant le voyant allumé du répondeur.

— Voulez-vous que je vous laisse ? demanda Jay avec une certaine raideur.

— Non, bien sûr que non. Je n'ai pas de secrets.

Il détourna cependant les yeux quand elle pressa le bouton lecture.

— Ah. Je me demande de quoi il s'agit, commenta-t-elle à voix basse en griffonnant quelques mots sur un pense-bête pendant que le message de Rachel défilait.

Le second était le message de Billy.

— Qu'il aille au diable, marmonna-t-elle avant de se tourner vers Jay. Les filles vont être déçues.

Elle écouta le dernier message et réinitialisa l'enregistreur en haussant légèrement les épaules. Un après-midi entier sans les filles, en compagnie d'un adulte, lui aurait fait du bien. Tant pis, ce n'était pas la fin du monde.

— Il faudra que je rappelle Paul. Nous devions sortir ensemble dimanche.

— Qui est Paul ?

— Paul Flannigan. Il est pharmacien.

— Serait-ce votre petit ami ? demanda Jay d'un ton léger.

— On pourrait dire ça. Du moins, lui se considère comme tel, je crois.

— Et vous ?

— Je l'aime bien. Et vous, Jay ? Y a-t-il des femmes qui se languissent de vous ?

— Oh, des douzaines sûrement, plaisanta-t-il.

Elle sourit, puis jeta un bref regard vers le téléphone.

— Je suis plus ennuyée par le message de Billy.

— Votre ex-mari ?

— Oui. On ne peut guère compter sur lui. Mais parlons plutôt d'autre chose. Qu'avez-vous fait pendant que nous étions parties ?

Une lueur à la Tom Cruise s'alluma dans ses yeux sombres.

— J'ai rempli le premier engagement de votre liste Chambre d'amis : une heure de travail par jour.

— Quoi ? fit Kate, abasourdie.

— Ne vous inquiétez pas. Je sais boucher des fissures.

— Vous avez vraiment fait ça ?

— Oui.

— Et votre jambe ?

— Aucun problème. J'avais mis mon orthèse.

— Mais... pourquoi... ?

Il haussa les épaules.

— Je m'ennuyais. J'ai pensé que je pouvais peut-être vous remercier de ce que vous aviez fait pour moi. En me rendant utile, expliqua-t-il en lui adressant un autre de ses sourires enjôleurs. Et que vous apprécieriez sûrement d'avoir un peu de temps à vous ce soir.

— Je ne sais pas quoi dire.

Il l'observa avec attention et demanda :

— Si vous pouviez avoir une heure de complète liberté ce soir, que choisiriez-vous de faire ?

Elle déglutit avec difficulté, essayant de déceler dans l'expression de Jay un sens caché à ses propos. Puis elle tenta de se raisonner ; ce n'était pas parce que son timbre de voix enflammait quelque chose en elle que lui-même avait… des arrière-pensées. Elle détourna le regard, et répondit finalement :

— Je me plongerais dans un bain moussant et j'y resterais toute une heure, barricadée derrière ma porte close.

Jay jeta un coup d'œil à sa montre.

— Alors, je vais vous faire une proposition : vous libérez Hannah et vous mettez les filles en pyjama, et ensuite je leur ferai la lecture, ou je jouerai avec elles, pendant que vous prendrez votre bain.

— Vraiment ? Vous feriez ça ?

Elle ne comprit pas pourquoi ses yeux s'obscurcissaient.

— Kate, ce n'est rien du tout.

— Pour moi c'est beaucoup.

— Et c'est justement la raison pour laquelle vous devriez dire oui.

— Mais…

Avançant le bras, il saisit sa main. La sienne était large et chaude et elle enveloppa doucement celle de Kate à la manière d'un amant.

— Vous m'avez ouvert votre porte, Kate. Vous prenez soin de moi depuis presque une semaine. Laissez-moi faire quelque chose pour vous.

— Vous vous êtes déjà occupé des fissures.

Elle souriait, mais sa respiration s'était accélérée et une chaleur étrange envahissait graduellement son corps.

— Allez préparer les filles. Puis prenez votre bain.

Il lui pressa la main et Kate sentit son cœur s'arrêter, puis battre la chamade. Jay l'observait en souriant, un sourcil levé.

— J'insiste, reprit-il. Et j'ai l'habitude d'obtenir ce que je veux.

Il n'ajouta pas « des femmes », mais Kate l'entendit. Très distinctement.

— Oncle Wiggly dit : « Recule de trois cases. »

— Comment sais-tu ce qu'il dit, Hope ?

Jay baissa les yeux vers la fillette. Elles portaient le même pyjama jaune, ce soir-là, mais les rubans de leurs queues de cheval étaient de couleur différente.

— Vous ne savez pas encore lire, n'est-ce pas ?

— On connaît toutes les indications par cœur, répondit Hannah à la place de sa sœur. Et Allison aussi.

Hope détourna les yeux, mais il vit le petit sourire en coin qu'elle lui adressait. Cela lui fit penser à quelque chose qu'il n'aurait jamais : des enfants et une épouse à lui. Etouffant un grognement, il se renfonça dans son fauteuil. Il devait à tout prix se ressaisir car il commençait à aimer un peu trop ces enfants. Ainsi que leur mère qui, à cet instant précis, était en train de…

Avec résolution, il chassa la pensée qui était sur le point de prendre forme. Il n'était pas là pour rêver aux charmes de la vie de famille… ou à ceux de Kate McMann. Pas quand son objectif était de leur couper l'herbe sous le pied.

Le cri de joie d'Hannah le détourna des doutes qui affleuraient à son esprit.

— Je n'ai plus qu'à avancer de… une… deux… trois… quatre cases pour gagner ! s'exclama-t-elle en plantant successivement son index sur les quatre dernières cases.

Instinctivement, il se pencha vers elle pour écarter une mèche de cheveux qui lui tombait sur les yeux. Ils étaient doux, dorés comme des épis de blé mûr.

— Tu ne veux pas fanfaronner devant ta sœur, n'est-ce pas, Boucle d'Or ? murmura-t-il.

Hannah le regarda avec de grands yeux, puis secoua la tête.

Hope avait mis ses doigts dans sa bouche. Elle avait un air sérieux, attentif. Elle semblait n'attendre rien de personne. Comme sa mère. Jay se demanda si Hannah ressemblait à son père. Ce minable qui avait appelé pour annuler sa sortie avec ces deux adorables fillettes. Il devait être idiot. Et il avait laissé tomber Kate, ce qui n'était pas moins stupide. A moins qu'elle ait davantage à cacher qu'il ne semblait, comme il l'avait cru au départ.

Mais il commençait à douter.

Hannah gagna finalement la partie. Jetant un coup d'œil à Jay, elle croisa son regard grave avant de se tourner vers Hope.

— Tu n'étais que deux cases plus loin, Hope. Tu gagneras sûrement la prochaine fois.

Hope sourit et Jay fit une petite caresse à Hannah en signe d'approbation.

Kate apparut dans son champ de vision.

— Je crois qu'il est temps d'aller au lit maintenant que vous avez fini votre partie, annonça-t-elle.

Jay se tourna vers elle.

Elle était debout derrière le canapé et Jay eut beau essayer de se contraindre à l'indifférence, il ne put rester insensible à son apparence. Elle avait relevé ses cheveux dans une sorte de chignon lâche dont plusieurs mèches, encore humides, s'échappaient pour encadrer son visage, caressant ses joues couleur de pêche mûre et ses yeux embués de sommeil. Elle avait enfilé un peignoir écossais, mais Jay ne vit que la fine dentelle mauve qui en dépassait par endroits.

— Est-ce que…

Il dut s'éclaircir la gorge pour poursuivre :

— … vous avez apprécié votre bain ?

— Un vrai péché.

Pour sûr, les pensées de Jay s'apparentaient à un autre péché que celui-là.

— Allez, les filles. Dites bonne nuit à M. Lawrence et allez vous coucher.

Sans avertissement, les deux petites filles se jetèrent sur Jay. Il les reçut chacune au creux d'un bras avec un frisson de plaisir. C'était bon de les sentir contre lui, de respirer leur odeur de savon et de talc. Billy McMann était un imbécile. Il les embrassa, puis jeta un coup d'œil dans la direction de Kate. Elle l'observait, les yeux brillants. L'espace d'un instant, il regretta intensément de n'être pas l'homme que son expression rayonnante semblait remercier.

Les jumelles s'écartèrent, plantèrent deux bisous mouillés sur ses joues et sortirent de la pièce en sautillant.

— N'oubliez pas de laver vos dents, leur rappela Kate avant de se tourner vers lui. Merci beaucoup, dit-elle.

Comme il ne répondait pas, elle se mordit la lèvre dans un geste très féminin, avant d'ajouter :

— Pour le bain.

Troublé par l'émotion qu'il sentait monter en lui, il se contenta de hocher silencieusement la tête.

Kate chercha l'horloge des yeux.

— Puis-je… euh, commença-t-elle. Vous aimeriez peut-être avoir un peu de compagnie ? Je peux coucher les enfants et revenir.

Cette fois, Jay dut faire appel à toute sa volonté pour refuser. Il se redressa, frotta son genou et se leva avec effort.

— Merci, mais je suis fatigué. Je crois que je vais aller me coucher tout de suite.

Il s'efforça d'ignorer la déception qu'il lut dans les yeux de Kate, d'éviter de loucher sur la dentelle mauve, essaya de contrôler la réaction spontanée de son propre corps à la pensée de la jeune femme dans son bain et, avec une détermination dont il ne se serait pas cru capable, se dirigea vers sa chambre.

Comme il passait devant elle, elle l'arrêta en posant une main sur son bras. Jay crispa ses doigts autour des béquilles. Il ne la regarderait pas. Il ne le pouvait pas.

— Bonne nuit, dit-elle simplement.

Puis elle ôta sa main et traversa le séjour pour aller dans la cuisine, éteignant toutes les lampes sur son passage, sauf celle qui se trouvait au-dessus de la cuisinière et qui brûlait toute la nuit, comme un fanal.

Frappé d'une étrange mélancolie, Jay resta debout un long moment à l'endroit où elle l'avait quitté, dans la pénombre, pensant à cette maison qui, un jour, avait été son havre.

5.

— Bonjour, dit Kate en se détournant de l'évier comme Jay entrait dans la cuisine.

— Bonjour.

— Vous avez bien dormi ? s'enquit-elle, espérant que le ton de sa voix ne trahissait pas l'émoi qui l'avait saisie en le voyant.

Il était en jean, aujourd'hui, un jean qui lui seyait comme à un mannequin sur une couverture de magazine — excepté le premier dimanche, elle ne l'avait jamais vu autrement qu'en jogging. Il était très beau ainsi vêtu. Trop beau, peut-être. Il avait la silhouette élancée et naturellement déliée d'un athlète. Les manches de sa chemise bordeaux, roulées jusqu'au coude, révélaient les muscles longs et bien dessinés de ses avant-bras.

— Si j'ai bien dormi ? Pas vraiment. J'étais agité.

« Tout comme moi », pensa Kate.

— Oh, je suis désolée. Peut-être avez-vous un peu trop exigé de votre jambe, hier ?

— Peut-être. Qu'est-ce qui sent aussi bon ?

— Des crêpes aux copeaux de chocolat.

Il sourit, mais son sourire était teinté de mélancolie, comme la plupart de ses expressions. Il lui faisait penser à Gatsby le Magnifique, dont toutes les attitudes étaient imprégnées de la tristesse qui l'habitait. Elle sentait aussi que c'était un être solitaire, comme le héros de F. Scott Fitzgerald.

— Vous aimez les crêpes au petit déjeuner ?

— J'aimais ça quand j'étais gamin.

Elle se retourna pour brancher l'appareil à crêpes tandis qu'il posait ses béquilles et boitillait vers la cafetière. Très consciente à présent de sa réticence à accepter de l'aide, elle se retint de se précipiter pour le servir.

Une fois assis, ce fut à son tour de demander :

— Et vous, vous avez bien dormi ?

Elle arrangea nerveusement le col de sa chemise de flanelle, et en remonta les manches.

— Prendre un bain m'avait délassée.

Ce n'était pas un mensonge. Elle s'était sentie détendue. Un peu trop malheureusement. Ses défenses étant affaiblies, elle était restée étendue dans son grand lit, les yeux au plafond, envahie par un intense sentiment de solitude. Et quand elle s'était enfin endormie, elle avait rêvé qu'un bel inconnu lui faisait l'amour.

— Ce n'était vraiment pas nécessaire, dit-il en faisant un geste vers les crêpes qui étaient en train de cuire.

— Oh, c'était ça ou ratisser les feuilles mortes dehors. Et je préfère de loin faire la cuisine.

— Je croyais que vous ne travailliez pas le samedi.

— Les filles trouvent très amusant de ratisser les feuilles. Ou plus exactement de sauter dedans lorsque je les ai toutes rassemblées en un tas.

Elle regarda, par la fenêtre, la pelouse couverte de feuilles d'érables.

— Avez-vous jamais joué dans les feuilles ? demanda-t-elle au bout d'un moment, voyant qu'il paraissait hypnotisé par le spectacle des feuilles rouges et jaunes qui virevoltaient au gré du vent.

— Si. Dans une autre vie.

— Vous pouvez vous joindre à nous, proposa-t-elle en posant le plat de crêpes devant lui. Un peu d'air frais vous ferait du bien.

Il secoua la tête, comme un homme qui reprend soudain pied dans la réalité.

— Non, merci, dit-il. J'ai du travail.

— Je ne sais même pas ce que vous faites dans la vie, observa-t-elle aussi légèrement qu'elle le pût.

La veille au soir, elle avait mentalement dressé une liste intitulée : « Ce que j'ignore de Jay Lawrence. » Et la liste était plutôt longue.

Ayant mordu dans une crêpe, Jay soupira.

— Mmm, elles sont délicieuses, dit-il.

Une fois de plus il se dérobait.

— Quel est votre métier, Jay ? s'enquit-elle, allant cette fois droit au but.

Après une longue pause, il se décida à répondre :

— Je travaille dans l'informatique.

— Qu'est-ce que vous faites exactement ?

— J'ai une entreprise qui conçoit des logiciels.

— A Chicago ?

Il parut étonné.

— J'ai vu la plaque minéralogique de votre voiture.

— Je venais de Chicago.

Devait-elle prendre ça pour une réponse ?

— C'est une grosse compagnie ?

— Non, raison pour laquelle je m'associe avec une société plus importante : ComputerConcepts.

Il parcourut la pièce du regard, d'un air distrait, et demanda :

— Où sont les filles ?

— Elles regardent des dessins animés dans ma chambre. En fait, elles regardent assez peu la télévision, mais j'essaie de faire en sorte que le samedi soit un jour un peu spécial.

— Oui, c'est ce que vous m'avez dit l'autre jour.

Perturbée par ses phrases abruptes, elle se leva et alla à l'évier pour terminer la vaisselle.

— Et vous ? demanda-t-il tout à coup. Vous aimez votre travail à la librairie ?

— Je l'adore. Après les filles, et Ruth et Rachel, c'est ce qu'il y a de plus important dans ma vie.

Un couvert tomba sur le sol. Kate se retourna et, avant que Jay ait eu le temps de se reprendre, elle surprit son expression, dure. Une expression de défiance.

— Jay ? Quelque chose ne va pas ?

— Non, non. Je suis juste un peu maladroit, ce matin, répondit-il en ramassant la fourchette. Parlez-moi du magasin.

Plongeant ses mains dans l'eau savonneuse, elle regarda de nouveau par la fenêtre. C'était une journée de novembre plutôt fraîche, mais ensoleillée. Et bien que ce fût inhabituel à 10 heures du matin, le vent se levait déjà ; les filles pourraient s'amuser avec leurs cerfs-volants. Elle frissonna en pensant à ce qui s'était passé le week-end précédent à cause de ceux-ci et se promit de refaire la leçon aux filles.

— Il n'y a pas grand-chose à dire. La librairie appartient à Ruth et Rachel. Elles l'ont reprise il y a des années de ça et elles en ont fait une affaire prospère.

— Etonnant, non, pour une petite ville ?

— Peut-être. Mais même sans les livres rares, le chiffre d'affaires serait très honorable. Les gens aiment lire, par ici. Il faut dire que Riverbend offre peu de distractions.

— Le basket et la lecture, railla-t-il.

— Je suppose qu'aux yeux d'un citadin, nos plaisirs semblent bien provinciaux, répliqua-t-elle, piquée au vif.

Il y eut un silence, puis Jay dit :

— Non. Excusez-moi, ce n'est pas ce que je voulais dire.

Il mentait bien. Elle le crut presque.

— Peu importe, dit-elle en essuyant le comptoir. Ruth et Rachel collectionnent les livres depuis leurs années d'université, des livres anciens ou rares. Plus récemment, elles se sont intéressées aux écrivains de la Beat Generation. Jack Kerouac, par exemple.

— *Sur la route*.

— Oui, entre autres.

Elle ne pouvait contrôler l'amusement que trahissait sans doute son sourire.

— Qu'y a-t-il ?

— Oh, je suppose que c'est de notoriété publique... La rumeur dit que Ruth a eu une aventure avec Kerouac.

— *Tante Ruth ?*

— Tante ?

Le visage de Jay se colora.

— Je suppose qu'à force d'entendre les filles l'appeler comme ça, c'est de cette façon que je pense à elle.

— Oh.

L'explication sonnait faux.

— Quel âge a-t-elle ? Soixante et quelques années ?

— Mmm. Vous devriez lire quelques-unes des dédicaces.

— Kerouac a dédicacé des livres à Ruth Steele ?

— Deux ou trois, je crois. Elle n'est pas explicitement nommée : « Merci pour votre inspiration », « A la merveilleuse amie d'un écrivain solitaire ». Ce sont des premières éditions en excellent état, et qui n'ont jamais appartenu qu'à elle, alors...

Un large sourire s'épanouit sur le visage de Jay.

— Incroyable.

— Depuis lors, elles ont collectionné les livres de Kerouac. Nous en avons un nombre important.

— Vous les vendez ?

— Certains. Quand Simon pense que c'est judicieux.

— Simon ? Est-ce qu'ils n'appartiennent pas à Ruth ?

— Seulement quelques-uns. Et Rachel en possède deux. Elles ont acheté les autres pour le magasin. Comme les Ginsberg, les Burroughs et les Ferlinghettti.

— Je vois.

Un grand bruit leur parvint soudain de la chambre à coucher.

— Oups, je ferais mieux d'aller voir ce qui se passe là-bas, dit Kate en se dirigeant aussitôt vers la porte. Mais vous devriez vraiment venir avec nous dehors.

A l'abri derrière la porte fermée de sa chambre, Jay entendait résonner les rires de Kate et des enfants à travers la fenêtre ouverte. Il alluma l'ordinateur, appela un moteur de recherche et tapa : « livres rares ». Il trouva rapidement un site d'échanges spécialisé qui listait les livres rares actuellement sur le marché. A n'en pas douter, Steele Books devait être présent sur Internet ; même à Riverbend, on devait être sorti de l'âge de pierre.

Et en effet, une douzaine de titres de Jack Kerouac étaient répertoriés, en face desquels étaient indiqués des prix. Jay laissa échapper un petit sifflement. Deux étaient proposés à trente mille dollars, quelques-uns à vingt mille et la plupart des autres à plusieurs milliers de dollars. Il ne s'étonnait plus que la librairie soit florissante. A elle seule, la vente des livres rares lui fournirait la somme dont il avait besoin pour fusionner. Et cette mine d'or, à quelques livres près, lui appartenait.

« La rumeur dit que Ruth a eu une aventure avec Kerouac… » Ecartant cette pensée, Jay chercha du papier sur le bureau, puis dans les tiroirs, pour faire quelques calculs. Rien nulle part. Il se pencha alors vers un tiroir du meuble de rangement situé à proximité immédiate du bureau. Là, se trouvaient quelques feuilles d'un joli papier rose. Il en prit une et, ce faisant, découvrit trois chemises en carton. La première était décorée de marguerites et portait l'inscription : « Souhaits de Kate ». Il les sortit du tiroir et lut sur les deux autres : « Souhaits de Hope » et « Souhaits d'Hannah ».

Hésitant, il fixa la chemise qui portait le nom de Kate. Voulait-il vraiment lire ça ? Ce n'était quand même pas tout à fait pareil que feuilleter ses dossiers comptables, qu'en tant qu'héritier il consultait pour ainsi dire légitimement. De toute évidence, ce dossier-là était personnel. Intime.

Intime... Voilà qui ne l'avait cependant pas empêché de fouiller sa chambre, la veille. Durant un court instant, il fut assailli par les images des meubles en rotin, qu'elle avait probablement peints en blanc elle-même, du tapis vert et blanc qui couvrait le parquet, du papier peint rayé aux tons très doux, du grand lit sur lequel se trouvait un édredon matelassé vert menthe assorti aux doubles rideaux — sans doute confectionnés par ses soins sur la machine à coudre qu'il avait vue dans un angle de la pièce.

Son armoire contenait une garde-robe restreinte : quelques jupes, deux pantalons habillés, des jeans. Et sa commode n'était guère plus folichonne : des pulls, des chemisiers et des sous-vêtements de coton. Evidemment, elle n'avait pas les moyens de s'offrir des articles signés Victoria's Secret — elle aurait sûrement porté à merveille ces soutiens-gorge pigeonnants et ces strings minuscules qui égarent les hommes.

Bon sang, mais pourquoi s'imaginait-il tout à coup Kate en tenue légère ?

Allons, il savait pourquoi. Parce que la nuit précédente, il avait eu du mal à s'endormir en pensant à la dentelle qu'il avait vue dépasser de son peignoir.

Pourtant, elle n'était pas son type. Elle avait des taches de rousseur, n'était jamais véritablement coiffée, et les jambes d'adolescente ne l'avaient jamais attiré. Il préférait les femmes sophistiquées et audacieuses qui savaient user de leurs atouts pour plaire aux hommes. Fugitivement, il se demanda quelle expérience pouvait avoir Kate dans ce domaine. Il y avait en elle une telle naïveté qu'il ne parvenait pas à se l'imaginer faisant des avances à un homme. Peut-être n'avait-elle pas encore rencontré celui qui la révélerait à elle-même...

De nouveau, il étouffa un juron. Il fallait qu'il se surveille Il était en train de se laisser émouvoir alors qu'il ne pouvait pas se le permettre.

— Connais tes ennemis, se dit-il à voix haute en ouvrant la chemise de carton.

Elle était pleine d'images découpées dans des magazines. Un énorme bouquet de marguerites, un flacon de bain moussant de Paloma Picasso dont le prix était indiqué au-dessous, une perceuse électrique, une ponceuse ; moins surprenant, des vêtements : une robe pull-over de cachemire rouge cerise, un superbe manteau de daim de chez Neiman Marcus. Il y trouva aussi une publicité pour une édition reliée en cuir de *Roméo et Juliette* et un dépliant du parc Disney World de Floride.

En découvrant le monde fantasmatique de Kate, Jay ne pouvait s'empêcher de sourire.

Jusqu'à ce qu'il tombe sur la dernière illustration. C'était un dessin qui représentait fidèlement l'enseigne du magasin — mêmes caractères, mêmes couleurs —, à ceci près qu'au lieu d'y lire « Steele Books », on y lisait « McMann Books ».

Comme il l'avait craint, Kate McMann avait bel et bien l'intention de s'approprier la librairie et les livres rares.

— Je suis désolée, Jay. Les filles ont tellement insisté... Mais vous n'êtes pas obligé de manger dehors avec nous.

— C'est très bien, Kate.

Ce n'était pas vrai. Il avait répondu de ce ton sec qu'elle commençait à connaître.

Hannah grimpa sur le banc devant la table de pique-nique et se blottit contre lui.

— Tu préfères les saucisses blanches ou les rouges dans les hot dogs ? demanda-t-elle.

— Blanches.

— Comme maman, remarqua Hope qui, debout près de la table, tenait d'une main les serviettes en papier pour qu'elles ne s'envolent pas.

— C'est presque prêt, cria Kate.

Jay la fixait de loin comme s'il essayait de la passer aux rayons X. Avait-elle fait quelque chose qui l'avait contrarié ? Mon Dieu, priait-elle, pourvu qu'il n'ait pas remarqué son trouble quand il était entré dans la cuisine ce matin. Elle nc pouvait pas s'empêcher d'être attirée par lui, mais elle ne ferait rien qui puisse les rapprocher. Elle ne se sentait pas de taille. En fait, il lui faisait un peu peur.

— Tu as l'air triste, maman.

— Mais non, chérie. Je meurs de faim, c'est tout, dit-elle en retournant les hot dogs une fois de plus. Je vais chercher la salade dans la cuisine. Venez avec moi, les filles.

— Je veux rester ici.

— Moi aussi.

— Pas question, répliqua-t-elle en jetant un regard vers la route.

— Je les surveille, lança Jay d'unc voix un peu rauque. Elles vont s'asseoir avec moi sur le banc, n'est-ce pas, mesdemoiselles ?

— Tu nous liras une histoire ? demanda Hannah.

— Oui, l'histoire de ce qui est arrivé à deux petites filles qui avaient désobéi à leur maman.

Hannah comprit le message.

— On sera sage avec M. Lawrence, maman. C'est promis.

Kate tourna les talons, en songeant à l'homme lunatique qu'était son hôte. Il s'était montré amical et chaleureux le matin même et à présent, il était distant. Peut-être souffrait-il. A moins que les enfants ne l'ennuient ? « Arrête de te poser toutes ces questions, se dit-elle. D'accord, tu lui dois énormément, mais ses humeurs lui appartiennent. »

Kate prit le plat de salade de pommes de terre et les carottes râpées, et les emporta au jardin. Mais il n'y avait plus personne autour de la table. Elle les trouva tous les trois près de la remise. Jay était assis sur la vieille souche, sa jambe gauche étendue devant lui, et expliquait patiemment :

— Il faut tenir la ficelle comme ça… puis la laisser filer petit à petit, doucement, en accompagnant le cerf-volant. Au début, vous devrez courir un peu pour qu'il prenne le vent.

Il leur apprenait à manier leurs cerfs-volants. Comme un père le ferait. La scène remua quelque chose à l'intérieur de Kate. Elle regarda son propre cerf-volant, celui où était dessinée toute une petite famille, et sentit comme un picotement dans ses yeux. Quoi qu'elle fasse, quelle que soit l'ardeur avec laquelle elle travaillait, elle ne pouvait pas offrir aux filles — et à elle-même — ce dont elles avaient le plus besoin : une vraie famille.

Comme elle observait Hannah et Hope réussir à faire s'envoler leurs cerfs-volants sous les encouragements de Jay, une liste enfouie au plus profond des replis de son âme refit surface. Elle haïssait cette liste, s'efforçait de l'oublier, de ne jamais y ajouter de nouvelles entrées. Et pourtant, elle était là, détaillant toutes ses insuffisances : c'était la liste de ses échecs.

Kate n'avait pas l'air dans son assiette. Les fillettes s'étant installées de chaque côté de Jay, elle s'était assise en face d'eux. Lui se sentait mieux ; l'air frais, les cris de joie des enfants lui avaient presque fait oublier la raison de sa présence dans cette maison.

— Vous allez bien ? demanda-t-il.

— Bien sûr.

Son sourire était aussi artificiel que celui de Mallory lorsqu'elle essayait d'obtenir quelque chose de lui.

Tout en préparant machinalement son hot dog, il continua à l'observer à la dérobée. Elle était *triste*. Il ne l'avait jamais vue aussi triste depuis son arrivée six jours auparavant. Non qu'elle n'ait aucune raison de l'être. Elle n'avait pas une vie facile. A moins qu'elle ne soit tout simplement fatiguée ?

— Exactement comme tante Rachel, dit soudain Hope, le tirant de ses pensées.

— Qu'est-ce que tu dis, Hope ?

— Tu manges ton hot dog exactement comme tante Rachel.

— Comment ça ?

— Tu as mis de la moutarde, du ketchup, des pickles, et aussi des oignons, expliqua-t-elle en faisant la grimace.

— Tu sais, chérie, la plupart des gens mettent tous ces ingrédients dans leurs hot dogs, dit Kate en souriant à sa fille avec indulgence.

— Mais il a tout mélangé. Comme elle.

Kate parut tout à coup déconcertée.

— Elle a raison, vous savez.

— Nous avons les mêmes goûts, je suppose, fit-il en haussant les épaules.

Bon sang ! A trop penser aux humeurs de Kate, il en avait oublié de se surveiller. « Riverbend est en train de te transformer de nouveau en Jacob Steele, prends garde », se dit-il. Et comme il mordait dans son sandwich, il se promit de retourner à l'intérieur dès que le repas serait terminé.

Mais il ne rentra pas. Les filles le persuadèrent de rester pour les regarder faire voler leurs cerfs-volants. Kate se mit à ratisser les feuilles et sa mélancolie sembla se dissiper progressivement. Tout en travaillant, elle encourageait les enfants, plaisantait avec elles. Celles-ci finirent par décider leur mère à essayer son cerf-volant. Son rire, la joie enfantine qu'elle exprima lorsqu'il s'envola fascinèrent Jay.

Il était plongé dans sa contemplation lorsqu'une saute de vent précipita le cerf-volant de Kate droit sur lui. L'objet heurta son bras et tomba sur le sol. Kate courut à lui en riant, les joues toutes roses. Des feuilles s'étaient accrochées dans ses cheveux, échappés depuis longtemps de sa queue-de-cheval.

— Pardon, dit-elle avec un franc sourire.

Il ne pouvait s'empêcher de la regarder avec attention.

— Vous avez des feuilles dans les cheveux.

— Ah oui ?

Il ramassa le cerf-volant et se leva. Il la dépassait de presque une tête et elle fut obligée de lever les yeux vers lui. Il scruta son visage, ses taches de rousseur qui étaient ressorties au soleil, ses iris dont le vert ne lui avait jamais paru aussi intense, ses lèvres frémissantes. Et doucement, il tendit la main vers ses cheveux et en fit tomber les feuilles. Puis il s'ordonna de retirer sa main, mais celle-ci s'attarda, repoussa une mèche derrière l'oreille de Kate, se retourna pour caresser du dos des doigts une joue fraîche et douce comme de la soie.

Les yeux de Kate s'étaient agrandis, mais elle ne s'était pas écartée. Elle l'avait laissé la toucher.

La signification de cet assentiment le déstabilisa aussi sûrement que s'il avait reçu un coup à l'estomac.

Sans un mot, il recula, saisit ses béquilles et regagna la maison.

Elles restèrent dehors tout l'après-midi. Ce n'est que lorsque les ombres commencèrent à s'allonger sur les murs que Jay les entendit rentrer par la porte de derrière. Il s'était endormi, mais Kate l'avait poursuivi jusque dans ses rêves. Elle avait une marguerite jaune dans les cheveux, et lorsqu'il avait doucement fait glisser le cachemire rouge de sa robe sur ses épaules, il avait senti l'odeur d'un bain moussant de luxe sur sa peau satinée... Il s'était réveillé tout échauffé et avait dû prendre une douche pour faire disparaître les dernières visions de Kate qui persistaient à se présenter devant ses yeux.

Il avait pris son temps pour s'habiller, mais il continuait malgré lui à prêter l'oreille. Il y avait eu des bruits de cuisine : des tasses que l'on pose, un robinet que l'on ouvre. Puis une odeur de chocolat. Peu après, il avait entendu la télévision, un programme pour les enfants à en juger par les rires et la musique de fond.

A 6 heures, il rendit les armes et sortit de sa chambre. Il ne pouvait pas se tenir à l'écart plus longtemps, quelle que soit la vigueur des avertissements que sa raison lui soufflait : « Ne t'attendris pas, garde tes objectifs en tête. »

Le spectacle qui l'accueillit aurait pourtant dû le faire fuir. Toutes les trois étaient couchées sur le tapis devant la télévision, sous une couverture de patchwork. Kate était au milieu, sa chevelure déployée sur l'oreiller vert pâle, et les jumelles blotties au creux de chacun de ses bras. Deux d'entre elles dormaient profondément. Hope suçait son pouce et, les yeux à demi ouverts, semblait suivre le programme. Un instant plus tard, sur l'écran, M. Rogers saluait ses jeunes auditeurs et le générique de fin retentit dans la pièce. Hope ne bougea pas, mais la musique réveilla Hannah en sursaut.

— Maman, dit-elle.

Jay se baissa vers elle et passa une main sur sa tête.

— Chut, Hannah, murmura-t-il. Laisse maman dormir.

Hannah lui glissa un regard de côté puis chercha sa sœur des yeux. Celle-ci les observait, les yeux à présent grands ouverts.

— Et si nous préparions le dîner tous les trois ? chuchota-t-il sur un ton de conspirateur.

Hope se dégagea du bras de sa mère, qui se tourna sur le côté, la tête enfouie dans l'oreiller. Jay se releva en tendant une main à chacune des fillettes.

— On ne peut pas faire la cuisine, voyons, dit Hannah à voix basse.

— Bien sûr que si, vous pouvez. Je vous montrerai.

Il se baissa de nouveau pour remonter la couverture sur Kate, puis entraîna les jumelles dans la cuisine.

— Alors, qu'est-ce que nous allons faire ?

— Maman a dit qu'elle ferait des côtelettes, répondit la sage Hope.

— Berk, fit Hannah.

Jay réfléchit à ce qu'il aimait lorsqu'il était enfant. Ses tantes faisaient des soupes, des ragoûts de thon... et, ah, des *fritattas* — c'était ce qu'il préférait. Il ouvrit le frigo et vérifia qu'il y avait des œufs et des poivrons, trouva de la saucisse piquante dans le congélateur et des oignons dans un panier sur le comptoir. Kate, naturellement, avait tout ce qu'il fallait car elle avait emprunté de nombreuses recettes à ses tantes. Comme si elle avait été leur fille...

Son esprit vagabonda un instant, puis il mit les enfants à la tâche. Il leur expliqua comment casser les œufs, en insistant bien sur le fait que les *huit* devaient se retrouver *dans* le bol — il s'était rappelé l'incident du supermarché —, ce qui les fit glousser, et s'occupa de faire décongeler la saucisse et de la faire cuire. Quand ce fut fait, il retourna vers la table pour couper les poivrons et les oignons.

— Regarde, on n'a rien renversé, dit Hope fièrement.

— Beau travail, commenta Jay avant de se pencher vers Hope pour l'embrasser sur le nez. Maintenant, il faut les mélanger.

Il leur montra comment se servir du fouet, puis comme Hannah fixait les coquilles d'œufs avec Dieu sait quelle idée en tête, il lui confia le fouet tandis que Hope tenait le bol et qu'il débarrassait la table. Comme il ébouriffait les cheveux d'Hannah au passage, l'enfant, un instant, laissa aller sa tête contre sa main. Jay sentit son cœur gonfler dans sa poitrine.

Aux alentours de 19 heures, la *fritatta* mijotait dans la poêle et les filles sirotaient un soda tout en faisant des coloriages. Jay avait trouvé une bière dans le réfrigérateur et il venait de s'asseoir auprès d'elles en se demandant si Kate avait acheté la bière pour Paul Flannigan. Il aurait voulu en savoir plus sur ce pharmacien. A quoi ressemblait-il ? Quel genre d'homme attirait Kate ?

— Que se passe-t-il ici ?

Tous les trois tournèrent la tête et virent Kate debout dans l'ouverture qui donnait sur le séjour. Les doigts de Jay se crispèrent autour de la cannette. Elle était rose, comme si elle avait trop chaud, ses cheveux retombaient en désordre sur son visage, son col était ouvert… et son regard ensommeillé semblait presque une invitation à la rejoindre au creux d'un lit.

— On a fait le dîner avec M. Lawrence, annonça Hannah.

— Le dîner ? fit-elle en jetant un bref coup d'œil à l'horloge. Oh, mon Dieu, j'ai dormi tout ce temps ?

Elle tourna brièvement la tête vers ses filles.

— Elles auraient pu… Il m'arrive de faire une sieste avec elles, mais je les sens toujours bouger, enfin… elles me réveillent toujours.

Kate ne pouvait même pas voler quelques heures de sommeil le samedi après-midi.

— Tout va bien, Kate. Elles vous auraient réveillée, c'est moi qui les en ai empêchées. Je leur ai proposé de préparer le dîner.

Elle lui adressa un regard reconnaissant et dit, humant l'air :

— La *fritatta* de Rachel ?

— Ça, je ne sais pas. Mais certains des meilleurs restaurants de Chicago servent cette omelette.

— Oh, fit-elle en le dévisageant. C'était vraiment très gentil à vous de me laisser dormir.

Sans doute en était-elle inconsciente, mais le sourire qu'elle lui adressa était la tentation même.

— Comment pourrais-je vous remercier ?

Des draps défaits dans une chambre aux volets clos seraient un bon début, songea-t-il. Seigneur, mais qu'est-ce qu'il lui arrivait ?

Ruth ayant observé la conduite exemplaire des jumelles durant toute la durée du service en conclut que quelque chose ne tournait pas rond. Hope avait rejoint Rachel à l'orgue dès que la dernière note avait résonné, Kate bavardait avec Lynn, et Ruth décida d'en avoir le cœur net.

— Qu'est-ce qui ne va pas aujourd'hui, ma petite Hannah ? s'enquit-elle.

Hannah avait l'air d'un petit oiseau blessé. Il était rare qu'elle paraisse aussi déprimée.

— Papa ne veut pas nous voir, dit-elle sombrement.

— Je croyais que vous passiez la journée avec lui.

— Il a dit qu'il ne pouvait pas. Je le déteste.

— Ce n'est pas beau de dire cela de son papa, chérie.

Ce n'était peut-être pas bien, mais c'était compréhensible. Ruth elle-même n'éprouvait pas des sentiments très positifs à l'égard de Billy McMann.

— Est-ce qu'on peut venir vous voir aujourd'hui ? demanda Hannah.

— Oh, trésor, j'aurais bien aimé, mais Rachel et moi nous sommes engagées à aller aider à la maison de retraite cet après-midi.

Ruth chercha Kate des yeux. Elle avait une autre raison de regretter de ne pas pouvoir prendre les filles. Kate allait devoir annuler son rendez-vous avec Paul Flannigan.

Elle se tourna vers l'orgue. Hope, en pleurs, était blottie contre la généreuse poitrine de Rachel. Ruth croisa le regard de sa sœur. Celle-ci, si bienveillante d'ordinaire, semblait fâchée. Dieu ne devait pas aimer toutes ces vilaines émotions dans Son église. Ruth prit Hannah par la main et l'entraîna vers Hope et Rachel.

Toutes les quatre se retrouvèrent devant le chœur. Rachel émit un profond soupir et dit sans préambule :

— Qu'allons-nous faire ?

— Nous pourrions annuler notre après-midi à Golden Fields.

— Vous ne ferez rien de tel.

Kate avait surgi derrière elles.

— Elles pourraient peut-être passer la journée avec Allison, suggéra Ruth.

— Non. Grace et Ed emmènent les enfants voir leurs grands-parents, aujourd'hui. Je trouverai quelque chose à faire avec Hannah et Hope.

— Tu devais sortir, objecta Ruth.

Si on n'intervenait pas, Kate ne se remarierait jamais, et elle n'avait pas de sœur pour lui tenir compagnie lorsqu'elle serait vieille. Et ça, Ruth ne pouvait pas l'accepter.

— Paul et toi pourriez emmener les filles quelque part.

— Non, j'ai annulé notre rendez-vous.

Kate se mordit la lèvre, signe d'embarras ou d'exaspération chez elle. Puis elle demanda d'un ton faussement enjoué :

— Qu'est-ce que vous aimeriez faire, les filles ?

Elles restèrent silencieuses et Hope enfouit son visage dans les plis de la longue jupe à fleurs de Rachel.

— Je vais trouver quelque chose d'amusant, promit Kate.

Rachel s'accroupit de nouveau devant les deux enfants.

— Quand Jacob était petit, il arrivait parfois aussi à son père de ne pas être là alors qu'il le lui avait promis.

— Qu'est-ce que faisait Jacob alors ? demanda Hope.

Rachel sourit, ainsi que Ruth.

— Il aimait jouer avec son cerf-volant, et sauter dans les feuilles.

— Et à cette époque de l'année, ajouta Rachel d'une voix émue, nous avions coutume de l'emmener faire des promenades en charrette à foin.

— J'ai une idée, dit Ruth. Pourquoi ne viendriez-vous pas dormir à la maison samedi prochain ? On pourrait inviter Allison à venir aussi.

Les yeux des fillettes se mirent à briller. Elles adoraient dormir chez Ruth et Rachel.

Kate sourit aux deux sœurs.

— C'est une excellente idée, dit-elle. Rentrons, maintenant. Nous regarderons dans le journal s'il y a quelque chose de spécial à faire aujourd'hui.

Elle se pencha pour embrasser Ruth, puis Rachel.

— Merci encore, leur glissa-t-elle à l'oreille. Qu'est-ce que je ferais sans vous ?

Comme Kate sortait de l'église, tenant ses filles par la main, Ruth soupira.

— J'aimerais tant qu'elle rencontre *quelqu'un*.

Ruth sourit — sa sœur pensait à Jacob. Comme elles auraient voulu, toutes deux, que Jacob soit de retour à Riverbend…

6.

Tandis qu'elle roulait vers la ferme, Kate maudissait la situation inextricable dans laquelle elle se trouvait vis-à-vis de Billy et des enfants. Si elle leur permettait de le voir, elle les exposait à bien des désillusions. Si elle s'y opposait, elles souffriraient de devoir grandir sans avoir un père dans leurs vies. Dans tous les cas de figure, se disait-elle avec amertume, Billy ne serait jamais un père dans le vrai sens du terme pour ses filles.

— Maman, Hope me *regarde*.

Kate jeta un coup d'œil dans le rétroviseur tout en mettant son clignotant pour bifurquer dans l'allée de la ferme.

— Hope a le droit de te regarder, Hannah.

— Pas comme ça. Dis-lui d'arrêter, maman.

Lorsque Billy leur faisait faux bond, Hannah devenait toujours difficile. Hope, elle, pleurait. Kate les comprenait toutes les deux. Son propre père avait quitté la maison lorsqu'elle avait cinq ans, et elle n'avait plus jamais entendu parler de lui. Elle savait donc ce qu'être abandonnée signifiait. De plus, elle n'avait pas été capable de s'attacher son propre mari.

Toutes les trois descendirent de la voiture avec un manque d'entrain digne de centenaires, et firent le tour de la maison pour rentrer par la porte de derrière.

— Qui donc vient là ? Moi qui croyais que Halloween était passé. Vous avez l'air de deux petits zombies.

Jay Lawrence était assis dans le canapé. Il posa le journal qu'il était en train de lire lorsqu'elles étaient entrées. Il portait un gros pull marine sur une chemise en chambray et, de nouveau, ce jean qui révélait les muscles longs et puissants de ses cuisses. Et elle n'avait vraiment pas besoin de se trouver face à face avec l'illustration parfaite de l'idéal masculin, quand elle se sentait au trente-sixième dessous.

— Qu'est-ce que c'est, des zombies ? demanda Hannah en grimpant sur le canapé, aussitôt suivie par sa sœur.

— Des gens qui bougent et qui marchent, mais qui n'ont pas de vie à l'intérieur, expliqua-t-il.

— Il y en avait dans le livre sur Halloween que tante Ruth nous a montré, dit Hope.

Elle sourit ingénument à Jay et Kate sentit son cœur se serrer. Ses enfants avaient un tel besoin d'attention masculine.

Pour ne pas laisser voir sa réaction, Kate alla dans la cuisine faire du café. Du coin de l'œil, elle vit Jay ébouriffer les cheveux de Hope, puis ceux d'Hannah.

— Alors, pourquoi ces sombres figures ? demanda-t-il.

— Papa ne vient pas aujourd'hui. Et tante Ruth et tante Rachel sont trop occupées pour nous prendre, dit Hope sur un ton tellement résigné que cela en était poignant.

— Même les Pennington sont partis. Personne ne veut de nous aujourd'hui, déclara Hannah.

Kate déglutit péniblement, les doigts serrés sur l'anse de la cafetière. Comment réagir devant un tel désarroi ? Il fallait les occuper bien sûr. Aussitôt, elle retourna dans le séjour.

— Moi, je veux de vous ! Nous pourrions..., commença-t-elle au moment même où Jay disait d'une voix ferme :

— Moi, j'aimerais beaucoup passer la journée avec vous.

Il ramassa une page de journal sur la table basse et poursuivit :

— Justement, j'ai découpé cette annonce tout à l'heure. Il y a une fête à Graysberg.

Hannah s'empara de la page et les deux petites filles se penchèrent dessus pour relever la tête au bout d'un instant et s'écrier ensemble :

— Une promenade en charrette !

Jay sourit comme Kate ne l'avait jamais vu sourire. C'était un grand sourire, spontané, sincère, qui transformait toute sa physionomie.

— C'est drôle, tante Ruth nous a dit ce matin qu'elles emmenaient souvent Jacob aux fêtes des foins, hein, maman ?

— Oui, c'est une heureuse coïncidence.

Et une bénédiction. Qu'avait-elle donc fait pour mériter qu'apparaisse dans sa vie un homme comme Jay ?

— J'ai téléphoné pour réserver quatre places, dit celui-ci sans la regarder. Mais il faudrait que nous y soyons dans une demi-heure.

Enfin, il se tourna vers elle.

— Qu'est-ce que vous en dites, *maman* ?

— Je dis oui. Filez vous changer, les filles.

Les jumelles coururent vers leur chambre et Kate les suivit. Arrivée à la porte, elle se retourna. Jay la regardait toujours, mais son expression avait changé. Une pointe de tristesse, presque d'inquiétude, semblait voiler sa joie.

— Merci, dit-elle.

— Ce n'est pas grand-chose.

— Vous me sauvez la vie.

Un éclair de souffrance passa dans son regard, mais il dit :

— Allez vous changer.

Elle était déjà dans le couloir quand il cria :

— Habillez-vous chaudement.

*
**

L'odeur du foin et celle de la terre fraîchement retournée transportèrent Jay à l'époque de son enfance. « Jacob, regarde les chevaux. Ils sont beaux, hein ? Non, ne lance pas de foin dans les cheveux de Ruth, elle essaie d'impressionner notre conducteur… »

— Pouvez-vous grimper sans aide ? demanda Kate quand les deux fillettes furent installées sur le chariot.

Repoussant les images du passé, il se concentra sur la jeune femme. Son jean n'était sûrement pas un jean de marque, mais il moulait ses formes d'une façon que Jay trouvait très troublante. Sous sa veste polaire vert pâle, elle portait une espèce de vareuse de pêcheur écrue. Elle montrait du doigt l'orthèse qu'il avait mise par-dessus son jean.

— Oui, oui, pas de problème.

Il se plaça face au chariot, posa ses mains sur le plateau et se hissa à la force de ses bras. Dès qu'il se fut installé, le dos contre une balle de foin, Hannah et Hope escaladèrent leur mère pour aller s'asseoir à côté de lui. Une soudaine émotion au contact des petites filles le submergea. Il détourna la tête pour reprendre le contrôle de lui-même, mais ses yeux croisèrent ceux de Kate qui le regardait avec une admiration non dissimulée.

Il aurait dû savoir que cette excursion raviverait toutes sortes de souvenirs qu'il avait cru morts et enterrés. Mais il n'avait pas pu résister au désir d'alléger la tristesse qui s'était abattue sur la maisonnée quand Kate avait finalement dit aux jumelles que leur père ne viendrait pas ce jour-là.

Il aurait volontiers rossé cet imbécile. « Ah oui, parce que toi, tu es un saint… », susurrait sa voix intérieure. Ses projets surpassaient, en réalité, tout ce que Billy McMann avait jamais pu faire. Ses intentions étaient clairement mauvaises, depuis le début.

Une secousse et un « Allez, hue ! » du conducteur détournèrent Jay de ses pensées comme le chariot s'ébranlait. Tous les enfants installés à bord hurlèrent de joie et le cheval partit au petit trot. Ignorant le paysage, Jay regardait Kate à la dérobée. Elle paraissait aussi excitée que ses filles, à des lieues de son état d'esprit de la matinée. Pourtant, il devinait aussi en elle un sentiment proche de la colère et il s'en félicitait : il était temps qu'elle apprenne à se défendre. Grand temps, songeait-il, car le moment d'abattre les cartes était proche.

Le seul moyen pour lui désormais de se supporter était de promettre à sa conscience de mettre un terme à sa mascarade le plus tôt possible. A un moment de la semaine, il n'aurait su dire quand exactement, il avait décidé que Kate et son père n'avaient eu d'autres relations qu'amicales. Il avait aussi compris que Kate ne soutirait pas d'argent à ses tantes ; certes, le magasin l'intéressait, mais il avait fini par admettre, au cours d'une nuit d'insomnie, qu'elle avait l'intention de l'acquérir honnêtement.

Au fond de lui, Jay s'avouait en fait qu'elle était exactement telle que la lui avait dépeinte Nick Harrison. Par conséquent, il devait lui dire qui il était, ce qu'il était venu faire, et ensuite, quitter les lieux.

Parce qu'il s'était produit quelque chose de totalement inattendu. La nuit précédente, après qu'il se fut tourné et retourné dans son lit pendant des heures, il avait finalement accepté l'idée que Kate l'attirait. Il ne savait pas comment c'était arrivé, il ne l'avait pas cherché, ça non. Mais d'une façon ou d'une autre, vivre chez elle, la côtoyer chaque jour, avait fait naître en lui des émotions très... viriles à son égard — pire encore, il avait commencé à *s'attacher* à elles toutes, à ses enfants autant qu'à Kate.

Il se sentait fait comme un rat. Complètement paniqué.

— Nous avons de la chance, le temps est vraiment magnifique, observa-t-il d'un ton qui se voulait léger.

— Maman adore le soleil, déclara Hope. Un jour, nous irons en Floride.

— A Disney World, compléta Hannah.

— C'est un endroit merveilleux.

— Tu y es déjà allé ? voulut savoir Hannah.

— Oui. Quand j'étais enfant, et une autre fois, adulte.

— Raconte.

Rassemblant ses souvenirs, Jay raconta : le Château de la Belle au Bois Dormant, l'Ile de l'Aventure, le Carrousel de Lancelot, décrivant tout ce dont il se souvenait aux deux fillettes qui n'avaient pas été aussi gâtées que lui, et qui ne le seraient sans doute jamais.

Par sa faute.

Pour la première fois, il pensa à ce que serait la situation financière de Kate quand il aurait vendu la librairie et leur maison. Cela le perturba.

Kate lui souriait tandis qu'il parlait, ignorant qu'il était le serpent dans le jardin d'Eden qu'elle avait créé pour ses filles.

— Vous avez probablement beaucoup voyagé, remarqua-t-elle.

— Oui.

— Regardez, des vaches ! s'écria Hannah.

Par-dessus les têtes des enfants, Jay et Kate échangèrent un regard amusé, tout comme des parents complices l'auraient fait. Et bien que cela rendît Jay un peu nerveux, il trouva cela si agréable qu'il s'autorisa à s'abandonner au moment présent et à profiter pleinement de sa journée.

La promenade en charrette dura presque deux heures, après quoi ils avalèrent des hamburgers, puis jouèrent à la cachette dans le labyrinthe de maïs.

En dépit de son genou, Jay, tenant Hannah par la main, déboulait au sortir des étroits passages que dessinaient les maïs et les balles de foin — Kate avait gardé Hope avec elle —, quand tout à coup les deux couples se rencontrèrent si brusquement que les deux fillettes tombèrent sur leurs fesses. Jay saisit le coude de Kate pour la retenir ; et de nouveau leurs regards se croisèrent. Celui de Kate rayonnait dans le soleil, l'invitant à s'y perdre. Tandis que les filles gesticulaient sur le sol, il se laissa aller un instant à se pénétrer de la vision de Kate McMann. Jamais il n'avait rencontré quelque chose d'aussi beau, touché quelque chose d'aussi doux, respiré un parfum plus subtil et plus enivrant.

— Il fait plus frais maintenant, dit-il d'une voix rauque. Votre veste n'est pas assez chaude.

Sans réfléchir, il se pencha et remonta sa fermeture Eclair. Il la vit retenir un instant sa respiration, mais elle ne recula pas devant ce geste familier. Inconsciemment, elle se rapprocha même de lui. Sa poitrine effleurait la sienne et Jay sentit aussitôt son corps réagir. En lui montait un besoin, un désir puissants ; mais aussi une immense tendresse qu'il n'avait pas éprouvée depuis des années. Depuis qu'il avait quitté Riverbend, quinze ans plus tôt.

Cependant, même ce souvenir ne réussit pas à rompre le charme. Kate leva alors la main et caressa doucement sa joue.

— Merci pour tout ça, Jay. Cela signifie énormément pour moi.

Il ne répondit pas, se contentant de la fixer, envoûté. Il avait tellement envie de l'embrasser que c'en était douloureux. Il commençait même à incliner la tête quand il se rappela soudain où il était et qu'il vit qu'un petit public était aux premières loges, ouvrant des yeux de hibou. Se sommant de renoncer, il la serra un instant dans ses bras, puis fit un pas en arrière.

Kate détourna la tête et les jumelles sautèrent sur leurs pieds.

— Que voulez-vous faire maintenant ? demanda Hannah.

Jay s'abstint de répondre. Ses pensées étaient interdites aux moins de dix-huit ans.

— Elles sont épuisées, dit Kate en déposant doucement la petite Hannah endormie sur son lit tandis que Jay posait Hope sur le sien.

— Il est seulement 19 heures. Allez-vous les réveiller pour les mettre en pyjama ?

— Non. Je vais juste leur enlever leurs manteaux et leurs chaussures. La douche peut attendre demain, elles seront debout de bonne heure.

— Oui, fit-il distraitement.

Il pensait à sa décision. Il devait partir. Maintenant.

Réalisant qu'il n'en aurait peut-être jamais plus l'occasion, il se pencha sur les fillettes et les embrassa sur le front. Elles avaient le nez froid et sentaient le grand air.

Il était en train de boire un déca dans la cuisine quand Kate le rejoignit. S'étant versé une tasse, elle s'assit à la table, sourit et s'apprêta à parler.

— Ne me remerciez pas de nouveau, s'empressa-t-il de dire. Il y a longtemps que je ne m'étais pas autant amusé.

— Vraiment ? Vous ne vous êtes pas ennuyé ?

— Pas du tout.

— Votre genou ne vous fait pas souffrir ?

— Non. Mon genou va beaucoup mieux, Kate, dit-il en la fixant intensément.

Il y eut un long silence avant qu'elle ne dise :

— Je sais.

— Je devrais…

Elle leva la main et posa le bout de ses doigts sur sa bouche pour l'interrompre.

— Je sais que vous allez mieux, mais… j'aimerais que vous restiez, murmura-t-elle. Juste quelques jours.

Il saisit sa main, la gardant près de ses lèvres.

— Je ne crois pas que ce soit une très bonne idée, dit-il avant d'embrasser délicatement ses doigts. Je ne suis pas l'homme que vous croyez, Kate.

— Vous êtes l'homme qui a sauvé mes filles et qui, chaque jour depuis son arrivée, a apporté de la joie dans cette maison.

Oh, mon Dieu…

— Je vous en prie, continuait-elle, restez un peu plus longtemps. Nous aimons vous avoir ici. Vous avez encore des affaires à régler, n'est-ce pas ? Et vous pouvez le faire ici ?

— Oui, mais…

— Seulement quelques jours.

Il soupira et serra ses doits entre les siens. Puis il prit une décision terrible, une décision qu'il regretterait plus tard, c'était certain, mais il ne pouvait pas résister.

— Très bien, je reste. Quelques jours.

Il embrassa la paume de Kate, baissant les yeux, de crainte qu'elle ne discerne la culpabilité dans son regard. Et surtout la traîtrise.

— Vous vous débrouillez plutôt bien pour une femme, dit Jay d'un ton taquin.

Bien qu'elle ne le sente pas complètement détendu avec elle, quelque chose avait changé dans leurs rapports depuis qu'elle lui avait demandé de rester, deux jours auparavant. Le poids qui semblait toujours peser sur ses épaules semblait s'être allégé et il s'autorisait à profiter des petites choses du quotidien.

Le lundi soir, ils avaient cuisiné ensemble, puis, à l'heure du coucher, Jay avait lu aux filles *Nana en haut, Nana en bas* que Kate refusait de lire parce que l'histoire lui faisait toujours penser à Rachel et Ruth qui disparaîtraient un jour. Hannah avait beaucoup aimé voir les larmes briller dans les yeux de Jay à la fin du livre.

Ce soir, elle avait rapporté des pizzas à la maison, dont la moitié avec la garniture préférée de Jay, et il avait réussi à convaincre Hope et Hannah de goûter les anchois. Ensuite, il était resté avec elles tandis qu'elle faisait cuire des biscuits pour la soirée donnée le lendemain pour Tessa, une amie de Mitch — plus qu'une simple amie, d'ailleurs, si Kate se fiait à son intuition. Après avoir couché les enfants, elle était allée travailler dans la chambre d'amis et Jay s'était joint à elle.

Elle se sentait assez à l'aise désormais pour le taquiner en retour, plaisanter avec lui. Elle égoutta son rouleau et se pencha pour peindre la dernière bande au-dessus de la plinthe.

— Pour une femme ? Je vous prie de croire qu'à mon cours de bricolage, je pourrais en remontrer à bien des hommes.

Il ne répondit pas. Lorsqu'elle eut terminé sa bande, elle releva la tête. Jay l'observait. Elle avait enfilé un vieux T-shirt et un short de sport, tout comme lui, pour repeindre la pièce fraîchement réenduite. Pas une seconde elle n'avait songé à son apparence, mais à présent elle était embarrassée en réalisant quel spectacle elle venait de lui offrir. Elle lui adressa un sourire plein de gêne.

Son regard était celui d'un homme excité. Elle avait vu cette expression sur le visage de Billy, sur celui de Paul et des quelques hommes avec qui elle était sortie depuis son divorce. Mais cette fois, elle éveillait en elle un désir diffus qui se propageait jusque dans ses membres, exactement comme le dimanche précédent lorsque, sur une impulsion, elle lui avait demandé de rester.

Elle tressaillit à cette pensée.

— Vous vous êtes fait mal ? s'enquit-il aussitôt.

— Non. J'étais en train de penser que je vous avais demandé de rester et que je vous faisais travailler, dit-elle en faisant un geste vers la pièce. Ce n'était pas pour ça.

— Je sais. Mais vous avez dit que vous vouliez avoir terminé cette pièce pour Thanksgiving et je tiens à vous aider.

Encore cette lueur de culpabilité, songea-t-elle avant qu'il ne tourne la tête pour reprendre son travail.

— Oui, j'aimerais vraiment que la pièce soit terminée. J'ai toujours du monde pour les fêtes. Et je suis sûre que cela fera plaisir à Ruth et à Rachel.

Elle pivota vers lui.

— Serez-vous encore là à Thanksgiving ? Nous aimerions beaucoup vous avoir parmi nous.

— Non, répondit-il d'un ton qui n'acceptait pas de discussion. Pourquoi dites-vous que cela fera plaisir à Ruth et à Rachel ?

— La maison est à elles.

— Ah bon ?

— Oui. C'est la propriété de famille des Steele. Ruth, Rachel, Celia, la mère de Tom Baines, ont grandi ici avec leur frère Abraham. Ruth et Rachel l'habitaient encore il y a quatre ans. Jusqu'à ce qu'elles décident d'emménager en ville.

Nerveusement, lui sembla-t-il, Jay s'éclaircit la gorge.

— Vous leur louez ?

— Non.

Rechargeant son rouleau de peinture, elle se baissa de nouveau, mais cette fois en prêtant attention à son attitude.

— Elles ne veulent pas que je leur verse de loyer, expliqua-t-elle en se remettant à peindre. Elles disent que c'est inutile puisqu'il n'y a pas d'emprunt à rembourser.

— Oh, c'est plutôt avantageux pour vous, non ?

— Je suppose que ça pourrait l'être, oui. Mais je ne peux pas accepter leur charité.

— Je ne comprends pas.

— Nous avons un accord. Je loge ici gratuitement, mais je remets petit à petit la maison en état, à mes frais. En réalité, je mets de côté chaque mois une somme qui correspond à un loyer équitable et je l'utilise pour effectuer les réparations et la décoration. Je refais tout, sauf la chambre dans laquelle vous dormez.

— Pourquoi pas celle-là ?

— Parce que Rachel m'a demandé de ne pas y toucher.

Elle se rappelait la souffrance qui s'était peinte sur le visage de la vieille dame lorsqu'elle avait émis ce désir.

— Il semble que Jacob Steele ait passé beaucoup de temps ici. Il avait sa propre chambre. Rachel veut la conserver exactement comme elle a toujours été. Je ne sais pas pourquoi. C'est une sorte de sanctuaire. Bien que le personnage ne le mérite guère, à mon avis, commenta-t-elle en s'appliquant comme elle atteignait l'angle du mur. Ruth n'était pas d'accord, elle aurait voulu que cette pièce soit refaite également, mais Rachel peut se montrer très obstinée à ses heures. C'est la raison pour laquelle j'y ai installé mon ordinateur ; il est à l'abri de la poussière.

Elle secoua la tête.

— A force de voir ses affaires, j'ai l'impression de connaître ce garçon.

— Vraiment ?

— Oui.

— Il était la vedette de l'équipe de basket de Riverbend High et a continué à jouer à l'université, entraîné par le grand Bobby Knight. J'ai ses coupes sous le nez tous les jours lorsque je fais mes comptes. Mais apparemment, il tenait davantage encore à ses livres.

— Je n'ai pas vu de livres dans ma chambre.

— J'ai demandé à Rachel si je pouvais les ranger chez les filles ; elles se glissaient tout le temps dans la chambre de Jacob pour les feuilleter. Au cas où vous n'auriez pas remarqué, elles les manipulent comme s'il s'agissait des Saintes Ecritures.

— J'ai remarqué.

— Mais comment en suis-je arrivée là ? Ah oui… tout ça pour vous expliquer pourquoi je fais ces travaux.

Ils peignirent tous les deux quelques minutes en silence. Finalement, Jay dit :

— Vous pourriez embaucher un ouvrier, non ?

Elle lui lança un bref coup d'œil.

— Pourquoi cela ?

— Pour pouvoir exploiter votre liste Loisirs ? suggéra-t-il en souriant.

Elle rit.

— Suis-je donc aussi transparente ?

— Un livre ouvert, mon ange.

Son intonation était celle d'un frère qui s'amuse à faire enrager sa jeune sœur, néanmoins les mots qu'il avait employés la saisirent. Elle avait soudain très chaud. Depuis deux jours, ses hormones ne cessaient de se rappeler à elle et elle était devenue si consciente de la présence de Jay, de son odeur, de son énergie virile que le sentir près d'elle lui faisait presque mal.

Tout ça pour un homme dont elle ne savait presque rien.

— Pas vous, dit-elle, avant d'ajouter devant son regard interrogateur : Vous n'êtes pas un livre ouvert.

— Je serais d'une lecture ennuyeuse.

— Vous plaisantez. Riverbend est ennuyeuse. Je parierais qu'il y a de fantastiques librairies tout près de chez vous où vous pouvez boire des cappuccinos et rencontrer des quantités de gens célèbres.

Comme il ne répondait pas, elle précisa :

— C'est ainsi que les tantes dépeignent Chicago.

— Sans parler du mystérieux Jack Kerouac.

— C'est romantique, n'est-ce pas ?

Elle se tourna vers lui pour le regarder.

— Ça y est. J'ai trouvé à qui vous me faisiez penser.

— A qui ?

— Au héros d'un roman d'amour que j'ai dans ma chambre. Il est représenté sur la couverture.

Il restait étrangement silencieux.

— Quelque chose ne va pas ? s'inquiéta-t-elle.

— Je ne suis pas un héros, Kate.

Embarrassée, elle se détourna et se remit à peindre.

— Je ne voulais pas dire ça… C'est juste que depuis que vous êtes ici, vous me rappelez quelqu'un ; peut-être Heathcliff dans *Les Hauts de Hurlevent*.

— Ah ?

— Non, finalement non. Heathcliff est un personnage sombre, torturé par son passé, qui finit par faire souffrir les êtres qu'il aime le plus. Ce n'est pas vous du tout.

Un silence absolu lui répondit. Elle se tourna de nouveau vers Jay. Son visage n'était plus qu'un masque froid, impénétrable.

— Je suis tout aussi insensible et égoïste que Heathcliff, Kate.

— Pourquoi, Jay ? Que vous est-il arrivé ?

— Rien. En tout cas rien dont j'ai envie de parler.

Il se tourna vers le mur et marmonna :

— Vous n'aimeriez pas connaître la vérité.

Troublée, Kate ne demanda pas pourquoi.

Le vendredi soir, vers 18 heures, Jay prit la ferme décision de parler à Kate le lendemain lorsque les filles seraient chez Ruth et Rachel. Puis, quand elle saurait quel être méprisable il était, il partirait.

La vision que Kate avait de lui était tellement faussée que c'en était presque drôle. Sauf qu'il n'avait pas ri lorsqu'elle lui avait parlé de Heathcliff, ou toutes les fois où elle avait semblé le considérer comme un héros.

En regardant les trophées et les posters pieusement conservés dans sa chambre, il s'avouait enfin pour quelle raison il avait appris aux filles à faire voler leurs cerfs-volants, pourquoi il leur avait lu ses livres, avait cuisiné, joué avec elles ; il avait essayé de compenser, au moins un peu, le préjudice qu'il allait leur causer en détruisant tout ce que Kate avait réussi à construire pour elles.

« Qui essaies-tu donc de leurrer, Lawrence ? » se demanda-t-il soudain, en donnant un coup de poing dans sa paume. En réalité, tout ce qu'il avait fait durant la semaine écoulée n'avait répondu qu'à des pulsions purement égoïstes. Il avait aimé chaque minute passée avec Kate et il réalisait à présent qu'il lui faudrait du temps pour oublier la jeune femme. Ce serait son purgatoire : il se la rappellerait sortant du bain, toute fraîche et rose, ou avec du foin dans les cheveux à la fête, ou encore se penchant pour peindre le bas du mur avec ses longues jambes nues. La nuit dernière, elle leur avait préparé un cappuccino et lui avait fait du feu dans la cheminée ; ils avaient discuté pendant des heures de leurs livres et de leurs auteurs favoris. Il avait été si distrait par les reflets du feu qui dansaient dans ses cheveux qu'il avait essayé de la convaincre qu'on ne pouvait pas classer l'*Ulysse* de Joyce dans la bonne littérature !

Il aurait réellement dû quitter cette maison. Qu'elle ait insisté pour qu'il reste n'était pas une excuse. Il avait souhaité rester, en avait eu besoin. Mais il savait, au plus profond de son cœur pervers, que tout ce qu'il faisait, y compris la petite surprise qu'il avait pour elle ce soir, ne ferait que rendre ses révélations plus douloureuses. Il méritait de brûler en enfer.

La porte de la maison s'ouvrit et se referma brusquement. Puis la voix de Kate lui parvint à travers la porte, énervée, plus forte que d'ordinaire :

— Attendez ici. Que je vous enlève ces vêtements trempés.

Pas de réponse.

— Maintenant, allez dans votre chambre et mettez quelque chose de chaud.

Pas un son ne sortit de la bouche des fillettes.

— Et pensez au fait que je pourrais bien ne pas vous permettre d'aller cher Ruth et Rachel demain, cria-t-elle encore.

— Maman, non, pas ça ! gémit Hannah.

— C'est tout ce que vous mériteriez. Maintenant, dans votre chambre. Je suis furieuse, mieux vaut que vous ne restiez pas sous mes yeux pour le moment. Disparaissez. Immédiatement !

Jay attendit quelques minutes, puis s'approcha de la porte de sa chambre. Il entendit comme un bruissement, un soupir, puis Kate qui marmonnait quelque chose entre ses dents. Il sortit dans le couloir faiblement éclairé et se retrouva presque nez à nez avec Kate, enroulée dans un grand drap de bain.

Jay envia ce morceau de tissu-éponge plus qu'il n'avait jamais envié Donald Trump. La serviette, vert émeraude, était nouée au-dessus de ses seins et son décolleté s'épanouissait généreusement sous ses belles épaules à peine tachetées de son. Ses cheveux étaient lissés en arrière, et mouillés, comme si elle venait juste de sortir de sa douche.

A sa vue, elle s'était figée. Reprenant finalement ses esprits, elle croisa vivement ses bras devant elle, au risque de faire glisser le nœud de la serviette. Pourvu qu'il tienne, pensa-t-il fugitivement. Ou qu'il ne tienne pas.

— Je suis si furieuse…, commença-t-elle. J'ai oublié que…

Un peu de l'espièglerie du jeune Jacob Steele refit surface — l'influence de la maison, sans doute. Il sourit au ravissant spectacle qui s'offrait à lui, et ne put manquer de remarquer dans les yeux de la jeune femme une lueur qui ressemblait beaucoup à celle du désir. Il vit ses lèvres, à demi entrouvertes, frémir imperceptiblement, puis elle détourna son regard et dit :

— Excusez-moi. Il faut que j'aille m'habiller.

— Pas pour moi, lança-t-il comme elle s'éloignait.

Et ce n'était pas seulement pour détendre l'atmosphère, il le pensait réellement, ça oui.

Il alla se servir une tasse de café dans la cuisine où elle le rejoignit quelques minutes plus tard, vêtue d'un jogging marine.

— Désolée, dit-elle timidement tout en séchant ses cheveux dans une serviette.

— Pas moi.

— Jay, je vous en prie. Je suis toute gênée.

Il attrapa une tasse sur le comptoir, lui versa un café et le lui tendit en disant :

— Asseyez-vous et racontez-moi ce qui s'est passé de si grave pour que vous ayez oublié jusqu'à ma présence chez vous.

— D'accord. Mais je dois encore aller faire les courses ce soir.

Elle leva les yeux au ciel.

— Je jure que si cette diablesse me joue encore un tour au magasin, elle sera privée de sortie et de compagnie jusqu'à l'adolescence.

S'asseyant à son tour, il réprima un rire.

— Qu'a-t-elle fait ?

Kate poussa un long soupir.

— Nous nous sommes arrêtées au lavage automatique en rentrant. D'habitude, je lave la voiture moi-même, mais j'avais un coupon qui expirait aujourd'hui...

— Elle n'a pas fait ça ! s'exclama-t-il, devinant la suite.

Kate ouvrit de grands yeux étonnés.

— Hannah a descendu sa vitre en plein milieu du cycle, et elle a incité Hope à en faire autant. Avez-vous la moindre idée de la quantité d'eau qui peut rentrer par les vitres arrière d'une voiture durant un lavage automatique ? Non seulement elles étaient trempées, mais l'intérieur de ma jeep ressemble à l'arche de Noé après le déluge. Bien sûr, j'avais oublié de verrouiller la commande des vitres, ajouta-t-elle en secouant la tête.

— Kate, vous n'y êtes pour rien. Hannah est un petit démon. Et Hope l'imite.

— Je sais. C'est bien ça qui m'inquiète. Hannah est terrible et en plus elle a une mauvaise influence sur sa sœur. Qu'est-ce que j'ai raté dans son éducation ?

— Rien. Elle a seulement un petit gène qui la rend curieuse. Entreprenante.

Il haussa les épaules et ajouta :

— Malicieuse.

— Peut-être. Tout le monde dit que Ruth était comme ça, petite, et elle a bien évolué.

Kate sourit.

— Et son influence sur Rachel n'a rien ôté à la bonté naturelle de celle-ci.

— Vous voyez, tout se passera bien.

— Je suppose.

Elle jeta un coup d'œil à l'horloge.

— Il faut que j'y aille. Les enfants ont mangé un sandwich à 17 heures, je vais vous préparer un petit quelque chose, et ensuite j'irai faire les courses.

— Et vous, vous avez mangé ?

— Non. J'ai eu une mauvaise journée. Je n'ai pas faim.

— Racontez-moi.

Elle se frotta les yeux.

— J'ai d'abord reçu cette lettre, apparemment officielle, d'un cabinet comptable, qui sollicite un rendez-vous.

Cela lui était sorti de l'esprit, mais il s'agissait probablement de l'audit qu'il avait demandé.

— Je ne sais pas pourquoi. Je n'ai pas réussi à joindre la personne concernée au téléphone.

— C'est tout ?

Elle secoua la tête.

— Non. Izzy est malade, aussi ai-je dû rester au magasin jusqu'à 18 heures. Et Rachel semblait un peu déprimée cet après-midi, parce qu'on approche des vacances, et je n'ai pas eu une minute pour lui parler. Et… ça suffit. La cerise sur le gâteau est de devoir aller faire les courses avec ma diablesse de fille.

— Kate, je…

— Ne dites rien. Ce ne sont pas vos problèmes et j'ai horreur de geindre.

Elle se leva brusquement et se dirigea vers le réfrigérateur dont elle ouvrit la porte. Elle s'immobilisa, la main sur la poignée.

— Le frigo est plein, constata-t-elle après un long silence.

Elle regardait les clayettes surchargées comme si elle était victime d'une hallucination. Puis elle pivota.

— Jay ? C'est vous ?

Il acquiesça du chef. Les prunelles de Kate s'étrécirent. Elle alla ouvrir les placards l'un après l'autre, qui, il le savait, étaient pleins aussi.

— Vous êtes allé faire les courses pour moi, dit-elle en lui faisant face.

— Mmm.

— Co-comment avez-vous su ce qu'il fallait prendre ?

— J'ai trouvé votre liste sur le comptoir.

— Je vais vous rembourser tout de suite.

— Certainement pas. Je peux me permettre d'acheter un peu d'épicerie, ajouta-t-il un peu sèchement.

De nouveau, elle parut décontenancée.

— Pourquoi avez-vous fait ça ?

C'est à ce moment qu'il se rendit compte qu'elle était au bord des larmes. Diable, elle n'était tout de même pas émue au point de pleurer parce que quelqu'un avait fait des courses pour elle. Il se leva, s'approcha d'elle et passa un bras autour de ses épaules.

— Je l'ai fait parce que je sais que vous détestez faire les courses, et parce que vous travailliez tard ce soir.

Il l'embrassa sur le sommet du crâne, ses cheveux étaient encore humides.

— Vous mériteriez d'avoir quelqu'un qui vous rende ce genre de services tout le temps.

Jay sentit les épaules de Kate trembler. Sa gorge se serra.

— Chut, ne pleurez pas. C'était supposé vous faire plaisir.

— Ça me fait plaisir.

— C'est ce que je vois, repartit-il d'un ton faussement vexé.

Elle ne rit pas.

Il l'attira à lui pour la forcer à le regarder. Comme elle résistait, le visage collé contre sa poitrine, il lui releva le menton du bout de son index. Elle avait les yeux noyés de larmes.

— Kate, je vous en prie. Je ne voulais pas vous faire pleurer.

— Je… je ne me souviens pas quand quelqu'un a fait quelque chose d'aussi gentil pour moi, dit-elle tout bas.

— Votre vie devrait être remplie de petites choses comme ça, dit-il sans pouvoir contrôler la dureté de sa voix.

Durant une minute, elle le regarda fixement, puis elle enfouit de nouveau sa tête contre sa poitrine. Submergé d'émotion par cette femme qui était plus fragile qu'elle ne le paraissait, il glissa un bras dans son dos et la serra contre lui. La sensation de ses courbes douces qui semblaient s'ajuster naturellement à son propre corps était un pur paradis. Il lui caressa les cheveux tandis qu'elle pleurait doucement. Jamais il n'avait éprouvé un tel bonheur à simplement tenir ainsi une femme entre ses bras.

Au bout d'un moment, elle se calma et releva la tête vers lui. Il reconnut le désir dans ses yeux noisette. Il repoussa ses cheveux de son visage, et du bout des doigts suivit le tracé parfait de ses sourcils, de son nez à peine retroussé, effleura les taches de rousseur semées sur ses joues. Ses yeux disaient : « Embrasse-moi. »

Il n'eut pas la force de résister.

Les lèvres de Kate s'entrouvrirent légèrement lorsqu'il y posa les siennes, puis accentuèrent leur pression. Il la serra plus fort contre lui, sentant ses seins s'écraser contre son torse. Faisant taire la voix qui lui disait d'aller doucement, sa bouche se fit plus insistante, sa langue partit à l'aventure… sans rencontrer la moindre résistance. Kate, agrippée à sa chemise, pressait son corps contre le sien, lui rendait son baiser avec une tendresse, une spontanéité qui le désarmaient.

Contenant son désir furieux de mâle, il continua à l'embrasser avec une douceur qu'il n'avait jamais manifestée dans toute sa vie d'adulte ; c'était comme si quelque chose du gentil garçon d'autrefois avait soudain refait surface.

Penser à sa véritable identité ramena Jay sur terre instantanément. « Tu ne mérites même pas d'embrasser ses pieds », songea-t-il avant de rompre, brutalement, le contact.

Encore étourdie, la jeune femme oscilla vers lui. Il la repoussa, doucement mais avec fermeté, et recula d'un pas.

La passion qui brillait dans les yeux de Kate faisait paraître ses iris plus verts. Il dut chercher à l'intérieur de lui-même le Jay Lawrence sur lequel il pouvait compter. Et finit par le trouver.

— Je suis désolé, dit-il. Ceci n'aurait pas dû arriver.

— Je… je ne comprends pas.

— Je sais. Je pars demain.

— Demain ? A cause de… ça ?

— En partie, répondit-il en s'éloignant.

Il lui tournait le dos, refusant de contempler plus longtemps la tristesse qui envahissait son visage, sachant, surtout, qu'il était sur le point de lui faire encore plus de mal.

— J'ai quelque chose à vous dire, Kate.

7.

Il lui aurait tout dit.

Jay essayait de s'en convaincre en jetant son dernier T-shirt dans la valise de cuir posée sur le lit. Il l'aurait fait si, alors qu'il venait tout juste de prononcer ces mots, un hurlement provenant de la chambre des jumelles ne les avait précipités, Kate et lui, hors de la cuisine.

Ils avaient trouvé Hannah sautant sur son lit, en pleurs, et Hope penchée au-dessus d'une mare de vomi sur le sol. Jay s'était immobilisé, tout désir de confession envolé. Kate n'avait pas cédé à l'affolement. Elle avait pris Hope sur ses genoux et l'avait bercée en lui fredonnant une chanson à l'oreille. Jay avait pris Hannah dans ses bras et s'était mis à arpenter la pièce, les petites jambes de la fillette bringuebalant contre ses côtes. Quand les petites avaient été calmées, Kate était allée changer Hope à la salle de bains, puis elle avait emmené les deux enfants dans sa chambre.

Pendant toute une heure, Jay avait attendu, tournant en rond dans la maison. Quand, enfin, Kate était ressortie, elle lui avait semblé si pâle, si fatiguée qu'il n'avait plus eu qu'une envie : la réconforter.

« C'est déjà arrivé, lui avait expliqué Kate. Le pédiatre dit que c'est sa façon à elle de se décharger d'un stress. Je me suis sans doute trop emportée tout à l'heure. Je crois que je vais les laisser dormir dans ma chambre cette nuit. Hope sera probablement assez bien demain pour aller chez les Steele. Pouvons-nous attendre jusque-là pour parler ? »

A ce stade, il aurait accepté de marcher sur des braises pour lui faire plaisir. Il s'était approché d'elle, lui avait caressé la joue et avait dit simplement : « Allez vous occuper des filles. » A la suite de quoi il avait passé une nuit d'insomnie, à se reprocher son comportement tout en revivant le délicieux moment durant lequel il avait tenu Kate dans ses bras.

Il ne fut donc pas étonné au réveil, après s'être finalement endormi aux premières lueurs de l'aube, de constater qu'il avait manqué Kate. Parcourant la pièce du regard avant de boucler sa valise, il s'attarda un instant sur le poster de Larry Bird, puis sur ses coupes. Il y avait tant de souvenirs heureux dans cette maison. Et maintenant, songeait-il avec amertume, il y en avait un de plus : celui d'un baiser qui l'avait remué plus profondément que les expériences sexuelles les plus débridées.

Il frissonna soudain violemment en entendant la porte de derrière s'ouvrir et se refermer, puis le pas léger de Kate se dirigeant vers sa chambre. Une seconde plus tard, elle se trouvait dans l'encadrement de la porte, à deux mètres de lui.

— Ainsi, vous partez.

Sa voix était douce, et remplie d'une déchirante résignation.

— Oui, répondit-il en l'observant avec attention. Comment vont les filles ce matin ?

— Ça va.

Elle mit ses mains dans les poches de son jean et haussa légèrement les épaules en regardant la valise posée sur le lit.

— Je n'avais pas l'intention de vous faire fuir en tombant dans vos bras hier soir.

Il ferma brièvement les paupières. Elle se trompait si complètement.

— Vous ne m'avez pas fait fuir, et vous n'êtes pas tombée dans mes bras.

— Bien sûr que si. Et maintenant, vous êtes tellement embarrassé que vous mentez pour épargner mon amour-propre.

Encore une fois ses épaules délicates se soulevèrent.

— Ça ne fait rien. Il fallait bien que vous partiez un jour. Je peux vous aider ?

— Non.

Il alla vers elle.

— Kate, à quoi pensez-vous ? Vous semblez… je ne sais pas… triste, indécise.

— Je me rends compte que je ne suis pas très douée pour ce qui est des relations avec les hommes.

Il aurait ri si le désarroi que trahissait son expression ne lui était pas allé droit au cœur.

— Ce sont des bêtises, Kate, dit-il en lui pressant le bras.

— Non, c'est la réalité. Je sortais avec Billy au lycée et nous nous sommes mariés aussitôt après notre diplôme ; et j'ai divorcé alors que j'attendais les jumelles. Autant dire que je n'ai guère eu l'occasion d'apprendre à séduire.

— Vous êtes très attirante, Kate.

— Ne vous moquez pas, voulez-vous ? Je sais très bien qu'un homme comme vous est habitué à des jeux plus subtils. Ce n'est pas mon genre. Je ne sais que montrer mes sentiments.

Ce qu'elle disait était vrai. Ce qu'elle ne savait pas, c'est qu'il découvrait en l'écoutant qu'il n'avait jamais aimé ces jeux qui s'apparentaient davantage au libertinage qu'à la séduction.

— Que s'est-il passé avec Billy, Kate ?

— S'il vous plaît, répondit-elle en se détournant, ne cherchez pas à m'humilier un peu plus. Il vaudrait mieux que vous partiez maintenant.

Avant qu'il ait pu l'en empêcher, elle sortit de la pièce. Il la suivit et l'attrapa par le bras alors qu'elle se dirigeait vers sa chambre.

— Attendez, Kate.

— Non.

— J'aimerais savoir.

Elle pivota et le dévisagea longuement.

— Très bien. D'abord, il faut que vous sachiez que je suis parfaitement remise de cet échec. Et je sais aujourd'hui que rien n'est arrivé par ma faute. Il n'y a donc aucune raison de s'inquiéter pour moi.

— Qu'est-ce qui est arrivé ?

— Billy avait une liaison. Je les ai pris sur le fait, lui et sa maîtresse, dans une cabane de chantier à Graysberg où il travaillait. Il était dans le bâtiment et il lui arrivait souvent de dormir sur place. J'étais venue lui dire que j'étais enceinte.

— Oh, non.

— Il y avait sept ans que nous essayions d'avoir un enfant. Notre mariage avait été mis à rude épreuve.

Elle leva les yeux vers le plafond.

— Savez-vous ce que c'est de passer en quelques secondes de la félicité absolue au plus profond désespoir ?

Jay vit le visage de Sarah puis celui d'Abraham tels qu'ils étaient gravés dans sa mémoire.

— Oui, Kate. Je le sais.

Elle le regarda dans les yeux, en hochant la tête pensivement, puis elle reprit :

— Billy a fait une tiède tentative pour se faire pardonner, mais je ne pouvais même pas supporter l'idée qu'il me touche après l'avoir vu dans les bras d'une autre femme.

— Je comprends.

— Evidemment, je me suis tenue à l'écart des hommes durant ma grossesse et pendant quelques années. Mais j'ai tout de même eu quelques aventures depuis.

Mitch Sterling ? Le pharmacien, probablement. Peut-être Nick Harrison. Jay éprouva un pincement désagréable à cette pensée.

— Pourquoi disiez-vous tout à l'heure que vous n'étiez pas très douée dans les relations avec les hommes ?

— Cela n'a jamais très bien marché... après Billy. Je ressentais un certain désir..., dit-elle en baissant les yeux, mais aucune passion.

— Vous avez été plutôt ardente avec moi, hier soir...

Elle se hâta de l'interrompre.

— Je vous en prie, ne me le rappelez pas... Ecoutez, Jay, nous savons tous les deux que nous appartenons à des mondes différents. Vous avez l'habitude de côtoyer des femmes sophistiquées. Je ne peux pas lutter. Je n'ai pas envie de lutter. Je regrette seulement d'avoir découvert que je pouvais encore éprouver... que ce pouvait être si...

Elle lui tourna de nouveau le dos.

— Je vous désire, Jay. Plus que je n'ai désiré quiconque depuis longtemps.

— Moi aussi, dit-il. Je vous désire.

Elle fit volte-face.

— Arrêtez. Vous avez dit que vous partiez précisément à cause de ce baiser.

— Je pars à cause de quelque chose que je dois vous dire.

Elle le scruta, comme si elle hésitait sur un parti à prendre, et finalement releva le menton et, très droite, demanda :

— Alors soyez franc avec moi. Que ressentez-vous exactement à mon égard ?

Le contrôle de ses émotions qu'il avait réussi à grand-peine à conserver jusque-là lui échappa totalement. Il se rapprocha d'elle.

— Je vous veux plus fort que je n'ai jamais voulu une femme.

Il vit les pupilles de Kate se dilater et sa respiration s'accélérer.

— Alors, montrez-le-moi.

Rien n'aurait pu le surprendre plus.

— S'il vous plaît.

— Je ne peux pas. Vous ne savez pas...

Et, aussi naturellement qu'une amante de longue date, elle l'attira à lui et lova son corps contre le sien.

— Je sais que vous êtes un type bien, Jay. Vous avez risqué votre vie pour sauver mes filles. Vous êtes généreux, et vous portez en vous une immense tristesse. C'est tout ce que j'ai besoin de savoir.

Malgré lui, il resserra son étreinte.

— Non, mon ange, ce n'est pas assez.

— Si, Jay.

Pour la première fois depuis qu'il avait quitté Riverbend, Jay se sentit réellement vivant ; le monde paraissait vouloir lui offrir un espoir, réparer, peut-être, le mal qu'il lui avait fait ici même, quinze ans auparavant. Il enfouit sa tête dans les cheveux de Kate, bouleversé, incapable encore de croire à un tel bonheur.

Au bout d'un moment, il releva la tête, saisit la main de Kate, la porta à sa bouche et murmura :

— Tu es sûre ?

— Tout à fait sûre.

Et, sans un mot, elle pivota et le conduisit vers sa chambre.

Qui était cette femme dans le miroir ? Certainement pas cette Kate McMann qu'elle connaissait depuis presque trente ans. L'homme qui se tenait derrière elle l'avait transformée en une autre Kate. La métamorphose était saisissante.

Les yeux sombres de Jay, pleins de désir, soutenaient son regard dans la glace — ce grand miroir biseauté qu'elle avait acheté dans une brocante et rénové avec amour —, et leurs deux corps nus en occupaient toute la surface. Il l'avait amenée là après l'avoir déshabillée, réduisant l'univers à leur reflet dans le cadre vieil or.

— Tu me coupes le souffle, susurra-t-il en posant les mains sur ses seins.

Elle ferma les yeux.

— Non, ouvre les yeux, regarde.

Il se mit à la caresser doucement. Elle gémit à la vue de ses mains bronzées sur sa peau pâle et laissa tomber la tête en arrière contre sa poitrine. Puis elle suivit des yeux l'une de ses mains puissantes qui descendait lentement vers son ventre. L'air était chargé de désir.

— Tu es si belle, si désirable, répétait-il inlassablement.

Dans la brume de sa conscience, elle se sentit soudain devenue la plus attirante des courtisanes.

— Je veux que tu te souviennes de moi. De nous. Toujours, dit-il en l'embrassant dans le cou.

— Je me souviendrai.

— Promis ?

— Promis.

Les rideaux étaient tirés, et la pièce baignait dans la douce lumière de l'après-midi. L'air était frais, mais leurs corps brûlaient de désir. Sous les caresses de Jay, Kate haletait.

— Oh, je ne... Jay, où va... Qu'est-ce que tu fais ? bredouilla-t-elle comme sa bouche glissait lentement vers son ventre.

— Je veux t'aimer tout entière, murmura-t-il dans le creux de sa taille. C'est inscrit sur ma liste « Faire l'amour à Kate ».

Elle rit, puis gémit. Elle sentait naître en elle un nouvel être — Eve créée à partir de la côte d'Adam, Athéna jaillie de la tête de Zeus, Galatée sculptée par les mains de Pygmalion. Elle cria le nom de Jay encore et encore, ce nom qu'elle n'oublierait jamais.

Par chance, Jay avait des préservatifs dans son portefeuille. Ses mains tremblaient si fort qu'il dut s'y reprendre à deux fois pour déchirer la petite pochette. Enfin, il s'étendit sur elle. Les yeux noyés dans les siens, Kate sourit.

— J'aime sentir ton poids sur moi, chuchota-t-elle en se cambrant contre lui.

— J'ai envie de toi, Kate. Je veux être à l'intérieur de toi.

— Viens, dit-elle en lui mordillant le cou. N'attends plus.

Alors il se glissa en elle, et rien, rien de ce qu'il avait vécu jusque-là dans sa vie ne lui avait jamais paru aussi juste, ni aussi merveilleux.

— Kate…

Les filles ayant dormi chez Ruth et Rachel, ils avaient refait l'amour dans le séjour, après un dîner froid accompagné de vin ; un peu plus tard dans la cuisine, furieusement, debout contre le mur. Mais ils avaient aussi partagé l'intimité des confidences chuchotées dans l'obscurité de la nuit, la sensualité des corps à moitié endormis et qui se cherchent encore.

C'était le matin, à présent, et Kate l'entendait bouger dans la cuisine. Peut-être était-il en train de préparer le petit déjeuner. Refusant de penser à la suite des événements, elle roula sur le côté, étreignit son oreiller et laissa flotter sous ses paupières fermées les images de la nuit.

Après qu'ils avaient fait l'amour pour la première fois, il avait enfoui son visage dans son cou. Son odeur virile l'avait remplie d'une douce chaleur.

— Quelle est la chose que tu regrettes le plus dans ta vie ? lui avait-elle demandé.

Il avait hésité longtemps avant de répondre :

— J'ai blessé les deux personnes que j'aimais le plus au monde.

Etait-ce une femme et un enfant ? Avait-il été marié ?

— Et toi ? avait-il ajouté.

— J'aurais voulu aller à l'université.

— Qu'aurais-tu étudié ?

— La littérature anglaise, bien sûr.

Devant le feu, il s'était accoudé contre l'assise du canapé, seulement vêtu d'un caleçon de coton marine. Sa barbe avait commencé à repousser.

— Et ta plus grande ambition ? avait-elle enchaîné.

Il l'avait fixée intensément.

— En ce moment, c'est de ne pas blesser les gens auxquels je tiens le plus. Et toi ?

— Etre indépendante, mais avoir quelqu'un avec qui partager cette indépendance, avait-elle répondu en se blottissant contre son torse.

Juste avant qu'il s'endorme, elle avait encore questionné :

— Quelle est ta plus grande qualité ?

— Je suis perspicace.

— Et moi, bosseuse.

— Non ? s'était-il exclamé avec ironie.

Il l'avait serrée dans ses bras et avait repris d'un ton grave :

— Je suis aussi très égoïste, Kate. On ne peut pas compter sur moi.

Mais Kate l'avait revu se jetant sur la route pour sauver les filles et elle ne l'avait pas cru un instant. Et quelques minutes plus tard elle avait sombré dans un profond et paisible sommeil.

Finalement, elle se glissa hors du lit, enfila un long peignoir en éponge blanc, et trottina, pieds nus, vers la cuisine. Il était debout devant l'évier lorsqu'elle entra, vêtu d'un pantalon noir et d'une veste de tweed qu'elle ne lui connaissait pas. Une tension perceptible contracta ses épaules comme s'il cherchait à refréner quelque chose en lui. Il se tourna vers elle et elle remarqua la chemise blanche, impeccable, bien qu'il la portât le col ouvert. Il avait l'air d'être un autre homme.

— Bonjour, dit-elle.

— Bonjour, Kate.

Sa voix était tendue, sa mâchoire, crispée, et ses traits accusaient la fatigue ; il n'avait probablement pas dormi longtemps.

— Quelque chose ne va pas ?

— Il faut que nous parlions.

Kate se sentit soudain vulnérable, nue sous son peignoir. Ses jambes flageolèrent au point qu'elle dut s'asseoir. Jay posa une tasse de café devant elle, effleura son épaule — ce qui la réconforta un petit peu —, puis retourna vers le comptoir.

— Bon, dit-elle en s'efforçant de sourire, maintenant dis-moi ce que tu essaies de me dire depuis vendredi soir.

Kate vit le regret voiler son regard un instant, puis son visage se ferma. Elle n'avait véritablement aucune idée de ce qu'il tenait tant à lui dire.

— Mon nom, commença-t-il, mon nom de naissance n'est pas Jay Lawrence. J'ai officiellement fait raccourcir mon prénom et pris le nom de jeune fille de ma mère.

— Ah. Pourquoi ?

— Parce que quelque chose m'est arrivé quand j'avais vingt ans qui m'a fait rejeter en bloc tout ce qui avait été ma vie jusque-là.

— Oh, Jay, je suis désolée.

Il leva impatiemment la tête vers le plafond en fermant les yeux.

— Non, Kate, je t'en prie. Epargne-moi ton indulgence.

— Je ne comprends pas. Qu'y a-t-il de mal à changer de nom ?

— Je t'ai menti.

— Tu ne me devais aucune explication. Ton nom de baptême m'est égal, la seule chose qui m'importe, c'est que l'on t'ait fait du mal.

— Ce nom ne te sera pas égal quand tu l'entendras.

— Très bien, dis-le-moi.

— Jacob Steele.

Ce fut comme si la course de l'univers tout entier s'était soudain arrêtée. Elle le dévisagea, assaillie par une succession de détails auxquels elle n'avait prêté qu'une attention distraite : la garniture du hot dog, la *fritatta* de Ruth, la promenade en charrette...

— Je ne comprends pas, murmura-t-elle. Tu es le neveu de Ruth et Rachel ?

— Oui.

— Elles ne peuvent pas savoir que tu es ici. Elles me l'auraient dit.

— Non, elles ne le savent pas encore.

— Je ne comprends pas, répéta-t-elle. Tu t'es toujours comporté comme si tu ne savais rien d'elles. Tu m'as laissée te parler de Jacob Steele... Pourquoi ?

— Parce que...

Il crispa ses doigts autour de sa tasse, et fixa Kate d'un air lugubre.

— ... parce que je voulais découvrir quel genre de personne tu es.

— C'est absurde. Nous ne nous étions jamais vus avant que tu sauves les jumelles.

— Mais moi, je connaissais ton existence. Je venais te voir, en fait, ou plutôt t'affronter.

Elle en resta muette de surprise. Soudain, elle réalisait qu'elle ne lui avait *jamais* demandé pourquoi il s'était arrêté au bord de la route, juste en face de chez elle.

— M'affronter ? Pourquoi ?

— A cause de tes relations avec mon... avec Abraham Steele.

— Ton père et moi étions devenus amis au cours des dernières années de sa vie, Jay, je te l'ai dit. Il venait à la librairie presque chaque jour. C'était un homme seul qui avait besoin de compagnie et de compréhension.

— C'était un monstre.

— Tu te trompes.

— Tu ne me convaincras jamais.

— Que s'est-il donc passé ?

— Je ne veux pas en parler.

— C'est à cause de ça que tu n'es pas venu à son enterrement ?

— J'étais en vacances en France lorsqu'il est décédé, répondit-il en passant une main dans ses cheveux. Je n'ai appris sa mort que plus tard.

— Serais-tu venu autrement ?

— Honnêtement, je ne sais pas. Mais concentrons-nous sur notre problème pour l'instant, veux-tu ?

— D'accord. Dis-moi pour quelle raison tu t'interrogeais sur mes relations avec Abraham ?

— Parce que… tu hériteras de la majeure partie de sa fortune si… si je ne la réclame pas.

La surprise la fit éclater de rire.

— Qu'est-ce que tu racontes ?

— La vérité : mon père a fait de toi et de moi des rivaux. Soit j'hérite, soit tu prends tout.

— Et pourquoi ne réclamerais-tu pas ton héritage ?

— C'est compliqué.

— Je ne suis pas idiote. Explique-moi.

Il posa brusquement sa tasse sur la table et alla à la fenêtre comme s'il ne pouvait supporter de la regarder en face.

— Abraham m'a laissé la librairie et la ferme à condition que je revienne vivre à Riverbend pendant huit semaines et que je travaille durant la moitié de ce temps au magasin. Si je ne satisfais pas aux termes du testament, tu hérites de tout.

Quelque chose n'allait pas. Il devait se tromper.

— Attends… La librairie appartient aux *sœurs* d'Abraham. Et cette maison aussi.

Jay pivota vers elle.

— Te l'ont-elles déjà dit, Kate ? Clairement ?

— Euh, non… Mais elles vivaient dans cette maison, et elles s'occupent de la librairie depuis le premier jour. Ce sont elles qui ont insisté pour que j'emménage ici. Et elles aussi qui m'ont demandé de diriger le magasin.

— N'empêche que tout est au nom d'Abraham. Il a tout gardé. Il a manipulé tout le monde, et il continue à le faire depuis sa tombe.

Il la regarda droit dans les yeux avant d'ajouter :

— Je suis digne de lui : capable de tout.

Kate se renversa contre son dossier et s'enveloppa dans ses bras.

— Je vois.

— Vraiment ? fit-il en marchant vers elle. Est-ce que tu vois ce qu'il nous a fait à tous les deux ? Il te reprend ce à quoi tu tiens le plus après tes filles et mes tantes. Exactement comme il m'a volé, il y a quinze ans, ce que j'aimais le plus au monde.

Elle déglutit avec effort.

— Que t'a-t-il fait, Jay ? Que s'est-il passé entre ton père et toi pour que tu quittes Riverbend ?

— Je ne veux pas en parler. Je n'en ai jamais parlé à personne.

— Pourquoi ne m'as-tu pas dit tout ça il y a quinze jours ? demanda-t-elle après un moment de silence. Quand tu as recouvré tes esprits après l'accident ?

— Parce que tu m'as offert une occasion inespérée d'enquêter sur ton compte.

— Qui aurais-je pu être ?

— Ça n'a plus d'importance maintenant.

— Pour moi si. Que cherchais-tu à savoir ?

— Je craignais que tu n'aies manœuvré mon père afin qu'il te lègue ses biens, que tu te sois servie de mes tantes pour prendre possession du magasin et que tu aies abusé de leur générosité.

— Moi qui aime tes tantes plus que ma propre mère…

— Je ne le savais pas alors. Je réalise à présent que tu n'aurais jamais pu faire une chose pareille.

Jay s'était attendu à d'amers reproches, ou à des pleurs. Il aurait dû mieux la connaître. La force qui lui avait permis de surmonter un mariage désastreux réapparut ; il le perçut à son maintien et à sa voix, très calme, quand elle dit :

— Voilà donc pourquoi tu as accepté de t'installer ici : pour fouiller dans ma vie et me mettre à l'épreuve.

— Oui.

Elle secoua la tête, comme si son esprit ne pouvait concevoir tant de duplicité.

— Je t'ai observée pendant un temps, oui. Mais j'ai découvert rapidement que j'avais tort de te prêter ces desseins malhonnêtes.

— Et tu refusais de voir quiconque parce que tu redoutais que l'on te reconnaisse ?

Il hocha la tête et s'obligea à la regarder tandis qu'une profonde déception se peignait sur son visage. Elle ferma brièvement les yeux, et se frappa le front du plat de la main.

— Oh, mon Dieu, tes tantes ! Tu as même appelé Ruth « tante Ruth » une fois !

— Je m'en veux de t'avoir trompée, Kate, dit-il en se penchant vers elle pour effleurer sa joue du bout des doigts. Je tiens beaucoup à toi.

Elle recula brusquement sa chaise pour échapper à sa main.

— Je ne peux pas entendre ça pour le moment. Je dois réfléchir.

Elle alla à la fenêtre. Il devinait son corps tendu sous le peignoir. Elle semblait si vulnérable. Comme il l'avait pensé dès le début, elle n'avait eu aucune chance contre lui.

Il respecta son repli, sachant que d'un moment à l'autre la douleur allait la frapper de plein fouet. C'était le moins qu'il puisse faire, que d'être à ses côtés tandis qu'elle mesurait l'ampleur de sa trahison. Au bout d'un moment, elle lui fit face de nouveau.

— Très bien. Donc, tout ceci t'appartient, dit-elle avec un geste du bras qui désignait la maison dans son ensemble.

— Je suis désolé, Kate.

Elle le dévisagea longuement. Tous deux savaient que ses excuses n'étaient rien en regard de tous les rêves qu'il venait de lui voler.

— Bon, dit-elle encore, signifiant sa résolution en joignant ses paumes ouvertes, eh bien, je vais faire nos valises et nous partirons, les filles et moi. Je prendrai ce dont nous avons besoin pour quelques jours, tu pourras ainsi t'installer dans la grande chambre. Je suppose que tu n'as aucune envie de rester dans celle de Jacob.

Sa voix trembla sur les deux derniers mots, mais elle releva le menton presque immédiatement pour ajouter :

— Je passerai prendre les affaires que j'ai au magasin demain.

— Personne ne t'a demandé de quitter la ferme. Ni la librairie.

— Bien sûr que si.

Comme elle se tournait pour partir, il la rattrapa par le bras.

— Attends.

Elle s'immobilisa, sans toutefois se tourner vers lui.

— Je veux que tu restes ici. Et au magasin.

— Pourquoi ?

— Pour de nombreuses raisons.

Elle resta silencieuse et il dut chercher ses mots. Il n'avait pas prévu cela, mais il savait que c'était ce qu'il devait faire.

— D'abord, parce que je ne sais rien de la façon de gérer une librairie.

— Tu apprendras.

— Je veux que tu continues à la diriger, du moins jusqu'à ce que je vende.

Elle fit volte-face et il reçut en plein visage ce qu'il méritait : l'expression de son plus profond dégoût.

— Tu vas *vendre* la librairie ?

— Oui, j'ai besoin d'un capital.

— Pour fusionner avec ComputerConcepts.

Il acquiesça du chef. Elle avait compris tout de suite, bien sûr.

— Tu comptes vendre la ferme aussi ?

De nouveau, il hocha la tête.

— Tu as un acheteur ?

— Mes associés ont pris contact avec Anderson Books.

Elle porta sa main à sa bouche comme pour refouler une nausée. Ses yeux se remplirent de larmes.

— Cela va détruire Ruth et Rachel, dit-elle. Elles seront anéanties. Est-ce que tu sais seulement à quel point ces deux femmes t'aiment ? Combien tu leur as manqué ?

— Je sais.

Elle fit un effort visible pour contenir ses larmes, des larmes qu'elle versait — cela ne lui échappait pas —, non sur elle, sur lui, mais sur ses tantes. S'il avait été en fâcheuse posture moins d'une heure auparavant, Jay se trouvait désormais dans une situation désespérée.

— Il faudra que tu trouves un moyen de le leur annoncer avec ménagement, dit Kate.

— Je crois que ce serait plus facile pour elles si tu ne les abandonnais pas maintenant, Kate.

— Les abandonner ? Qu'est-ce que tu veux dire ? Jamais je ne les abandonnerai !

— Si tu quittes cette maison et que tu refuses de rester au magasin, ce sera plus dur pour elles. Elles t'aiment comme une fille, n'est-ce pas ? Si tu pouvais rester auprès d'elles jusqu'à ce que les deux endroits soient vendus, je crois qu'elles supporteraient mieux le changement de situation.

— Je dois dire que j'ai rarement vu plus fort en matière de manipulation, constata-t-elle avec froideur.

— Non, Kate, cette fois, je suis sincère. Je voudrais épargner mes tantes.

Elle soupira, doutant visiblement de ses motivations.

— Il y a autre chose, reprit-il. J'aimerais que tu m'aides à leur annoncer la nouvelle. Elles sont âgées, j'ai peur que le choc…

— Je vois.

Elle déglutit.

— Très bien. Est-ce que tu veux leur dire aujourd'hui ?

— Oui, dit-il tout en se demandant si ce n'était pas trop exiger de Kate. Après le service à l'église, si c'est possible.

— Dans ce cas, j'ai juste le temps de prendre une douche et de réunir quelques affaires.

Elle se frotta les bras comme si elle avait soudainement froid.

— S'il te plaît, ne quitte pas la ferme.

— Il le faut.

Elle regarda autour d'elle, puis tourna la tête dans la direction de sa chambre.

— Je ne pourrais plus rester ici. Pas après ce que tu viens de m'annoncer. Et pas après cette nuit.

— Kate, à propos de cette nuit…

— Non, je t'en prie. Tais-toi.

Il comprit et la laissa partir. Elle avait besoin de rassembler ses forces pour affronter les jours à venir. Et, comme elle l'avait toujours fait, elle traverserait cette nouvelle épreuve sans s'apitoyer sur son sort, la tête haute, se souciant davantage de Ruth et de Rachel que d'elle-même.

Lui non plus ne pourrait pas rester ici. La nuit… Non, mieux valait ne pas y penser.

Il était sur le point de briser le cœur des seuls êtres au monde qui lui étaient chers, et il devait à présent faire appel à toutes les ressources de l'homme qu'il s'était obligé à devenir : le cynique Jay Lawrence.

8.

Le programme de Kate pour la journée était simple. Aller à la librairie et laisser *Jacob* y entrer. Récupérer les filles à la fin du service et les confier à Lynn pour une heure. Accompagner Ruth et Rachel chez elles. Leur annoncer que l'enfant prodigue était de retour.

Elle jeta un coup d'œil dans son rétroviseur : Jay, raide au volant de sa Volvo verte, la suivait toujours.

« Concentre-toi sur ce que tu as à faire. Surtout ne t'attendris pas sur l'homme qui vient de briser ta vie — l'homme avec qui tu as fait l'amour. N'y pense pas. »

Arrivée à la porte de la librairie, elle remarqua cependant, du coin de l'œil, que Jay, qui s'était garé derrière elle seulement quelques secondes après qu'elle fut descendue de voiture, n'avait pas encore ouvert sa portière. La tête penchée en avant, il tenait toujours son volant entre ses mains. Il était clair qu'il lui était douloureux de revenir sur ces lieux.

Comme il avait dû lui coûter de retrouver la ferme après si longtemps... pénétrer dans son ancienne chambre...

Kate appuya son front contre la porte. Et elle n'en avait rien su, rien deviné. Pendant plus de deux semaines, il lui avait dissimulé toutes ses émotions.

— Ça va ? s'enquit-il d'une voix un peu rauque.

Il se tenait tout près derrière elle, mais il ne la toucha pas. Dieu merci. Elle se redressa et introduisit sa clé dans la serrure.

— Je vais bien, merci.

La porte s'ouvrit. Depuis le seuil, elle parcourut le magasin du regard, s'efforçant de refouler le sentiment de perte qu'elle éprouvait. Steele Books ne serait jamais *sa* librairie. Le fruit de tous les efforts qu'elle avait fournis depuis plusieurs années la narguait : le papier peint qu'elle avait posé elle-même, le bureau et les étagères peintes, le coin détente qu'elle avait conçu et aménagé avec tant de soin et d'enthousiasme. Tout ça pour que Jay vende la librairie à Anderson Books.

— Il n'y a pas d'alarme de sécurité ? s'étonna Jay.

Elle secoua la tête et entra. L'odeur familière de l'endroit — celle des livres récemment sortis des presses mêlée à celle des vieux livres et à un discret arôme de café — lui serra le cœur.

— Non. Anderson y remédiera très vite, j'en suis sûre.

Il fronça les sourcils en pénétrant à sa suite dans le magasin.

— Ça paraît tellement différent.

— Beaucoup de choses peuvent changer en quinze ans.

Il se dirigea vers le coin canapé, effleura le dossier d'un fauteuil, la surface d'une table, puis s'approcha de la console sur laquelle était posée la cafetière. Son regard se posa sur le mur au-dessus et s'y accrocha.

— Qu'y a-t-il ?

— Cette peinture, au milieu... C'est la Sycamore River. Et cet arbre... celui duquel j'ai plongé des centaines de fois... je l'aurais reconnu entre mille.

Il serra les poings et aussitôt les enfonça dans les poches de sa veste, sans quitter la peinture des yeux. Puis il se pencha et lut la signature :

— Lily Bennett.

— Tu la connais ?

— Oui. Ainsi que sa mère... et son père.

A l'évocation du Dr Julian Bennett, le ton de sa voix était tout à coup devenu glacial.

— Tu ne l'aimes pas ? ne put-elle s'empêcher de demander.

Il lui jeta un bref coup d'œil et se détourna de nouveau.

— Il… J'aimais bien sa fille. Elle faisait partie des River Rats, notre bande. Je me souviens de l'été où elle est tombée de cet arbre, justement. Elle s'était cassé la cheville. Nos parents nous avaient interdit d'y retourner, mais nous avions continué à y aller quand même. Lily aussi. Assise sur le guidon d'une de nos bicyclettes.

Il se tourna vers elle.

— Est-ce qu'elle vit toujours ici ?

Kate ne savait que répondre. Lily Bennett Holden s'appelait à présent Lily Mazerick. Elle avait épousé le demi-frère que Jay n'avait jamais su qu'il avait. Cette révélation allait être un choc pour lui.

« Ce n'est pas ton problème, Kate, se dit-elle. Tu n'as pas à t'inquiéter pour lui. »

— Euh… oui, elle habite en ville. Elle est partie, s'est mariée, et a perdu son mari avant de revenir à Riverbend, l'an dernier. Elle vient tout juste de se remarier, ajouta-t-elle après une courte hésitation.

Jay reporta son attention sur la peinture.

— Je vais à l'église, dit-elle.

— D'accord, dit-il en la regardant.

Son visage était frappé à l'empreinte même du chagrin. Cet homme l'avait-il vraiment désirée, ou tout cela faisait-il simplement partie de son plan ?

Esquissant un faible sourire, elle marcha vers la porte, laissant Jacob Steele seul avec ses fantômes.

« Quelque chose ne va pas », pensait Rachel en accrochant son foulard sur une patère du hall. Katie avait manqué le service, ce qui était rare, n'arrivant à l'église qu'au moment où tout le monde en sortait, et avait demandé à Lynn et Tom de garder les enfants une petite heure. Après quoi, elle leur avait dit, à Ruth et à elle, qu'elle désirait leur parler en privé. Même Ruth s'était inquiétée, elle lui avait demandé tout de go ce qui n'allait pas, mais Kate avait répondu que tout allait bien, qu'il s'agissait d'une bonne surprise. Pourtant Ruth avait lancé à Rachel un regard qui signifiait « Il y a un problème », et Rachel avait hoché la tête en retour.

Elle alla allumer dans le salon la petite lampe Tiffany achetée à Chicago, puis revint se placer au côté de sa sœur qui se tenait debout à l'entrée de la pièce. Ni l'une ni l'autre ne proposèrent à Kate une tasse de café ou autre chose.

— Très bien, que s'est-il passé ? attaqua Ruth.

— Est-ce que vous ne préféreriez pas vous asseoir ? demanda Kate d'une voix incertaine.

Ses yeux étaient pleins d'angoisse. Elle semblait… déchirée.

— Non, répondit Rachel. Nous préférons rester debout.

— Allons, Katie, parle.

Kate sourit. Rachel se souvint que c'était ainsi qu'Abraham l'appelait.

— J'ai une bonne nouvelle à vous apprendre.

Rachel essaya de plaisanter.

— On dirait que tu t'apprêtes à monter sur l'échafaud. Tu es sûre que c'est une bonne nouvelle ?

— Oui, oui, c'en est une, dit Kate d'une voix étranglée.

Rachel sentit son pouls s'accélérer.

— Alors, dis-nous, chérie.

Avec un sourire contraint, le même que celui qu'elle adressait aux jumelles quand leur père leur faisait faux bond au dernier moment, Kate dit :

— Votre neveu Jacob est de retour en ville.

La main gauche de Ruth chercha celle de sa sœur tandis que sa droite se plaquait sur son cœur. Rachel sentit le sang lui monter au visage, elle cilla plusieurs fois rapidement. Puis toutes deux fixèrent Kate avec stupeur. Mais c'est Rachel qui se ressaisit la première.

— Jacob ? Il est ici ? A Riverbend ?

— Oui. N'est ce pas merveilleux ? dit Kate d'un ton faussement enjoué.

Rachel sentit sa sœur serrer sa main. Elle lui jeta un bref coup d'œil. Ruth était blanche comme un linge.

— Viens t'asseoir, Ruthie.

Elle la conduisit vers le canapé où elles s'assirent ensemble, sans se lâcher la main.

— Où ? Comment ? s'enquit Rachel.

Kate s'approcha, s'agenouilla devant elles et prit leurs deux mains libres dans les siennes. Ses doigts étaient aussi glacés que l'eau de la rivière en janvier.

— Jay... Jacob est arrivé à Riverbend au début de novembre, commença-t-elle. Il a séjourné à la ferme. C'est lui l'homme qui a sauvé Hope et Hannah.

— Je ne comprends pas, dit Ruth avec un mouvement de recul. Il est ici depuis deux semaines et tu ne nous as rien dit ?

— Je... euh, je ne savais pas qui il était, Ruth, dit-elle en rougissant. Il ne m'a révélé sa véritable identité que ce matin.

— Pourquoi ? demanda Rachel, à présent tout à fait alarmée.

De nouveau, Kate essaya de sourire.

— Ce sera à lui de vous l'expliquer. Je voulais seulement vous apprendre qu'il était ici. Il craignait que ce ne soit un trop grand choc pour vous s'il venait tout simplement sonner à votre porte.

— Où est-il ?

— Il attend à la librairie.

— A côté ? Jacob est juste à côté ?

Les lèvres de Kate tremblaient. Rejetant ses épaules en arrière, elle se releva.

— Oui, je vais aller le chercher. Mais d'abord, je vais vous apporter un peu de thé. Vous êtes toutes les deux un peu pâles.

— Non…, commença Rachel.
— Va chercher notre garçon, acheva Ruth.

Kate semblait épuisée lorsqu'elle revint à la librairie. Jay dut refréner l'envie qu'il avait d'aller vers elle et de la prendre dans ses bras ; ridiculement, il aurait voulu pouvoir tout arranger.
— Elles l'ont mal pris ? demanda-t-il avec anxiété.
— Elles sont un peu secouées, mais ça va. Elles veulent te voir.
La sourde appréhension qu'il avait ressentie toute la matinée se mua en panique. Il avait acheté et vendu des sociétés, licencié des cadres supérieurs et risqué des fortunes sur les places boursières sans éprouver autre chose qu'un frisson d'excitation, et la seule idée de revoir ses tantes le remplissait d'une véritable terreur.
— Est-ce que tu… Je sais que je n'ai pas le droit de te demander ça, mais… Est-ce que tu accepterais de venir avec moi ?
Il lut dans ses yeux qu'il lui en demandait trop et ressentit la morsure de la culpabilité. Ne penser qu'à lui-même n'était plus possible désormais. Les sentiments de Kate comptaient.
Celle-ci répondit pourtant :
— Oui. Ruth et Rachel pourraient avoir besoin de moi.
« *J'ai* besoin de toi », aurait-il voulu dire. Mais il n'en avait pas le droit, ne voulait même pas y songer. Cependant le sentiment de paix qu'il avait éprouvé après l'amour, alors que Kate lui caressait doucement le dos, choisit ce moment pour se rappeler à lui, et il sut qu'il se mentait à lui-même : il avait besoin d'elle et mourait d'envie de le lui dire.
— Jay ? dit-elle depuis la porte. Tu viens ?
— J'arrive.
Elle le précéda jusqu'à la maison voisine, où vivaient maintenant ses tantes, sans se retourner une seule fois vers lui. Elle frappa,

entra, puis avança, toujours devant lui, jusqu'au seuil du salon, et alors seulement elle fit un pas de côté.

Comme deux joyaux posés sur un coussin de satin vert, elles étaient là, assises dans le canapé, épaule contre épaule, leurs quatre mains jointes. Il avait déjà vu ce tableau — lorsqu'il s'était blessé durant ce match de basket, et aussi le jour où elles s'étaient disputées avec son père. Il avait vu aussi Hope et Hannah dans cette même curieuse position, deux êtres fondus ensemble dans l'adversité, dans l'attente.

Il les contempla longuement. Personne ne bougea jusqu'à ce que Kate pose une main sur son épaule, comme pour l'encourager. Sa générosité, une fois encore, lui fit honte, mais il avança d'un pas et dit, après s'être éclairci la gorge :

— Bonjour, tante Ruth. Bonjour, tante Rachel.

Elles se levèrent d'un même mouvement, sans le quitter des yeux un instant. Jay fut parcouru d'un frisson, puis il sentit la main de Kate le pousser légèrement en avant. Il franchit d'un pas incertain les trois mètres qui le séparaient encore de ses tantes, qui durent lever leur visage pour le regarder. Elles lui parurent plus petites, plus vieilles que dans son souvenir.

— Je ne sais pas quoi dire, murmura-t-il.

Les yeux de Ruth se remplirent de larmes, puis elle ouvrit les bras en même temps que sa sœur.

Elles sentaient l'eau de lavande, comme autrefois ; mais elles semblaient si frêles aujourd'hui.

— Je suis tellement désolé, dit-il contre la douce joue de Rachel.

Elles le serraient contre elles, sans rien dire.

Puis Rachel s'écarta, et Ruth l'imita.

— Le regret ne change rien à l'affaire, jeune homme, déclara Rachel.

Il sourit. C'était ce qu'elles lui disaient toujours lorsqu'il avait fait une bêtise.

— Je sais, acquiesça-t-il humblement. « Ce qui est important, c'est d'essayer de se faire pardonner. »

Il épiait leur expression, bouleversé par l'amour inconditionnel qu'il lisait dans leurs yeux.

— Croyez-vous que ce soit possible ? Que vous me pardonniez ?

— Bien sûr, mon chéri, dit Rachel en levant la main pour lui caresser la joue.

C'est alors qu'il se rendit compte qu'il pleurait.

— Maintenant, assieds-toi, veux-tu ? Je vais faire du thé et nous parlerons. Katie, est-ce que…

Rachel s'interrompit au milieu de sa phrase.

Jay se retourna.

Kate était partie.

— Tu ne vas pas te coucher ? Il est presque 23 heures.

Lynn se tenait sur le seuil de la cuisine, dans une robe de chambre verte qui faisait ressortir les paillettes émeraude de ses yeux.

Kate sourit, touchée par la sollicitude de son amie.

— Dans un moment. Je finis de regarder ces petites annonces.

— Je croyais que tu avais repéré un ou deux appartements dans le quartier où tu vivais avant, dit Lynn en s'approchant pour regarder le journal par-dessus l'épaule de Kate.

Kate avala une gorgée de son déca et réprima un frisson en pensant aux bardeaux délabrés, aux papiers peints pelés, aux peintures défraîchies de la maison dans laquelle elle avait grandi. Evie Mazerick vivait dans ce quartier aussi, au-delà de West Hickory.

— Oui, j'en ai noté deux. J'irai les visiter demain.

Elle tapota le journal du bout de son crayon.

— On dirait que je suis revenue au point de départ, remarqua-t-elle tristement. Je n'ai rien de plus que lorsque j'en suis partie il y a douze ans.

Lynn s'assit sur une chaise en face d'elle et prit sa main.

— Tu as tes filles. Et tu as des amis qui t'adorent.

Une étincelle de colère brilla dans les yeux de Lynn, habituellement empreints de compassion.

— Et tu as fait prospérer une formidable librairie, poursuivit-elle, même si cet… homme s'apprête honteusement à te l'enlever.

Cette animosité ne ressemblait pas du tout à Lynn, mais elle avait été très choquée par ce que Kate était venue lui apprendre après avoir quitté les Steele. Tom était allé faire une promenade avec les enfants pour les laisser seules, et Kate avait tout raconté. Elle n'avait pas eu l'intention d'avouer à Lynn qu'elle avait fait l'amour avec Jay, mais celle-ci avait appelé la confidence, et, à dire vrai, Kate avait eu besoin d'en parler.

— Oh, chérie, je suis tellement désolée, avait dit Lynn.

— Comment ai-je pu me méprendre à ce point ?

— Il t'a trompée délibérément.

— Il s'est servi de moi.

Lynn avait soupiré.

— Il n'aurait pas dû te cacher ses véritables intentions, c'est certain, mais n'est-il pas un peu tôt pour le condamner ? Vous avez été très proches, cette nuit, d'après ce que tu me dis. Tu ne sais pas s'il jouait la comédie.

— Je suis sûre que si.

Tom Baines avait réagi plus violemment que sa fiancée. Le comportement de son cousin l'avait révolté, bien qu'il n'ait eu droit qu'à une version édulcorée des faits. « Je savais que j'aurais dû insister pour rencontrer cet homme… », avait-il dit sur un ton de profond regret. Et Lynn avait répondu : « Les événements surviennent parfois pour des raisons qui nous échappent, et ne prennent leur sens que bien plus tard. » C'était une façon de voir les choses, mais cela n'avait pas réconforté Kate.

— Kate, qu'est-ce que tu cherches à présent ? demanda Lynn en indiquant le *Riverbend Courier* ouvert sur la table.

— Je regarde les offres d'emploi.

Lynn fronça les sourcils.

— Tu crois que c'est une bonne idée de quitter le magasin dès maintenant ?

— Je ne veux plus y travailler.

Elle déglutit péniblement. L'idée de voir Jay chaque jour lui était insupportable.

— Je ne peux pas.

— Ce n'est jamais sage de précipiter les choses.

Levant les yeux du journal, Kate regarda son amie.

— J'ai peur, Lynn. Je croyais maîtriser ma vie. Je pensais que si je travaillais assez dur, je pourrais élever mes filles tout en réalisant quelques-uns de mes rêves. Quand j'ai commencé à diriger la librairie et que j'ai emménagé à la ferme, j'ai vraiment cru que je pourrais réussir.

— Tu as réussi.

— Je sais, mais aujourd'hui je dois tourner la page, dit-elle en se levant pour aller se servir une nouvelle tasse de café. Et plus vite je le ferai, mieux cela vaudra pour moi.

— Tu peux...

Un coup frappé à la porte interrompit Lynn.

— C'est Tom ?

— Peut-être un paroissien.

— Je vais dans le séjour.

— Attends... je vais voir.

Lynn alla à la porte de derrière, écarta le rideau et soupira.

— Katie, c'est Jay. Du moins, je crois, d'après ta description.

La peur assaillit Kate. Elle ne pouvait pas affronter Jay. Le revoir maintenant, après avoir appris la vérité à son propos, puis assisté à ses douloureuses retrouvailles avec ses tantes, était plus qu'elle n'en pouvait supporter. Posant sa tasse, elle s'agrippa au bord du comptoir.

— Je ne peux pas le voir, Lynn. Je sais que c'est lâche, mais je ne peux pas…

— D'accord.

Lynn ouvrit la porte.

— Bonjour, je suis Lynn Kendall.

Kate ne pouvait pas voir Jay de l'endroit où elle se trouvait, mais elle pouvait l'entendre.

— Je sais qui vous êtes. Et je suis sûr que vous savez qui je suis. J'aimerais voir Kate.

Lynn ne répondit pas tout de suite, et Jay reprit :

— Je suis allé à la ferme. Elle n'y était pas. Alors, j'ai appelé Tom qui m'a dit qu'elle était chez vous.

— Tom vous a dit de venir ici ?

— Non. Il a dit qu'il me… Bon, il ne me porte pas exactement dans son cœur pour le moment.

— Il n'est pas difficile de savoir pourquoi.

— S'il vous plaît, laissez-moi la voir.

— Elle ne veut pas vous voir.

— Bien sûr qu'elle ne veut pas.

Il marqua une pause. Kate se faisait l'effet d'être un enfant qui se cache sous les couvertures.

— Je ne partirai pas avant de lui avoir parlé.

Résignée, elle se montra.

— Laisse, Lynn. C'est un entêté. Je vais lui parler.

Le regard de Lynn alla de son amie à Jay. Puis, comme si elle venait de prendre une décision, elle recula.

— Très bien, entrez.

Kate regarda Jay pénétrer dans la cuisine. Il paraissait épuisé. Visiblement, la journée avait beaucoup exigé de lui aussi.

— Veux-tu que je reste, Kate ? s'enquit doucement Lynn.

— Non, merci, va te coucher. Jette un œil en passant sur les filles, tu veux bien ?

— Bien sûr, répondit Lynn. Viens me voir après si tu veux, ajouta-t-elle à voix basse.

Et elle disparut.

Kate croisa les bras et observa Jay, essayant d'ignorer la tristesse qui voilait son regard. Il avait les yeux sombres d'Abraham. Les yeux de Ruth et de Rachel. Pourquoi ne s'en était-elle pas rendu compte ?

— Assieds-toi, Jay... Je veux dire, Jacob.

— Jay, s'il te plaît, corrigea-t-il en tombant lourdement sur une chaise.

Machinalement, elle lui versa une tasse de café et la posa devant lui. Il avait les yeux fixés sur les annonces du journal qu'elle avait cerclées d'un trait rouge.

— Comment vont les filles ? demanda-t-il en relevant la tête.

— Bien.

— Tu... leur as dit ?

— Non. Pas encore. Elles aiment dormir ailleurs qu'à la maison. Je leur ai seulement dit que nous dormions chez Lynn cette nuit.

— Tu devrais retourner à la ferme.

Elle s'assit en face de lui et secoua la tête.

— Je t'ai déjà dit que je ne le souhaitais pas.

— Je voudrais que tu reconsidères la question.

— Ce que tu veux m'importe peu pour le moment. Je dois d'abord penser à mes filles.

— Un petit deux pièces dans le quartier que tu vises, c'est mieux pour elles, tu crois ? demanda-t-il en saisissant le journal. J'ai vécu ici, Kate. Je connais ce quartier. Ce n'est pas un endroit où vivre avec des petites filles.

« J'y ai vécu », faillit-elle dire, mais elle savait qu'il avait raison, aussi son attaque transperça-t-elle son cœur déjà ravagé. Et son âme. Et son amour-propre.

— C'est le mieux que je puisse faire pour l'instant. Jusqu'à ce que j'aie trouvé un ou deux emplois.

— Deux emplois ?

Il baissa de nouveau la tête vers le journal et lut :

— Serveuse au Charter's, ouvrier de fonderie…

Il releva les yeux, et dit, incrédule :

— Mais comment pourrais-tu cumuler deux emplois ?

— Je l'ai déjà fait. Avant de diriger le magasin, et alors que j'étais enceinte. Je travaillais à la librairie durant la journée et au Charter's le soir.

— Ruth et Rachel t'ont laissée faire ça ?

— Non, en réalité, elles étaient très mécontentes quand elles l'ont appris. Mais de toute façon, tout ça ne te regarde pas. Je suis capable de prendre soin de ma famille sans tes recommandations.

Comme il la dévisageait, sans voix, elle ajouta pour faire bonne mesure :

— Et travailler un peu dur n'a jamais fait de mal à personne.

— Billy devrait te verser une pension.

— Comment sais-tu qu'il ne le fait pas ?

Il hésita une fraction de seconde.

— C'est évident. Tu n'aurais pas à économiser sur tout, s'il le faisait.

— La plupart des gens doivent surveiller leurs dépenses, figure-toi, Jay. Ce n'est pas une tragédie.

— Bien sûr. Je voulais seulement dire que ce serait beaucoup plus confortable pour toi et les filles si tu restais à la ferme, et au magasin, jusqu'à la fin de l'année.

— De façon à ce que tu aies quelqu'un pour tenir la librairie jusqu'à ce que tu la vendes ? Ou de façon à soigner ta culpabilité et ta mauvaise conscience ?

Il rougit.

— Jusqu'à ce que j'aie rempli les conditions imposées par le testament de mon père, répliqua-t-il. Cela me rendrait service, certes, mais cela te permettrait aussi d'économiser de l'argent et de prendre le temps de chercher un appartement convenable et un meilleur emploi que… ceux-là. Pense aux filles, Kate, pas à toi.

Cette fois, elle explosa.

— Tu es bien placé pour me reprocher mon égoïsme ! rétorqua-t-elle.

— Tu es sûrement la personne la moins égoïste que je connaisse. N'empêche que, en l'occurrence, tu écoutes davantage ta fierté que ton bon sens. Pourquoi t'entêtes-tu à bouleverser la vie des filles maintenant, avant les vacances, alors que tu peux prendre le temps de t'organiser calmement ?

Kate sentait monter ses larmes. Il avait raison. Elle pouvait adoucir la transition pour les jumelles si elle parvenait à mettre de côté ses peurs et son orgueil.

— Sans parler de l'effet que cela pourrait avoir sur Ruth et Rachel.

Ah, sa carte maîtresse à présent. Jay avait certainement de l'expérience à ce petit jeu. Kate se savait prise au piège, mais l'argument n'en porta pas moins. Elle se sentit même coupable de ne pas avoir pensé d'abord à celles qu'elle aimait de toute son âme : ses filles et les deux adorables sœurs Steele.

— Comment vont tes tantes ? demanda-t-elle.

Il secoua la tête et une ombre de sourire passa sur son visage.

— Crois-moi ou non, elles vont bien. Après le premier choc, elles m'ont harcelé de questions. Nous avons parlé tout l'après-midi, puis elles m'ont préparé mon plat préféré.

— Une *fritatta*.

— Mmm. Ensuite, nous avons bu un thé et bavardé jusqu'à ce qu'elles se sentent fatiguées.

— Et tu es parti ?

— Non. Nous sommes allés voir l'appartement, au-dessus de la librairie, et j'y ai monté mes affaires. Je vais m'installer là.

Ensuite, je les ai raccompagnées à leur porte et je suis parti à ta recherche.

— Elles n'ont pas voulu savoir pourquoi tu ne restais pas dans *ta* maison ? A moins qu'elles ne sachent pas que tu en as hérité, ainsi que du magasin ? Je me suis posé la question : que savent-elles de tout ça au juste ?

— Elles savaient seulement que la librairie et la ferme ne font pas partie de leur héritage. Nick Harrison leur a dit que tout s'éclaircirait en temps et en heure. Abraham leur a laissé une petite fortune, et elles ont des fonds en fidéicommis qui leur viennent de leur mère ; aussi l'argent n'est-il pas un problème.

— Mais est-ce que cela ne leur a pas paru étrange ? Le magasin était un peu leur enfant.

« Et le mien », ajouta-t-elle en son for intérieur.

— Il semble qu'Abraham ait fait plusieurs legs peu ordinaires. Elles attendaient, je crois, la suite des événements.

— Je vois.

— Je... euh...

Il se leva et se mit à arpenter la petite cuisine, en proie à ce qui paraissait être un vif remords.

— Je ne leur ai pas dit que je comptais vendre, et j'aimerais que tu ne le leur dises pas, pas encore.

— *Quoi* ?

— Je n'ai pas pu, Kate. C'était déjà difficile... Les revoir au bout de quinze ans... Après les avoir abandonnées... Quoiqu'elles aient curieusement réagi. Ruth voulait savoir pourquoi j'étais parti, mais Rachel l'a interrompue net en disant que cela n'avait plus d'importance, désormais. Qu'il fallait laisser le passé derrière soi.

— Cela ressemble bien à Rachel. Donc, tu ne leur as pas dit pourquoi tu étais parti ?

— Non. Et je n'ai pas l'intention de le leur dire.

— Pourquoi ?

— Cela anéantirait leur amour pour Abraham. Je ne peux pas faire ça, répondit-il avant de marmonner comme pour lui-même : C'est une des raisons pour lesquelles il fallait que je quitte cette ville.

Elle ne s'attendrirait pas. Peu lui importait que son visage ait pris l'apparence d'un masque sans vie, que son regard soit plus morne qu'une aube de février.

— Je suppose que c'est ton problème, dit-elle en détournant les yeux. Pour ma part, je dois me concentrer sur ce que je peux maîtriser.

S'écartant du comptoir, il traversa la cuisine pour venir se poster devant Kate. Elle se leva aussitôt ; elle lui arrivait à peine à l'épaule — « David contre Goliath », pensa-t-elle fugitivement.

— Je t'en prie, Kate, reste.

Elle ferma les yeux un bref instant, se sentit vaciller vers lui. Elle aurait tant voulu qu'il l'attire à lui… pouvoir pleurer dans les bras de l'homme qui lui faisait du mal. Ce n'est que lorsqu'il posa les mains sur ses épaules et murmura : « Mon ange, s'il te plaît… » qu'elle prit réellement conscience de ce qu'elle faisait.

Elle fit un bond en arrière, rougissant d'humiliation. Elle avait été sur le point de laisser la réconforter l'homme qui l'avait trompée, qui s'était servi d'elle ! Rien n'était plus indécent.

Reprenant ses esprits, elle dit finalement :

— D'accord. Pour les filles, et pour Ruth et Rachel, je resterai quelque temps à la ferme et je continuerai à travailler au magasin.

Il poussa un soupir de soulagement.

— Ce n'est pas pour toi que je le fais, Jay. Ne compte plus me manipuler.

Un muscle de sa joue tressaillit, mais il ne dit rien.

— Et j'ai deux conditions.

— Lesquelles ?

— En premier lieu, je ne garderai pas tes projets de vente pour moi au-delà de Thanksgiving. Dissimuler équivaut à mentir, et je ne mentirai pas à Ruth et Rachel plus longtemps qu'il n'est nécessaire. Alors, trouve un moyen de leur dire la vérité.

— Bien. Quoi d'autre ?

— Tu dois me promettre de ne plus m'approcher.

L'expression douloureuse qu'elle vit passer sur son visage ébranla Kate un instant, mais Jay redevint rapidement impassible.

— D'accord, je promets de ne plus jamais te toucher.

Les mots qu'elle avait souhaité entendre lui firent plus de mal qu'elle ne s'y était attendue. Elle se détourna pour lui cacher sa réaction, et dit, le dos tourné :

— S'il te plaît, va-t'en maintenant.

Une éternité s'écoula avant qu'elle n'entende la porte s'ouvrir et se refermer. Jamais elle ne s'était sentie aussi seule et effrayée, pas même lorsqu'elle avait trouvé Billy en compagnie de sa maîtresse, ou lorsqu'elle avait accouché avant terme.

— Pourvu, murmura-t-elle dans l'obscurité, pourvu que je réussisse à surmonter cette épreuve.

9.

Lorsque Kate arriva au magasin le lundi matin, Ruth se détourna d'une peinture de Lily Mazerick qu'elle était en train de regarder, pour la saluer.

— Bonjour, Kate, fit-elle, fronçant les sourcils devant l'air fatigué de la jeune femme. Toi, tu as mal dormi.

— Non, non, ça va, répondit Kate en esquissant un sourire.

Décidément Kate ne mentait pas très bien. La veille déjà, Ruth et sa sœur avaient remarqué que quelque chose tracassait Kate. Et Ruth était certaine que, d'une manière ou d'une autre, leur neveu en était responsable.

Kate ôta son manteau et vint vers elle. Ses yeux étaient rougis, son teint plus pâle qu'à l'ordinaire.

— Et vous, vous avez bien dormi ? s'enquit Kate.

— Oh, non, nous étions trop excitées pour dormir. Nous avons parlé toute la nuit.

Comme pour illustrer ces propos, Rachel fit son entrée, le pas guilleret et les yeux brillants. Comme Ruth, elle portait un élégant tailleur Chanel, dans les tons verts, tandis que celui de sa sœur était d'un beau rose foncé. Toutes deux avaient bien sûr quelque chose d'important à fêter.

— Bonjour, Katie, dit Rachel, puis avec une inquiétude manifeste : Ma chérie, est-ce que tu vas bien ?

De nouveau, Kate ébaucha un sourire.

— Bien sûr. Surtout si vous allez bien toutes les deux.

— Oh, nous ne pourrions aller mieux, dit Rachel en s'avançant vers le coin repos. Je nous sers un café ?

Kate parcourut le magasin du regard.

— Euh... est-ce que Jacob est là ?

— Non, il dort encore. Et c'est tant mieux, nous avons à parler avant qu'il se réveille, dit Rachel en pressant doucement le bras de Kate pour l'inviter à s'asseoir.

Elle apporta les tasses, et Ruth, après avoir échangé un regard entendu avec sa sœur, commença :

— Cela a dû être un choc pour toi d'apprendre que la librairie appartenait à Abraham. Nous ne te l'avions jamais dit.

— Vous ne me deviez pas d'explications, Ruth, dit Kate d'une voix mal assurée.

— Si nous ne te l'avons pas dit, reprit Ruth, c'est parce qu'Abraham nous l'avait demandé. Nous ne savions pas pourquoi.

— A vrai dire, nous pensions qu'il te la léguerait, observa Rachel.

Kate buvait son café sans faire aucun commentaire. Sa passivité alarma Ruth.

— Et d'une certaine façon, c'est ce qu'il a fait, continua Rachel. Si Jacob n'avait pas réapparu, la librairie et la ferme te seraient revenues.

— Jay vous a dit ça ?

— Oui. Pourquoi ne nous l'aurait-il pas dit ?

S'affaissant dans son fauteuil, Kate haussa les épaules.

— Pourquoi Abraham a-t-il fait ça, selon vous ?

Le visage de Rachel était empreint d'une tendresse toute maternelle.

— Il t'aimait, chérie, répondit-elle doucement.

— Je l'aimais aussi.

— Il t'aimait comme une fille, Katie, dit Ruth avec chaleur. Comme nous. Et maintenant, nous nous inquiétons pour toi encore plus qu'auparavant. Nous espérons bien sûr que tu continueras à travailler au magasin, mais nous ne connaissons pas les projets de Jacob à ce sujet, et nous ne voulons pas le presser de questions alors que nous venons à peine de le retrouver. Mais nous savons que tu te fais du souci et nous voulions en parler avec toi pour que tu saches que nous serons toujours là pour t'aider.

— Je suis capable de me prendre en charge, Ruth. Je l'ai toujours fait.

— Bien sûr, mais nous avons tellement…

Kate se leva brusquement.

— Je préfère ne pas discuter de ça. Vous n'avez aucune obligation envers moi, dit-elle en détournant les yeux vers la vitrine. Personne n'en a. Tout ira bien pour moi.

Ruth réalisa un peu tard qu'elle était allée trop loin, une fois de plus. Elle n'avait pas eu l'intention d'offenser Kate. Celle-ci avait toujours été fière, et c'était une qualité que Ruth admirait chez elle ; mais à cause de ce trait de caractère, les sœurs Steele avaient dû déployer des trésors de diplomatie pour faire accepter leur aide à la jeune femme. Mieux valait laisser tomber le sujet pour l'instant.

Rachel s'était probablement fait la même réflexion car elle dit :

— Très bien, chérie. Nous voulions seulement que tu saches que tu peux compter sur nous. A présent, nous voudrions te demander une faveur.

Kate parut se rasséréner. Si elle acceptait mal de se sentir redevable, elle ne voyait par contre aucun inconvénient à rendre service.

— Tout ce que vous voudrez, repartit-elle en leur adressant son premier vrai sourire de la journée.

— Jacob ne commencera pas à travailler au magasin avant Thanksgiving. Nous allons passer cette semaine avec lui, pour refaire connaissance, et rendre visite ensemble à certaines personnes.

— Je peux tenir le magasin toute seule, dit aussitôt Kate. A part vendredi, peut-être… Non, je demanderai à Simon et Joan s'ils peuvent venir quelques heures dans la journée.

— Ce n'est pas ce que nous voulions te demander.

— Ah ?

Rachel soupira.

— Il faut que nous parlions d'Aaron Mazerick à Jacob.

— Avant qu'il n'apprenne la nouvelle par quelqu'un en ville, dit Ruth.

— Oui.

— Nous aimerions que tu sois là quand nous lui expliquerons.

— Pourquoi ?

Kate semblait extrêmement surprise. Pour une fille intelligente, elle faisait parfois preuve d'une naïveté effarante en ce qui concernait les hommes.

— Il est évident que vous êtes devenus très proches. Il a sauvé les filles, il a habité chez toi… Ça crée des liens.

Kate hocha faiblement la tête.

— Cela risque d'être un choc pour lui, tu comprends. A moins que… Oh, flûte ! Nous ne savons pas pourquoi Jacob est parti il y a quinze ans, mais nous savons qu'il s'était disputé avec son père. Peut-être avait-il découvert l'existence de ce frère illégitime ?

— Je suis sûre que ce n'est pas ça, intervint Rachel. Mais même dans ce cas, il sera choqué d'apprendre que toute la ville est au courant. Je crois que si tu étais là pour le soutenir… comme hier, les choses se passeraient mieux.

Kate les fixait, l'air hagard.

— Je…

— Katie, est-ce que tu nous caches quelque chose ? demanda Ruth.

— Non, non.

— Est-ce que Jacob a fait quelque chose qui t'a offensée ?

Sa réponse tarda à venir.

— Sincèrement, je n'ai pas beaucoup apprécié sa façon de me dissimuler son identité.

— Pourquoi a-t-il fait ça ? s'enquit Rachel. Il ne nous l'a pas dit.

— Je préférerais que vous parliez de cela avec lui. Je suis sûr qu'il vous expliquera tout très bientôt.

— Sans doute, dit Rachel en reposant sa tasse. Bien, alors, chérie, veux-tu bien nous aider à lui dire la vérité à propos d'Aaron ?

— Bien sûr. Je serai là.

Les deux sœurs se levèrent et embrassèrent Kate à tour de rôle. Ruth la sentit frissonner contre elle et elle la serra plus fort.

Puis elle s'écarta et dit, avant de rejoindre Rachel qui l'attendait près de la porte :

— Nous avons prévu un déjeuner de fête pour ce midi. Nous te verrons tout à l'heure.

Elle sourit, mais l'expression abattue de Kate l'inquiétait au plus haut point. Il fallait qu'elle trouve un moyen de découvrir le pourquoi de cette curieuse apathie.

— Steele Books, Kate McMann à l'appareil.

— Hello, Katie. C'est Ruth. Le déjeuner sera prêt dans un quart d'heure. Est-ce que tu pourrais aller prévenir Jacob, et ensuite venir avec lui ?

Kate compta dix secondes avant de répondre :

— Je vais l'appeler et lui demander de nous rejoindre.

— La ligne de l'appartement n'est pas encore rétablie, chérie.

— Il a un portable.

Il y eut un silence au bout du fil, puis :

— Bon. A tout de suite, alors. Nous vous attendons.

A peine avait-elle raccroché que Kate s'en voulut. Ruth et Rachel la connaissaient bien. Elles avaient déjà senti que quelque chose clochait, et Kate ne voulait pas gâcher le moment qu'elles avaient attendu durant tant d'années.

Elle chercha le numéro de Jay et le composa. Occupé. « Zut ! » se dit-elle en jetant un coup d'œil à sa montre. D'un pas lourd, de plus en plus lourd — elle avait mal dormi, évidemment —, elle se dirigea vers l'arrière du magasin et dit à Simon en passant devant le bureau :

— Simon, je vais déjeuner. Vous êtes sûr que ça ne vous ennuie pas ?

Simon leva les yeux de l'ordinateur et sourit malicieusement.

— Je me débrouillerai très bien. A moins, bien sûr, que Mme Keller ne débarque pour me faire la cour. Ma fille dit qu'elle a le béguin pour moi.

Kate lui sourit en retour. La légèreté de Simon lui faisait du bien. Lynn avait raison, tout finirait par s'arranger. Elle avait ses filles, les sœurs Steele et des amis. Et personne, pas même l'enfant prodigue de Riverbend, ne pourrait lui enlever ça.

C'est en s'encourageant de la sorte que Kate grimpa au premier étage, empruntant l'escalier intérieur, dont, toujours soucieuse des détails, elle avait repeint les murs et qu'elle avait décoré de posters d'écrivains. Arrivée sur le palier, elle inspira profondément et frappa.

— C'est ouvert.

Sur cette invitation, Kate tourna le bouton de la porte et entra dans le vestibule qui s'ouvrait sur un vaste séjour. Tout le mobilier qui meublait cette pièce avait appartenu aux grands-parents Steele. Kate les avait cirés, et avait même teinté le bureau de façon qu'il s'harmonise avec le bois sombre des plinthes et des encadrements cintrés des fenêtres.

Jay était assis au bureau, occupé à téléphoner, et lança sans se retourner :

— J'en ai pour une minute, tante Ruth, et je suis à toi.

Puis au téléphone :

— Non, je ne pense pas que ce soit une bonne idée.

Contre sa volonté, Kate l'observa. Elle considéra ses larges épaules aujourd'hui dissimulées sous un gros pull-over marron, mais dont elle savait qu'elles étaient semées de taches de rousseur, et sur lesquelles, par jeu, il l'avait hissée sans le moindre effort au cours de leur folle nuit. Le souvenir lui fit mal.

— J'ai dit non, Mallory. Je n'en discuterai pas plus longtemps. Je dois y aller, dit-il d'un ton sec avant de couper la communication.

Kate s'éclaircit la gorge et dit :

— Ce n'est pas Ruth.

Il pivota dans le fauteuil de bois travaillé. Il semblait las, et une expression étrange flottait sur son visage.

— Ruth m'a demandé de venir te chercher. Le déjeuner…

Kate s'interrompit à la vue de ce que le corps de Jay lui avait dissimulé avant qu'il se retourne. Un ordinateur portable, à l'évidence haut de gamme, était posé sur le bureau.

— Tu as un ordinateur, dit-elle, incapable de formuler une autre pensée.

— Oui.

— Tu l'as toujours eu.

— Oui.

Elle croisa les bras sur sa poitrine comme pour se protéger des coups qui allaient venir.

— Laisse-moi deviner… Tu as utilisé le mien pour fouiller ma vie.

— Je ne te connaissais pas, Kate. Il fallait que je découvre ce qui se tramait à la librairie.

— Donc, tu as épluché les comptes du magasin…

Elle réfléchit un instant et haussa les épaules.

— Oh, et puis, ils t'appartiennent, après tout. Tout ça n'est qu'une histoire d'argent, n'est-ce pas ?

— C'était ça, au début.

Elle ne releva pas sa remarque car autre chose venait de la frapper. « Billy devrait te verser une pension. Tu n'aurais pas à économiser sur tout, s'il le faisait. » Son estomac protesta tandis que son esprit réunissait les pièces d'un puzzle qu'elle aurait voulu ne jamais assembler.

— Tu as examiné aussi mes comptes personnels ?

Il la fixait d'un air sombre. Son regard était un aveu à lui seul. Il hocha seulement la tête.

— Il ne manquerait plus que tu m'avoues avoir fouillé la maison, dit-elle avec un geste d'incrédulité accablée.

Il ne protesta pas.

— Oh, mon Dieu ! Tu l'as fait ?

— Je regrette.

Elle cligna des yeux plusieurs fois, puis se détourna et marcha vers la porte.

— Attends.

Elle s'arrêta, ne serait-ce que parce qu'elle avait craint un instant de trébucher et de tomber dans l'escalier. Et elle ne voulait pas finir comme Maddie, la pauvre héroïne d'Ethan Frome, qui devenait infirme et perdait tout à cause d'un homme.

— J'ai essayé de te le dire, dimanche. Je ne te connaissais pas quand j'ai commencé, mais après la première semaine, j'ai compris que tu étais honnête et j'ai arrêté…

— De m'espionner ? Tu as arrêté de m'espionner au bout de sept jours ? Et c'est censé me réconforter ?

— C'était avant que toi et les filles ne commenciez à compter pour moi.

— Personne ne compte pour toi ! Tu ne te soucies que de toi-même, *Jacob*. Mais il est temps d'enfiler ton habit de bon garçon, à présent, parce que, aussi incroyable que cela soit, Ruth et Rachel t'aiment et pensent que tu es quelqu'un de bien.

— Je t'ai dit que je n'étais pas l'homme généreux que tu croyais voir.

— Oui, ça a été une grossière erreur de ma part de ne pas t'écouter.

Elle regarda sa montre.

— Il faut partir, maintenant. Je ne veux pas que Ruth et Rachel aient à t'attendre. Quinze ans, c'est suffisant, non ?

Jay tira une chaise pour permettre à Ruth de s'asseoir. « Ne t'assieds jamais avant une dame, Jacob », avait l'habitude de dire Rachel lorsqu'il était enfant ; et Ruth d'ajouter : « Les femmes aiment les petites attentions, elles tomberont toutes à tes pieds, tu verras. »

Il jeta un coup d'œil dans la direction de Kate, réalisant avec consternation qu'*elle,* jamais, ne tomberait à ses pieds. Ses tantes l'avaient placée à côté de lui, en face d'elles deux, et lorsqu'il s'assit à son tour, elle se décala légèrement sur la droite ; cependant son épaule effleurait toujours la sienne. Un parfum de fleurs l'enveloppa, l'émouvant plus qu'il n'aurait souhaité, lui qui tentait si fort de se forger une caparace depuis la veille, et il sentit qu'il était en train de perdre la bataille.

— Ça a l'air délicieux, dit-il en regardant la quiche au fromage, les petits pâtés en croûte et la salade.

Ruth se pencha en avant et prit sa main sur la table.

— Rien que le meilleur pour notre garçon, dit-elle.

— Je ne mérite pas ça.

Les mots lui avaient échappé, mais il réalisa en les prononçant que c'étaient des mots justes, nécessaires.

— Bien sûr que si, chéri, repartit Rachel. Maintenant, baisse ta tête et remercions le Seigneur pour ton retour.

Il obtempéra, ou du moins inclina-t-il la tête, mais pour ce qui était de rendre grâce, il préférait ne pas y songer. Kate baissait la tête elle aussi, mais les articulations de ses doigts étaient blanches tant elle les serrait fort ; elle le maudissait probablement, et ne remerciait certainement pas Dieu d'avoir ramené l'enfant prodigue, le cynique Jay, à Riverbend.

Le repas se déroula toutefois agréablement. Jay percevait la tension de Kate, mais ses tantes ne parurent rien remarquer. Ils parlèrent du temps qu'il faisait, du magasin, de Riverbend. Ce n'est que lorsqu'il heurta par mégarde la jambe de Kate, à la fin du repas, et qu'elle sursauta, dissimulant aussitôt son mouvement de recul dans une quinte de toux, que Ruth et Rachel s'avisèrent que quelque chose n'allait pas.

— Oh, Kate, j'espère que tu n'as pas pris froid ?

— Non, non, Rachel, je vais très bien.

— Nous ne voudrions pas que tu sois malade pour Thanksgiving, dit Ruth en souriant. Imagine, Jacob sera à la ferme avec nous cette année. Comme autrefois.

La fourchette de Kate crissa bruyamment dans son assiette.

— Quelque chose ne va pas, Kate ?

— Non, non.

— Qui d'autre est invité ? lui demanda Jay.

— Lynn et Tom, avec ses enfants. J'ai demandé à Mitch et Tessa, mais ils ne pourront peut-être pas être là. Et Lily et Aaron ont dit qu'ils viendraient.

— Lily et Aaron ?

Un silence s'abattit sur les quatre convives. Ruth et Rachel reposèrent lentement leurs couverts. Elles regardèrent Kate, qui sourit, comme pour les encourager.

— Jacob, commença Rachel, nous avons quelque chose à te dire. Quelque chose que tu dois savoir avant de te promener en ville.

L'atmosphère de la pièce s'était rafraîchie de plusieurs degrés. Il posa ses coudes sur la table, les sourcils froncés.

— De quoi s'agit-il ? C'est au sujet de Lily Bennett ? Et d'Aaron… comment ?

— Lily Bennett a épousé Aaron Mazerick le mois dernier, dit Ruth.

— Aaron Mazerick ? Maz ?

Jay se souvenait du garçon mince à l'air taciturne. Drummer, son entraîneur de basket, avait demandé à Jay d'essayer de lier amitié avec lui et à cette époque Jay se serait coupé la main droite pour faire plaisir à son coach. Et de toute façon, quelque chose dans ce garçon l'avait toujours intéressé.

— Oui, répondit Rachel.

— Vous êtes en contact avec lui ?

Jay se rappelait qu'Aaron avait été considéré comme l'un des premiers délinquants de Riverbend. Il intriguait et effrayait tout à la fois la plupart des jeunes de la localité.

— Oui. Il est revenu ici il y a quelques années pour s'occuper de sa mère qui avait eu une attaque, et Wally Drummer l'a persuadé de rester. Il est conseiller d'orientation au lycée, à présent, et il entraîne l'équipe de basket.

— Nous l'avons vu régulièrement, en fait, depuis que les volontés de ton père ont été révélées.

Les mots de Harrison lui revinrent à la mémoire : « Ton père a fait plusieurs legs peu ordinaires… »

— Aaron a reçu une part de l'héritage ?

— Une part considérable.

— Pour quelle raison ?

Ruth hésita. La main de sa sœur se posa sur son bras.

— Jacob, dit Rachel d'un ton grave, Aaron Mazerick est le fils de ton père.

Il ne lui fallut pas moins d'une minute pour assimiler l'information. *Le fils de ton père*. Cela signifiait que… cela faisait de lui…

— Je ne comprends pas, dit-il. Le père d'Aaron était…

Puis il se rappela, la mère d'Aaron n'avait jamais été mariée, et quelquefois les camarades de classe d'Aaron émettaient des suppositions quant à l'identité de son père. Mais jamais Jay n'avait entendu… n'avait envisagé… Bon sang, son père avait eu un enfant illégitime. *Son* père n'avait jamais reconnu ce garçon, le condamnant à subir perpétuellement sarcasmes et remarques cruelles. Car si les enfants peuvent être méchants, nombre d'adultes à l'esprit étroit le sont tout autant.

Mais pourquoi était-il surpris ? Cela cadrait tellement bien avec le caractère de l'homme qui l'avait élevé.

— Tu ne savais rien ? s'enquit Ruth.

Il recouvra finalement sa voix.

— Si je savais ? Bien sûr que non. Qu'est-ce qui a pu vous faire croire ça ?

— Nous pensions que c'était peut-être la raison pour laquelle tu étais parti.

— Non, tante Ruth, ce n'est pas pour ça que je suis parti.

Jay cacha son visage derrière ses mains et resta ainsi un long moment, s'efforçant de reprendre pied. Puis il sentit une main presser son avant-bras, comme la veille. Il tourna alors la tête vers Kate et lut dans ses yeux une compassion qu'il ne méritait pas.

— Ce doit être un tel choc, dit-elle doucement.

— Je… j'ai un frère. Du moins un demi-frère, murmura-t-il en secouant la tête. Et je ne le savais pas.

— Aaron nous a dit combien tu avais toujours été gentil avec lui, rappela Rachel.

« Aaron, on fait quelques lancers après l'entraînement ? Aaron, je te ramène en voiture ? Il fait froid aujourd'hui… »

C'était son frère et il ne le savait pas. Cette pensée le rendait malade.

— J'espère qu'Abraham brûle en enfer pour ce qu'il a fait ! s'exclama-t-il, laissant brusquement éclater sa colère. Il n'avait pas le droit de faire ça à un enfant. A *son* enfant.

— Jacob, ton père était…

Jay repoussa bruyamment sa chaise et se leva.

— Mon père était un monstre, Ruth.

Il regarda autour de lui avec la sensation d'être un lion en cage. Tous ses anciens ressentiments, toute sa fureur d'autrefois resurgissaient.

— Ecoutez, je suis désolé mais il faut que je sorte un moment. J'ai besoin de réfléchir. Je dois… m'habituer à l'idée.

Son regard s'arrêta sur Ruth et Rachel.

— Ça ne vous ennuie pas ? C'est juste que… il me faut un peu de temps pour… assimiler tout ça.

— Bien sûr, chéri. Nous comprenons. Sois seulement prudent si tu conduis, dit Rachel d'une voix un peu étranglée.

Ruth demanda doucement :

— Tu reviendras, cette fois, n'est-ce pas, Jacob ?

Jay sentit son cœur déjà meurtri se briser en prenant conscience de la crainte que Ruth exprimait à mots à peine couverts.

Il alla vers elle et l'embrassa, puis il embrassa Rachel.

— Je vous le promets. J'ai seulement besoin de quelques heures.

Il s'arrêta un bref instant près de Kate et elle lui adressa un sourire de sympathie en lui serrant une nouvelle fois le bras. Mais même elle ne pouvait le réconforter.

La Sycamore River était turbulente à cette époque de l'année. Ses eaux étaient couleur de vase et une odeur de terre, vaguement menaçante, émanait de ses rives assaillies par le courant. Une brise froide soufflait, ébouriffant les cheveux de Kate. Elle remonta la fermeture de sa veste et resserra son foulard avant de se diriger vers le grand sycomore sous les branches duquel se tenait Jay, silhouette solitaire dans le demi-jour de la fin d'après-midi.

« S'il te plaît, Katie, va le chercher. Cela fait deux heures, maintenant. Nous sommes sûres qu'il est au bord de la rivière, près du grand arbre, probablement. Nous le trouvions toujours là lorsqu'il était contrarié. »

Elle secoua la tête. Après avoir découvert qu'il l'espionnait, elle s'était promis de ne plus jamais avoir affaire à lui, mais elle ne pouvait demeurer sourde à une prière des sœurs Steele ; elles étaient trop inquiètes. Et, inutile de le nier, elle aussi l'était. En dépit de tout ce qui était advenu.

A deux mètres de lui, elle s'immobilisa. Il se tenait debout au bord de l'eau, les pieds légèrement écartés, les mains enfoncées dans les poches de sa veste en cuir, le dos raide.

— Jay, dit-elle simplement.

Il tressaillit, mais ne se retourna pas pour la regarder.

— Tu n'aurais pas dû venir. Surtout après…

Il ne termina pas sa phrase. C'était inutile. Tous deux savaient quelles choses moches il avait faites.

— Ruth et Rachel s'inquiètent.

Il pivota enfin. Il avait le visage ravagé d'un Van Gogh.

— Elles te font passer ça, dit-elle en s'approchant pour lui tendre l'écharpe et les gants qu'elle avait apportés. Il fait froid.

Ses lèvres esquissèrent un sourire sans joie tandis qu'il nouait l'écharpe autour de son cou comme un fils obéissant.

— Elles prennent encore soin de moi. Où ont-elles trouvé ces affaires ?

— Tu n'as pas envie de le savoir.

— Au point où nous en sommes, qu'est-ce qu'un coup supplémentaire ?

Elle haussa légèrement les épaules et dit aussi gentiment qu'elle le put :

— Elles te les avaient achetées pour Noël, il y a quinze ans. Rachel les a conservées dans sa commode depuis le jour de ton départ, le 24 décembre.

Un coup supplémentaire était à l'évidence un coup de trop. Les yeux de Jay s'enfoncèrent un peu plus dans ses orbites. Parce qu'elle détestait voir les autres souffrir, et parce qu'en dépit de tout, elle ne pouvait s'empêcher de se tourmenter à son sujet, elle dit :

— L'important, c'est le présent, Jay. Tu les as blessées, mais tu as aujourd'hui l'occasion de réparer.

— En vendant la librairie et en repartant pour New York ? repartit-il d'une voix amère.

La dure réalité frappait de nouveau. Plus mordante que le vent âpre de novembre. Elle n'avait même pas su où il habitait. Mais après tout ce que Rachel et Ruth avaient fait pour elle, Kate se devait de mettre sa peine et sa colère de côté pour tenter de les aider.

— Tu peux venir les voir régulièrement. Elles peuvent te rendre visite. New York n'est pas si loin.

— Avec la vie que je mène, je pourrais aussi bien être sur une autre planète, marmonna-t-il en se tournant de nouveau vers la rivière.

Elle resta silencieuse un moment avant de demander :

— Est-ce que tu veux parler d'Aaron ?

— Je ne sais pas.

— Dis-moi à quoi tu penses.

— Je pense à l'ironie de l'existence. Abraham Steele avait deux fils, et à cause de son stupide orgueil qui l'a empêché de reconnaître Aaron, il a fini par n'en avoir plus aucun.

Il eut un mauvais rire.

— Il lui serait resté Aaron quand je suis parti il y a quinze ans, et plus tard, lorsqu'il est revenu… Quand était-ce ? Il y a deux ans ?

— Oui. Abraham a de grands torts envers Aaron, Jay. Personne ne peut le nier.

Jay donna un coup de pied dans un caillou, lequel atterrit dans l'eau en faisant une grande gerbe.

— Ce n'est pas moi qui songerais à lui trouver des excuses. Je serais presque content d'apprendre de quel acte méprisable il a été capable.

— Est-ce que cela… allège en partie le poids de ta culpabilité ?

Il haussa les épaules.

— Je suppose que oui.

— Que vas-tu faire maintenant ?

Il lui fit face. Le froid avait rougi son visage.

— Je vais aller voir Aaron, bien sûr.

— C'est la bonne chose à faire.

— Surprise de me découvrir un semblant de probité, Kate ? demanda-t-il aigrement.

— Quoi que tu aies pu faire dans le passé, Jay, je te serai éternellement reconnaissante d'avoir sauvé la vie de mes filles.

Jay la fixa un long moment, s'efforçant de réprimer la colère que la remarque de Kate avait fait monter en lui.

— Je ne veux pas de ta gratitude.

Elle se sentit pâlir.

— Qu'est-ce que tu veux, Jay ? demanda-t-elle comme poussée malgré elle à prononcer ces mots.

« Ton amour. » A peine la pensée s'était-elle formée dans son esprit qu'il la rejeta avec force. Il ne voulait pas l'aimer. Il y avait longtemps qu'il avait cessé de désirer ce qu'il savait ne pas pouvoir obtenir.

— Je voudrais que tu aides Ruth et Rachel à traverser tout ça. Pas moi. Tu viens ici, tu me parles…

— Je suis venue pour tes tantes, Jay, pas pour toi.

Ses paroles le blessèrent, même si c'était un juste retour des choses.

— Je comprends. Tu peux donc retourner au magasin, à présent. Dis à mes tantes que je vais bien, que je rentrerai après avoir vu Aaron.

Il jeta un coup d'œil à sa montre.

— Il travaille au lycée, n'est-ce pas ? Je suppose qu'il doit avoir terminé à cette heure-ci.

— Il est probablement à la salle de sport. Il a souvent des entraînements.

— Je vois. Est-ce que tu peux dire à Ruth et à Rachel que je serai à l'heure pour les emmener dîner comme je leur ai promis ?

— Ça leur fera plaisir.

Se tournant vers la rivière qu'il avait aimée un jour, qui avait apaisé ses chagrins d'enfant, il écouta ses pas s'éloigner dans les fougères. Il éprouvait tout à coup une absurde envie de la supplier de rester auprès de lui, de l'aider à surmonter la nouvelle effarante qu'il venait d'apprendre.

Mais il se contenta de la regarder partir, par-dessus son épaule. Ses cheveux volaient au vent. Elle courbait la tête, serrait sa veste autour d'elle pour se protéger du froid, et il s'inquiéta de ce qu'elle n'était pas assez chaudement vêtue. Elle prenait davantage soin des autres que d'elle-même.

Comme elle disparaissait sous le couvert des arbres, il ressentit un désir si vif qu'il en sursauta presque. De surprise et d'effroi. L'homme qu'il était devenu ne savait pas gérer cette émotion. Jeune garçon, il avait adoré éprouver ce sentiment unique d'attraction pour un autre être, mais il l'avait tué en lui avec toute la détermination dont il était capable. Et il ne savait pas pourquoi cela resurgissait maintenant.

Maudit Riverbend.

10.

Il n'aurait pas dû venir ici. Il n'avait pas mesuré l'effet que la vue et l'odeur du gymnase auraient sur lui. Près de vingt ans avaient passé, mais rien n'avait changé — l'odeur de détergent et de sueur mêlés, le crissement des chaussures sur le court, le trille strident du sifflet, la lourdeur de l'atmosphère.

Jay, debout à l'entrée de la salle, regardait son demi-frère courir d'un bout à l'autre du terrain, encourageant des garçons qui paraissaient incroyablement jeunes. Il se revit tirer du centre du terrain tandis que les spectateurs retenaient leur souffle lors du dernier tournoi des lycées auquel il avait participé, et chercher Abraham des yeux quand le ballon avait rebondi sur le panier.

L'homme en transpiration qui se démenait aujourd'hui sur le terrain n'avait pas eu, lui, de père vers qui tourner son regard, en quête d'une approbation, ni même d'un reproche. Evie Mazerick avait-elle jamais assisté à un match ? Jay observait Aaron, cherchant à déceler des ressemblances. Il était grand, pas aussi grand que lui pourtant, mais il était large d'épaules comme lui. Se seraient-ils échangé leurs sweat-shirts s'ils avaient été élevés ensemble ? Se seraient-ils confié leurs premiers émois amoureux ?

Un mouvement dans les tribunes attira l'attention de Jay. Fasciné, il regarda l'ancien et très respecté entraîneur de basket de Riverbend High venir vers lui. Les cheveux de Wally Drummer avaient certes grisonné et l'âge avait adouci ses traits, mais il était toujours solidement charpenté et semblait n'avoir rien perdu de sa détermination.

— Bonjour, coach, dit-il lorsque celui-ci l'eut rejoint.

— Bonjour, Jacob. Ça fait plaisir de te voir.

Jay serra la main offerte et la tint un moment tandis que son coach, de son autre bras, lui donnait une tape amicale dans le dos.

— Bienvenue au bercail, dit Drummer d'un ton bourru.

— Merci.

Il jeta un coup d'œil vers le terrain.

— Vous n'entraînez plus, si ?

— Non, je suis juste passé pour expliquer quelques exercices à Aaron.

Ses épais sourcils gris se rapprochèrent.

— Tu es au courant pour Aaron et… ton père ?

— Je viens de l'apprendre, répondit-il en détournant les yeux. C'est pour ça que je suis ici.

— Je vois.

— Je ne veux pas interrompre l'entraînement, alors j'attends.

Comme il finissait sa phrase, il s'aperçut que toute action avait cessé sur le terrain. Plusieurs paires d'yeux les observaient. Entouré de son équipe, Aaron se tenait debout au milieu du terrain, les jambes légèrement écartées, le ballon sous un bras.

— Il est des choses qui n'attendent pas, dit Drummer.

Puis il se dirigea vers Aaron, non sans s'être retourné pour ajouter :

— Passe voir Mary un de ces jours, elle sera heureuse de te voir.

— Promis.

Drummer parla à Aaron, posa sa main sur son épaule et la laissa là plus longtemps qu'il n'était naturel, mais le visage d'Aaron ne parut pas trahir d'émotion particulière. Jay se souvint de l'air d'indifférence qu'Aaron affectait autrefois et qui était sans doute déjà sa façon à lui de se protéger.

Regardant Jay, Aaron donna le ballon à Drummer et rejoignit l'entrée de la salle à petites foulées. Jay entendit le jeu reprendre, mais toute son attention était concentrée sur l'homme qui venait vers lui. Son frère.

— Bonjour, Aaron.

— Jacob, répondit simplement celui-ci.

Sa voix était profonde, aussi basse que celle de Jay.

— Je viens juste d'apprendre..., dit-il, contenant avec peine l'émotion qui l'envahissait.

Aaron se contenta de hocher la tête sans mot dire.

Jay se retrouvait soudain dans la peau du garçon de treize ans qui cherchait désespérément à se faire un ami.

— Je ne voulais pas interrompre ton entraînement. Mais je n'ai pas pu attendre. J'ai pensé que nous pourrions convenir d'un moment où nous pourrions parler.

Aaron haussa les épaules.

— Maintenant si tu veux. Wally me remplace.

Jay sourit.

— Succéder à Drummer à la tête des Rivermen doit être une lourde tâche, observa-t-il.

— Oui, les temps changent. Les gens aussi.

Jay opina silencieusement.

— Allons à mon bureau, proposa Aaron.

En entrant dans l'ancien bureau de Wally Drummer, Jay fut de nouveau submergé par les souvenirs, mais il ressentit aussi une sorte de soulagement à se retrouver dans cette petite pièce familière et encombrée, d'autant plus embarrassée aujourd'hui qu'on y avait ajouté une table occupée par un ordinateur. Toutefois, il évita de regarder les photos des anciennes équipes accrochées aux murs.

— Assieds-toi, dit Aaron en enfilant un sweat-shirt aux couleurs du lycée. Tu veux un verre d'eau ?

— Non, merci.

Les mains croisées entre ses genoux, Jay regarda Aaron sortir une bouteille du petit réfrigérateur et boire à grosses goulées ; lorsqu'il en eut bu la moitié, il reposa la bouteille et s'adossa à sa chaise.

— Une nouvelle de taille, hein ? fit-il.

Jay chercha ses mots. Il ne savait pas exactement ce qu'il était venu dire à Aaron, mais ce qu'il savait, c'était qu'il était déterminé à réparer, autant que faire se peut, la faute de son père.

— Qu'en penses-tu, Jacob ?

Aaron paraissait posséder la confiance en lui d'un homme qui a affronté ses démons, mais sa voix tremblait un peu. Jay se rendit compte que son opinion importait beaucoup à Aaron. Il s'éclaircit la gorge, se redressa et prit une inspiration.

— Je pense que t'avoir comme frère est une des meilleures choses qui me soient jamais arrivées. Je voudrais l'avoir su il y a vingt ans.

Il dut avaler sa salive pour continuer.

— Je regrette que ce n'ait pas été le cas. Je regrette qu'Abraham se soit comporté de cette façon. C'était un salaud.

Aaron sembla réprimer une émotion intense. De la colère, probablement.

— Oui.

Il secoua la tête, et ajouta :

— Il avait deux faces. Tu as eu la bonne et moi, la mauvaise. C'est ainsi.

Il souriait à présent et son air sage, posé, dénotait une paix intérieure que Jay lui envia.

— Comment peux-tu en parler aussi calmement ?

— J'étais hors de moi quand je l'ai appris, en juillet. Mais, progressivement, la douleur s'est atténuée. J'ai déversé une partie de ma colère auprès de ton cousin, Tom, lorsqu'il est revenu ici, et Lily m'a aidé. Ça va beaucoup mieux maintenant.

— Et tu as épousé Lily. C'est super.

— Mmm. La vie est belle à présent.

Jay se rembrunit.

— Mais tu aurais pu avoir une plus belle vie avant, remarqua-t-il, sombre. C'est tellement injuste.

— Oh, tu sais… La tienne a sans doute été plus belle, mais regarde ce qui t'est arrivé.

Jay resta silencieux. Il était clair que le plus heureux des deux, dans cette pièce, était Aaron. Celui-ci avait certes eu une enfance dure, mais Jay devinait que, depuis, son frère avait trouvé des réponses et atteint une sérénité que Jay n'avait jamais eue.

— Je ne voulais pas te blesser, s'excusa Aaron, probablement inquiet de son silence.

— Non, non, je sais. Il n'y a pas de mal.

— Je crois que je devrais retourner sur le terrain. Wally n'est plus tout jeune. Il est en forme, mais les gamins ne vont pas l'épargner.

— Autrefois, à cause de la façon dont il t'avait pris sous son aile, je me disais que *peut-être* il était ton père. J'aurais aimé qu'il le soit.

Aaron se leva en même temps que Jay. Il tendit sa main et Jay la serra, longuement.

— Moi aussi, à l'époque, j'aurais voulu que Wally soit mon père, mais aujourd'hui, Jacob, dit Aaron d'un ton grave en le regardant dans les yeux, je suis content que ce ne soit pas lui.

Il sourit et ajouta :

— On se voit bientôt, frérot ?

— Sûr.

Ce fut tout ce que Jay, qui avait la gorge nouée, parvint à prononcer.

*
* *

— Je croyais que tu serais partie à cette heure.

Jay se tenait sur le seuil du bureau de Kate. Les cheveux en bataille et les traits marqués par la fatigue, il était beau malgré tout, avec sa veste de cuir et son pantalon de laine bien coupé.

Kate s'en voulut aussitôt de s'être fait cette réflexion.

— Je mettais les comptes à jour en t'attendant. Comment cela s'est-il passé avec Aaron ?

Il enfonça les mains dans ses poches et s'appuya contre le chambranle.

— Bien. Il a beaucoup changé.

— Le mariage lui réussit. Lily et lui sont heureux.

— Oui, ça se voit. Tu m'as attendu pour me parler de ma rencontre avec Aaron ? demanda-t-il, la scrutant de son regard sombre.

— Non. Les filles sont chez Ruth et Rachel. Je leur ai dit qui tu étais vraiment et elles ont exprimé le souhait de te parler avant de rentrer.

— Comment ont-elles réagi ?

— Elles sont troublées.

— Tu as une suggestion à faire sur la façon dont je pourrais…

— Sois honnête avec elles, dit-elle sans le laisser finir. Du moins, autant que tu peux l'être.

— Kate, je…

— Allons-y, coupa-t-elle.

Elle ne s'attendrirait pas, ne le réconforterait pas, n'écouterait aucune excuse. Non. Elle passa à côté de lui sans le regarder et se dirigea vers l'entrée du magasin. Il la suivit.

Les deux paires de jumelles étaient installées dans le canapé — toutes quatre vêtues de nuances différentes de bleu —, où elles étaient occupées à lire. Elles levèrent la tête à leur entrée et s'immobilisèrent en voyant Jay. Ce fut Ruth qui réagit la première.

Il s'approcha d'elle et l'embrassa.

— Comment…

Elle ne termina pas sa phrase. Jay lui sourit et déposa un second baiser sur son front. La tendresse de son geste toucha Kate plus qu'elle ne l'aurait voulu et elle ferma les yeux un instant.

— Ça s'est bien passé, mieux que je ne l'imaginais. Mais…

Il jeta un coup d'œil vers les filles.

— … nous pourrons en parler plus tard.

Hope resta blottie contre Rachel, mais Hannah sauta sur ses pieds et, tel saint George prêt à se battre avec le dragon, elle demanda en le regardant bien en face, les mains sur les hanches :

— Pourquoi t'as menti ?

Les yeux de Jay parurent s'assombrir. Comment Jay Lawrence, le chef d'entreprise habitué à commander des hommes dont les revenus mensuels ne comptaient pas moins de six chiffres, allait-il réagir à l'impertinence d'une fillette ? Kate fit un pas en avant, prête à intervenir si nécessaire.

Jay s'accroupit devant Hannah.

— Je ne vous ai pas dit qui j'étais, Hannah, parce que lorsque je suis arrivé, il y avait beaucoup de choses que je ne comprenais pas et j'essayais d'y voir plus clair.

— Maman dit que cacher des choses, c'est la même chose que mentir, insista Hannah en le fixant de ses grands yeux bleus. T'as menti.

Il prit une longue inspiration, se leva et alla s'asseoir sur une chaise.

— Tu veux venir par là, Hannah ?

Elle alla vers lui.

— Et toi, Hope ? Tu veux bien venir aussi ?

Hope refusa d'un mouvement de la tête, les doigts enfoncés dans sa bouche, et se serra un peu plus contre Rachel.

— Bon, comme tu veux. Alors, écoute seulement, trésor. Voilà, c'est vrai, j'ai menti. Et c'était très mal de ma part. Je voulais que personne ne sache qui j'étais jusqu'à ce que j'aie réussi à comprendre certaines choses. Ensuite, je me suis fait mal au genou et ce n'était plus le bon moment pour dire la vérité.

« Non, c'était le bon moment pour m'espionner », pensa amèrement Kate, mais elle ne dit rien.

L'explication de Jay était plutôt vague, mais Hannah semblait l'accepter. Hope, toutefois, conservait un air méfiant.

Mais c'est la réaction de Ruth et de Rachel qui inquiéta le plus Kate. A l'évidence, elles étaient à présent extrêmement troublées. Sans doute parce qu'une grosse pièce du puzzle manquait. Jay avait tu les soupçons qu'il avait eus à son égard. Comment leur avait-il expliqué ce besoin de garder le secret sur sa présence à Riverbend ?

— Tu comprends ça, Hannah ? demandait-il.

— Oui, je crois. Mais maman dit que quand on ment, on fait de la peine.

Jay regarda ses tantes.

— J'ai fait de la peine à beaucoup de monde. Et je le regrette.

Les yeux d'Hannah s'animèrent. Ça, c'était un sentiment qu'elle connaissait.

— Moi aussi, je regrette quand j'ai fait quelque chose de mal. Mais après, je suis gentille.

— Alors, je vais essayer d'être gentil à partir de maintenant, d'accord ?

Il lui ébouriffa les cheveux et Hannah se jeta dans ses bras. Kate sentit sa gorge se serrer et elle vit des larmes briller dans les yeux de Ruth et de Rachel. Lorsque Hannah s'écarta, Jay se leva, la prit par la main et alla jusqu'au canapé devant lequel il s'accroupit.

— Hope, tu as entendu ce que j'ai dit ?

Elle hocha la tête.

— Est-ce que tu veux bien me pardonner ?

Elle marmonna quelque chose d'inintelligible.

— Ote tes doigts de ta bouche, chérie, dit Rachel gentiment.

Ce qu'elle fit pour dire :

— Maman pleure quelquefois quand papa nous ment. Est-ce que tu as fait pleurer maman ?

Oh, mon Dieu, Kate ne savait pas que ses filles l'avaient entendue pleurer ; cela lui était arrivé une ou deux fois quand Billy les avait laissées tomber à la dernière minute, pour un match de foot ou une nouvelle petite amie.

Jay baissa la tête. Il semblait s'efforcer de reprendre le contrôle de lui-même. Rachel posa une main sur son épaule. Au bout d'un moment, il regarda Hope de nouveau.

— Je sais que j'ai causé du chagrin à ta maman, Hope. Et je le regrette beaucoup.

— Promets que tu ne lui en feras plus.

Kate détourna les yeux. Elle entendit Jay murmurer quelques mots, puis elle vit du coin de l'œil Hope lâcher enfin Rachel pour embrasser Jay. Elle leur fit alors face de nouveau et croisa le regard de Jay.

Tous deux savaient qu'il lui aurait fait encore plus de mal avant que se soient écoulées quatre semaines.

Le mardi, lorsque Jay était entré au Sunny Side Café, où il avait rendez-vous avec Tom Baines pour déjeuner, il avait immédiatement repéré Evie Mazerick assise au comptoir. Evie Mazerick... la maîtresse de son père. Perchée sur un tabouret, elle lui avait fait un léger signe de la tête. Il avait répondu de la même façon, puis il était allé s'asseoir hors de son champ de vision. Lucy Garvey, la sœur de Charlie Callahan, lui avait apporté un café et il avait bavardé un moment avec elle, mais à présent, seul devant sa tasse, il ne pouvait empêcher ses pensées de revenir à Kate. Et aux filles.

Il avait éprouvé une telle honte devant le regard sérieux de Hope. « Promets que tu ne feras plus de mal à maman », avait-elle dit avec son innocence d'enfant. Il avait alors brutalement pris conscience du mal qu'il leur avait déjà fait et du chagrin qu'il allait encore leur causer, et en avait été bouleversé. Pour la première fois, Jay se demandait s'il serait vraiment capable de mener son projet à bien.

— Jacob ?

Jay releva la tête pour voir Lily Bennett — non, Lily Mazerick — debout près de sa table. Elle souriait. Elle avait toujours eu un sourire très doux. Il se rappela qu'enfant, il l'avait considérée comme une grande sœur. Aujourd'hui, elle l'était devenue.

— Bonjour, Lily, dit-il en se levant pour l'embrasser.

Elle était toujours mince, et très jolie. Elle avait un maintien élégant et ses yeux bleus brillaient du même paisible contentement que celui qu'il avait observé chez Aaron.

— Ça fait plaisir de te revoir, dit-elle.

— Félicitations pour ton mariage, repartit-il, évitant de faire un commentaire sur son retour.

— C'est gentil à toi d'être allé voir Aaron. Cela signifie beaucoup pour lui.

— C'était le moins que je puisse faire. Si seulement…

— Je sais, dit-elle en posant la main sur son poignet. Mais nous devons tous prendre un nouveau départ. Il ne faut pas laisser le passé affecter le présent.

Bien que Jay ne crût pas une seconde que ce fût possible, il sentit que Lily avait besoin d'y croire et il ne dit rien.

— Je déjeune avec Lynn Kendall, notre pasteur, reprit-elle en indiquant un box de l'autre côté de la salle. Elle se marie avec ton cousin, tu le savais ?

Lynn fit un léger signe de tête en direction de Jay, mais son expression était loin d'être amicale. Il ne pouvait pas lui en vouloir.

— Je sais. Ruth et Rachel me l'ont dit. En fait, j'attends Tom.

Juste à ce moment, son cousin pénétra dans le café. Il avait davantage vieilli que Jay ou Lily. Ses cheveux commençaient à grisonner et ses yeux et sa bouche étaient marqués de rides profondes. Il avait été pendant des années un journaliste renommé, avant de tout laisser tomber, du jour au lendemain. Jay se demandait ce qui lui était arrivé. Il se souvenait de Tom comme d'un beau gars, gai et insouciant, qui faisait craquer les filles chaque été, lorsqu'il venait passer ses vacances à Riverbend.

Désormais, il n'avait plus d'yeux que pour une seule femme. Jay le regarda traverser la salle en direction de Lynn et, sans souci des convenances, l'embrasser sur la bouche. L'expression de pure adoration qui se lisait sur le visage de Lynn provoqua chez lui une curieuse crispation au creux de l'estomac : soudain, il souhaita plus que tout au monde que Kate le regarde de cette manière. Jamais auparavant il n'avait désiré cela d'une femme. Ni de Mallory. Ni d'aucune autre.

— Je vais y aller, dit Lily quelques secondes plus tard. Lynn et moi avons à discuter des préparatifs du mariage.

Jay acquiesça et la suivit des yeux tandis qu'elle rejoignait l'heureux couple. Elle parla à Tom, lequel releva la tête, toute félicité disparue de son visage. Puis il marcha vers lui.

— Tu as l'intention de me casser la figure ? demanda Jay lorsque Tom fut près de lui. Parce que si c'est le cas, il serait préférable que nous sortions.

— Je réserve mon jugement, répondit Tom en ouvrant et fermant son poing à plusieurs reprises. Pour le moment.

Jay se rassit et Tom se glissa dans le box en face de lui.

— Tu étais pourtant furieux l'autre soir au téléphone, remarqua Jay.

— On ne peut pas être fiancé avec un pasteur et ne pas apprendre quelques petites choses. Elle dit que tu mérites qu'on te laisse une chance.

— Ah ! J'ai plutôt eu l'impression qu'elle m'aurait volontiers corrigé elle-même l'autre jour.

— Non, Lynn est plus maligne que ça. Elle t'atteindra sans la moindre violence physique, elle t'aidera à voir à quel point tu t'es comporté de façon stupide, mettra le doigt sur tes erreurs, et tu finiras même peut-être par aimer ça.

Jay sourit. Il enviait son cousin. Celui-ci était fou amoureux, c'était évident.

— C'est ce qu'elle t'a fait ?

— Ouais.

— Tu veux m'en parler ? Je… j'ai souvent pensé à toi ces dernières années. J'ai lu tes articles, suivi tes reportages. Ils étaient toujours excellents.

— Ça m'a presque détruit. J'ai voyagé partout dans le monde, mené une vie digne de James Bond. Mais après avoir vu mon cameraman sauter sur une mine, il ne m'a pas fallu six mois pour tout envoyer promener.

Tom le fixait et Jay se souvint du jour où il s'était confié à son cousin parce que Sarah et lui étaient finalement « allés jusqu'au bout » et qu'il avait besoin de conseil, sur la contraception.

— Un peu comme toi il y a quinze ans, je suppose, ajouta Tom.

Serrant les mâchoires, Jay ramassa le menu et l'ouvrit. Tom attrapa le haut du dépliant plastifié et le rabattit sur la table.

— Je t'aimais comme un frère et je n'ai plus jamais entendu parler de toi après l'hiver de nos vingt ans. Vas-tu enfin me dire ce qui s'est passé ?

L'apparition de Lucy à côté de leur table sauva temporairement Jay. Mais lorsque Tom eut commandé le Spécial sans même jeter un coup d'œil au menu, et qu'il eut demandé la même chose, Lucy s'éloigna et Tom revint à la charge :

— Alors ?

Sans doute pouvait-il lui dire une partie de la vérité.

— J'ai découvert quelque chose à propos de ma famille… quelque chose que mon père a fait…

Bon sang, ce n'était pas si facile. Jamais il n'avait parlé de cela à quiconque.

— C'était à Noël, durant ma troisième année d'université. Ça m'a anéanti. Il fallait que je quitte Riverbend et tout ce qui… tous les gens qui y étaient associés. Il le fallait. Je n'avais pas d'autre choix.

Le visage de Tom s'adoucit.

— Je comprends. Je sais ce que c'est que de devoir… s'en aller, dit-il, l'air pensif, avant d'ajouter : Est-ce que cela a un rapport avec Aaron Mazerick ?

— Non, je n'ai découvert ça qu'en revenant ici. Tom, je me rends compte aujourd'hui que j'ai fait souffrir beaucoup de gens. J'ai été très… égoïste.

— Oui, moi aussi, dit Tom en soupirant. J'ai deux enfants que j'ai laissés s'éloigner de moi.

Il jeta un coup d'œil par-dessus l'épaule de Jay.

— Lynn m'aide à renouer avec eux.

— Deux enfants ? Vraiment ? répéta Jay en souriant. Filles ou garçons ?

— Un de chaque.

Tom tira son portefeuille de sa poche et lui montra les photos de ses enfants, Pete et Libby.

— Je t'envie, dit Jay, qui pensait à Hope et Hannah, désormais sorties de sa vie.

— Il n'est pas trop tard, mon vieux.

Comme Lucy leur apportait leurs assiettes, la porte du café s'ouvrit et deux hommes entrèrent. Jay reconnut d'abord Mitch Sterling, sans doute parce qu'ils avaient été de si bons amis autrefois. Ses cheveux noirs retombaient sur son front, et bien qu'il parût embrasser la salle du regard, il ne semblait pas la voir vraiment. L'autre, un peu plus petit que Mitch, arborait un sourire faussement ingénu qui rappela un souvenir à Jay. « Viens, Jacob. Ton père n'en saura rien si on emprunte le house-boat. Et on va bien s'amuser. » Charlie Callahan était sans conteste le Huckleberry Finn du groupe.

Après avoir échangé quelques mots, les deux hommes se dirigèrent vers Jay et Tom, et, arrivés près de leur table, tels deux cow-boys, ils retournèrent ensemble deux chaises et s'y assirent à califourchon. Toute leur attention était centrée sur Jay. Charlie paraissait le mieux disposé des deux. Mitch semblait prêt à mordre.

— Hé, même les hors-la-loi ont droit à un procès avant la pendaison, dit Jay, décidé à faire face.

Charlie ébaucha un sourire, mais Mitch ne se dérida pas. D'une voix caverneuse, qui aurait pu être celle du juge Roy Bean, il demanda :

— Qu'est-ce que tu as fait à Kate McMann ?

Jay releva le menton. S'il avait pu affronter ses tantes et les jumelles, il pouvait sûrement affronter ses vieux camarades.

— Je lui ai dissimulé mon identité parce que je craignais qu'elle ait exploité mes tantes et dupé mon père.

Les trois hommes en restèrent bouche bée. Cela aurait pu être comique si la situation n'avait pas été aussi désespérée.

— Je sais, je sais, s'empressa-t-il de reprendre, elle est innocente comme l'agneau qui vient de naître. Je m'en suis très vite rendu compte.

— Il paraît que tu as hérité du magasin et de la ferme ?

— C'est exact.

— La librairie est son seul moyen d'existence, tu le sais, n'est-ce pas ? dit Mitch, vaguement menaçant.

— Je le sais maintenant. Mais je ne savais rien du tout quand je suis arrivé.

Charlie posa ses deux mains sur la table.

— J'ai mille questions à te poser, Jacob. Tu y réponds tranquillement, et nous te donnons notre verdict à la fin du repas, d'accord ?

Il fit signe à sa sœur et lui lança :

— Deux Spécial, Lucy !

— Je n'ai pas faim, grommela Mitch.

— Allons, allons, je t'ai arraché à ton magasin pour que tu avales quelque chose.

— Tu n'es pas ma mère.

— Ta mère m'approuverait. Faut bien que tu manges.

Jay se trouva tout à coup transporté vingt ans en arrière. Tom, Mitch, Charlie et lui campaient au bord de la rivière. Charlie se morfondait à cause de Beth Pennington, qu'ils considéraient tous comme une sœur, mais pour qui Charlie s'était soudainement découvert des sentiments ; Mitch était dingue d'une nouvelle pom-pom girl qui avait des jambes de déesse ; Jay était furieux contre Sarah parce qu'elle avait flirté avec Nick Harrison — raison pour laquelle celui-ci n'avait pas été convié — ; et Tom prodiguait à tous ses conseils…

— Vas-y, parle, Steele ! dit Mitch, interrompant la rêverie de Jay. Qu'est-ce que tu comptes faire à propos de la situation de Katie, maintenant ?

— Katie, il y a là un homme de…

Ruth, dans l'embrasure de la porte du bureau, au magasin, chaussa ses lunettes et lut la carte qu'elle avait en main :

— … du cabinet Allen et Young. Il demande à te voir.

Tout en frottant ses tempes, Kate nota mentalement « ibuprofène » sur sa liste de courses ; le nom de ce cabinet lui disait quelque chose, mais elle ne parvenait pas à le situer.

— C'est un représentant ? s'enquit-elle.

— Non, je ne pense pas, chérie. Il a un air très officiel. A vrai dire, il ressemble au maître d'école de Washington Irving, Ichabod Crane, ajouta-t-elle, riant sous cape.

Kate se leva.

— J'arrive.

L'homme était en train de parler avec Rachel à l'entrée du magasin. Il était grand et mince, avec une petite tête, de grandes oreilles et de grands yeux. Ruth avait raison, il ressemblait vraiment à Ichabod Crane.

— Puis-je vous aider ? demanda-t-elle.

— Mary Katherine McMann ?

Elle hocha la tête, tout à coup mal à l'aise.

— James Porter, du cabinet Allen et Young. Je suis ici pour l'audit de votre comptabilité. Cela devrait prendre trois jours. Je ne serais pas venu juste avant Thanksgiving si l'affaire n'avait pas semblé si pressante.

Comme elle tournait vers lui un regard d'incompréhension, il poursuivit :

— Nous vous avons envoyé un courrier. Vous étiez censée nous joindre si la date proposée ne vous agréait pas.

Kate se rappelait vaguement avoir reçu une lettre et avoir vainement essayé de joindre son expéditeur. Son malaise se mua en inquiétude.

— Un audit ? Vous devez faire erreur, monsieur Porter. Je n'ai jamais demandé d'audit.

— C'est le propriétaire qui l'a demandé.

Kate se tourna vers Ruth, puis vers Rachel, et comprit, à leur visage chagriné, qu'il s'agissait d'une initiative de Jay.

— Je vois. Pourquoi n'irions...

La clochette de la porte tinta joyeusement à cet instant, l'arrêtant au milieu de sa phrase.

Jay en personne venait d'entrer. Et pour la première fois depuis qu'il lui avait révélé la vérité, il paraissait... oui, heureux. Son visage était détendu et ses yeux brillaient de vitalité. La rencontre avec son cousin avait dû bien se passer. Il sifflotait même... jusqu'à ce qu'il les remarque, tous les quatre, qui le dévisageaient.

Il fourra les mains dans ses poches et dit :

— Bonjour, tout le monde.

Arrêtant son regard sur Kate, il haussa un sourcil interrogateur.

— Que se passe-t-il ?

Elle répondit froidement :

— Ton contrôleur est là.

11.

— Qui a préparé le minestrone ? demanda Lynn par-dessus son épaule.

Elle était en train d'éplucher des pommes de terre devant l'évier de la vaste cuisine communautaire de la paroisse. Une tempête de neige s'était abattue sur Riverbend la veille au soir, privant momentanément la ville d'électricité. Grâce à un générateur installé par Mitch, l'église était le seul endroit, hormis l'hôpital, à bénéficier de chaleur et de courant en ce jour de Thanksgiving.

— C'est Kate, répondit Lily Mazerick.

— Et qui a apporté la compote de pommes ? s'enquit Lucy Garvey, qui, en serveuse organisée et efficace, dirigeait les opérations.

— Kate aussi, dit Beth Pennington.

Cette dernière, récemment fiancée à Charlie Callahan, resplendissait de bonheur, tout comme Lily qui venait de se marier.

— Et les canneberges ? voulut savoir Eleanor, la mère de Lily, qui remuait une sauce brune sur la cuisinière.

Il y avait six femmes dans la cuisine, y compris la femme de Wally Drummer, Mary, et toutes se tournèrent vers Kate, qui, bien qu'elle ne relevât pas les yeux du billot sur lequel elle émincait des oignons, sentit leurs regards.

— Oh, j'ai eu pas mal de temps cette semaine, marmonna-t-elle sur la défensive.

— Ah oui ? fit Lynn. Etait-ce avant ou après que tu as tenu toute seule la librairie afin que les sœurs Steele puissent exhiber leur neveu dans toute la ville ?

— D'accord, j'ai eu un peu de mal à dormir ces dernières nuits, concéda Kate.

Elle souffla sur une mèche de cheveux qui lui retombait dans les yeux et repoussa les manches de son pull.

Comme si elles obéissaient à un signal invisible, les six femmes firent cercle autour de Kate, et Mary Drummer commença l'interrogatoire :

— Est-ce que Jacob est réellement allé à la ferme en pleine tempête pour vérifier que les filles et toi alliez bien ?

Kate soupira.

— Oui, mais nous allions très bien.

En vérité, elle avait eu très peur, et les filles aussi, quand le vent les avait réveillées toutes les trois aux alentours de 3 heures et qu'elles s'étaient rendu compte que l'électricité était coupée. Les jumelles étaient venues dans son lit, mais elles ne s'étaient rendormies que lorsque la tempête s'était calmée. Vers 5 heures, Kate s'était levée et elle venait juste d'entrer dans l'appentis pour y prendre du bois quand des phares avaient percé l'obscurité. Cinq secondes plus tard, Jay avait frappé à la porte et elle n'avait pas eu d'autre choix que de le laisser entrer.

— Il paraît que tu étais furieuse qu'il soit venu, dit Beth.

— Qui t'a dit ça ?

— Les filles en ont parlé à Allison.

Kate fronça les sourcils.

— Nous avons eu des mots.

Tout un dictionnaire, en réalité, dont elle espérait que les enfants n'avaient pas entendu certaines entrées…

Il avait cependant insisté pour rester jusqu'à ce que le jour se lève afin de les emmener en ville toutes les trois — il avait suivi le chasse-neige et l'avait persuadé de dégager l'allée de la ferme —, et elle était en train de le renvoyer peu gracieusement d'où il venait lorsque Hannah et Hope avaient surgi, et s'étaient jetées dans les bras de Jay en criant : « Tu es venu nous sauver comme le bûcheron du *Petit chaperon rouge* ? »

« Comme le loup, oui », avait-elle grommelé. Néanmoins, il avait bien fallu qu'elle le laisse entrer.

— C'est si romantique, commenta Lucy, les yeux dans le vague.

Kate s'essuya les mains sur le torchon noué autour de sa taille.

— C'est irritant, dit-elle avant de tourner la tête dans la direction de la salle commune d'où provenaient des bruits de pas. *Il* est irritant.

— Qui ça ? demanda Tom en apparaissant à la porte de la cuisine.

— Ton cousin, répondit Mary Drummer.

Elle s'activait aux fourneaux. Cuire plusieurs dindes et préparer leurs accompagnements prenait du temps et l'heure du déjeuner serait immanquablement repoussée.

— Tu sais, ajouta-t-elle, ça a vraiment fait plaisir à Wally de le revoir.

Kate regarda Tom se diriger vers Lynn, l'entourer de son bras et fourrer son visage dans son cou, et un frisson d'envie la parcourut.

Comme Tom ressortait, après avoir vainement essayé de se rendre utile, deux autres hommes arrivèrent : Charlie, qui se mit à couper les légumes avec Beth, et Paul Flannigan, qui resta debout à l'entrée de la cuisine. Paul était un bel homme, pas aussi grand que Jay peut-être, mais aussi athlétique, et il avait un sourire sincère et de beaux yeux bruns.

— Est-ce que je peux faire quelque chose ? demanda-t-il à Kate.

— Viens par là et aide-moi à éplucher ces oignons, répondit-elle sur une impulsion.

— Seulement parce que c'est toi, ma belle.

Lorsqu'il fut près d'elle, il posa familièrement la main derrière son cou et serra doucement ses muscles tendus entre ses doigts. L'idée de se laisser aller contre lui lui traversa brièvement l'esprit, mais elle n'en avait tout simplement pas assez envie. Hélas.

Jay regarda la porte de la cuisine, puis jeta un coup d'œil à sa montre. Une demi-heure s'était écoulée depuis que Flannigan y était entré. Jay avait bien pensé inventer quelque chose pour l'y suivre, mais il avait eu peur de trouver Kate dans le même état d'esprit querelleur qu'un peu plus tôt, aussi était-il resté assis à une table de la salle commune à regarder la porte.

Paul lui avait été présenté dès qu'il était arrivé à l'église. Il était plutôt bien de sa personne et semblait en grande forme, ce qui fit regretter à Jay de ne pas avoir fréquenté son club de sport depuis plusieurs semaines.

Jay soupira. Il avait tenté d'expliquer à Kate pourquoi il avait demandé cet audit, mais cela n'avait pas apaisé sa colère. Il lui avait dit qu'il s'était vite rendu compte que ses soupçons n'étaient pas fondés, mais qu'il n'avait pas annulé l'audit, pensant que ce n'était pas une si mauvaise idée d'analyser en détail le fonctionnement de la librairie, et qu'ensuite il avait tout simplement oublié. Mais Kate avait vu rouge lorsque l'employé d'Allen et Young était arrivé, et sa propre maladresse, le matin même, n'avait rien arrangé. Habitué à voir les femmes céder, il lui avait tout bonnement ordonné d'empaqueter ce qu'elle avait préparé pour le déjeuner de Thanksgiving et de grimper dans sa voiture. Les filles, encore effrayées, et ravies d'aller en ville, s'étaient rangées à grands cris de son côté, et bien sûr Kate avait dû s'incliner.

Il soupirait de nouveau quand Kate, suivie de Flannigan, poussa la porte battante de la cuisine, et se dirigea vers la table où étaient installées les jumelles en compagnie de Ruth et Rachel. Son pull, d'un vert très doux, soulignait délicatement ses formes, ce que ce Flannigan avait sûrement remarqué, et ses cheveux relevés dégageaient son cou gracieux. La main de Flannigan était posée dans le creux de ses reins. Jay saisit sa cannette de soda qui se déforma sous la pression de ses doigts, et leur jeta un regard mauvais.

— Qu'est-ce qui t'arrive, mon vieux ? s'enquit Tom en tombant assis sur une chaise à côté de Jay. Le monstre aux yeux verts t'a mordu ?

Jay refusa de mordre à l'hameçon, mais en son for intérieur, il s'avoua que, pour la première fois de sa vie, il était bel et bien jaloux.

— Qu'est-ce que tu sais de ce type ? demanda-t-il.

— C'est un gars bien. Il est divorcé. Lynn dit qu'il a une fille qui vit avec sa mère dans River Road. Sa pharmacie marche bien.

Tom but une gorgée de sa bière en allongeant ses jambes devant lui, avant d'ajouter :

— Et il en pince pour Katie.

Jay laissa échapper un juron, ce qui fit rire Tom.

— Je savais bien que tu mentais, l'autre jour, lorsque tu disais qu'il n'y avait rien entre vous. Et tes projets pour le magasin avaient l'air drôlement flous.

Jay ne dit rien, mais il se rappelait comment il avait essayé d'esquiver les questions de ses vieux amis, soudain honteux de ce qu'il avait l'intention de faire. Seul Mitch Sterling s'était fait insistant ; il lui avait fait jurer de ne pas causer de tort à Kate. Ecartant cette pensée, il reporta son attention sur Flannigan. Kate avait-elle couché avec lui ? Recommencerait-elle lorsque lui-même serait reparti pour New York ? L'idée le rendait malade. Pendant un court instant, il la revit après l'amour, tout échevelée et les joues enflammées. Plus tard, elle lui avait confié que jamais elle n'avait répondu au désir d'un homme avec une telle ardeur. Néanmoins, l'attention que lui portait Flannigan le contrariait. Et c'est pour cette raison qu'il se leva. En regard de ses précédents méfaits, qu'était-ce qu'un peu d'ingérence ?

Ruth regarda son neveu traverser la salle tandis que Hope, tout ensommeillée, se pelotonnait sur ses genoux. Elle jeta un coup d'œil à sa sœur qui, comme elle, avait noté la mine sombre de Jacob. Il s'arrêta derrière Kate qui sursauta quand elle l'entendit. Ruth ne put s'empêcher de remarquer qu'elle s'écartait légèrement de Paul.

Jacob se pencha sur Hope et la prit dans ses bras aussi naturellement qu'un père l'aurait fait, puis il s'assit sur une chaise libre et berça la petite fille de Kate qui se blottit contre son torse ; tout ce temps, il avait fixé Paul d'un air agressif. Deux minutes à peine s'écoulèrent avant que Kate s'excuse et retourne dans la cuisine et que Paul s'éclipse pour aller parler au Dr Bennett.

Ruth se tourna vers Jacob qui regardait toujours Paul Flannigan.

— A quoi penses-tu, Jacob ?

Il était sur le point de répondre quand Hope ouvrit un œil.

— Papa ne viendra plus, maintenant, dit-elle.

— Quoi, trésor ? fit Jacob.

— Maman a dit que papa ne viendrait pas à cause de la neige.

— Billy devait prendre les filles pour le week-end, expliqua Ruth.

Jacob inclina la tête pour embrasser les cheveux de la fillette.

— Je suis désolé, Hope. Aimerais-tu faire quelque chose avec moi et tes tantes ?

— Aller à Disney World, répondit-elle en fermant les yeux.

Jacob sourit.

— Hum hum, je ne sais pas si nous pouvons organiser ça ce week-end, mais nous allons trouver quelque chose, n'est-ce pas, Ruth ?

— Bien sûr, dit-elle gaiement, toute à son bonheur d'avoir retrouvé son cher neveu.

Son regard ne cessait d'aller et venir entre lui et la petite Hope. Qui sait, peut-être allait-il rester pour de bon ?

Kate errait dans l'appartement au-dessus du magasin où on l'avait contrainte à passer la nuit. C'est Ruth qui avait le plus insisté. « Katie chérie, tu ne peux pas retourner à la ferme ce soir. L'électricité n'est toujours pas rétablie dans River Road. Les filles et toi pouvez dormir à l'appartement tandis que nous hébergerons Jacob chez nous ; le canapé du bureau est très confortable. »

Rachel avait renchéri ; bien sûr, Jay avait ajouté que pas une seconde il n'avait envisagé de la reconduire à la ferme par ce temps, et même Lynn s'était rangée à leur avis.

La journée avait été harassante sur tous les plans. Il s'était passé plus de choses en une seule journée de Thanksgiving qu'au cours des dix fêtes précédentes. S'occuper des plats que tout le monde avait apportés, sentir en permanence le regard de Jay sur elle, essayer de se réjouir des tendres avances de Paul… Et, pour couronner le tout, Tessa avait ressenti les premières douleurs et Mitch avait dû la conduire d'urgence à l'hôpital où elle avait donné naissance à une petite fille.

La vieille horloge du grand-père sonna dix coups. Kate espéra que cela n'allait pas réveiller les filles. Elles s'étaient endormies promptement, vingt minutes plus tôt, vêtues des T-shirts de M. *Lawrence* dans le lit de M. *Lawrence*. Kate avait pris des draps et une couverture dans l'armoire et s'était préparé un lit sur le canapé. Elle s'était refusée à dormir avec les filles parce que l'odeur de Jay flottait dans la chambre. Comme dans la salle de bains, d'ailleurs, où elle s'était déshabillée, enfilant un peignoir rose qui appartenait à Rachel.

Un coup fut frappé à la porte, et avant même d'aller l'ouvrir, Kate sut qui se trouvait derrière.

— Je suis venu chercher mon rasoir et un T-shirt pour dormir, dit Jay. C'est dans la salle de bains, je ne réveillerai pas les filles.

— Vas-y, fit-elle.

Elle lui tourna le dos et se dirigea vers la fenêtre. Elle l'entendit s'éloigner, farfouiller, puis revenir. Du coin de l'œil, elle le vit s'arrêter au milieu de la pièce.

— Qu'est-ce que c'est que ça ? demanda-t-il.

Elle pivota et le vit debout à côté du canapé.

— Je vais dormir là.

— Pourquoi ? Le lit est immense, à côté. Il y a de la place pour vous trois.

— Je ne peux pas dormir dans ton lit.

Elle se détourna de nouveau. Elle l'entendit s'approcher derrière elle. Il ne la toucha pas, mais elle le sentait tout près.

— Pourquoi ? dit-il doucement.

— Il y a ton odeur dans la pièce. Je ne peux pas le supporter, murmura-t-elle.

Il y eut un silence prolongé, puis :

— Ça te révulse ?

— Non.

— C'est quoi alors ?

— Rien. Va-t'en.

Il se rapprocha encore. Elle sentait sa chaleur dans son dos.

— J'ai détesté te voir avec Paul Flannigan, aujourd'hui. Chaque fois qu'il te touchait, j'avais envie de le frapper.

— Je t'en prie.

— Chaque nuit de cette semaine, je t'ai désirée ici, avec moi.

— Pourquoi me dis-tu ça ? Est-ce que tu ne sais pas le mal que ça me fait ? A moins que tu t'en moques ?

— Non.

Elle lui fit face, en colère.

— Qu'essaies-tu de faire, Jay ? Me convaincre d'être ta maîtresse pendant quelques semaines ? Tu as déjà obtenu de moi que je m'occupe du magasin et que je reste à la ferme. Tu voudrais que je réchauffe ton lit le temps de ton séjour forcé à Riverbend pour ensuite retourner à tes somptueuses pin-up new-yorkaises ?

Il fit un bond en arrière comme si elle l'avait giflé.

— C'est ce que tu penses de moi ?

— Que pourrais-je penser d'autre ? Tu m'as menti, tu as violé ma vie privée, tu m'as forcée à rester et à assister impuissante à la ruine de tous mes espoirs. Que suis-je donc censée penser de toi ?

— Oui, j'ai fait toutes ces choses. Mais ma relation avec toi, la nuit que nous avons passée ensemble, et ce que nous avons partagé avant, tout ça n'était pas truqué. J'étais sincère.

— Ah oui ? Comment pourrais-je te croire ? Et même si je te croyais, qu'est-ce que ça change ?

— Rien, je suppose. Mais c'est important pour moi que tu me croies.

— Tu ne comprends donc pas ? Je *ne veux pas* te croire. Parce que les choses seraient encore pires si c'était vrai. Maintenant, va-t'en, dit-elle.

En le regardant droit dans les yeux, elle ajouta :

— Et si je compte un peu pour toi, alors tiens-toi éloigné de moi.

Il accéda au « souhait » de Kate. A la fin de sa première semaine de travail à la librairie, Jay était plutôt fier de la retenue dont il avait fait preuve. L'électricité avait été rétablie, Kate et les enfants étaient retournées à la ferme et tout allait bien.

Il venait de terminer l'époussetage des étagères dédiées aux livres de collection — une tâche ingrate que Kate lui avait assignée avec un plaisir évident —, et se dirigeait vers le coin canapé pour se faire un café quand il entrevit une tache de rouge à l'angle d'une allée : Kate finissait l'inventaire de la section « Arts ». Il le savait parce que, toute la matinée, il avait pensé à la façon dont ce pull moulait ses formes. La veille, elle portait un chemisier vert et l'avant-veille une tunique lie-de-vin. C'était incroyable, lui qui pouvait à peine se rappeler à quoi ressemblait Mallory, il avait mémorisé toute la garde-robe de Kate.

— Bonjour, Jacob, entendit-il dans son dos alors qu'il se versait une tasse de café.

C'était une voix basse, raffinée, une voix qu'il n'oublierait jamais aussi longtemps qu'il vivrait. La dernière fois qu'il l'avait entendue, elle disait d'un ton suppliant : « Ne fais pas ça, Jacob, s'il te plaît. Je regrette tellement. »

Lentement, il se tourna vers Sarah Smith. Elle avait le même port altier qu'autrefois. Le dessin parfait de sa bouche n'avait pas changé, mais ses cheveux semblaient un peu plus blonds. S'attendant à ressentir une bouffée de colère, il fut presque surpris de constater qu'aucune remarque acide ne lui venait aux lèvres.

— Bonjour, Sarah, dit-il simplement, avec rien de plus qu'une certaine raideur.

Elle déboutonna son manteau de cachemire.

— J'ai entendu dire que tu étais revenu. Tu as l'air... en forme.

— Toi aussi.

En réalité, elle lui paraissait vieillie et fatiguée.

— Je me demandais si nous pourrions parler.

Il but une gorgée de café.

— Je ne crois pas.

— Je vois, fit-elle en jouant avec la bandoulière de son sac. Tu as amené ta famille avec toi ?

— Je ne suis pas marié.

— Tu ne l'as jamais été ?

— Non.

Il ne demanda pas si elle l'était. A dire vrai, il s'en moquait.

— Je suis veuve, lui dit-elle néanmoins.

Il hocha poliment la tête.

— Je n'ai pas d'enfants.

Il s'interdit de réagir à cette information en reportant son attention sur Simon qui sortait du bureau.

— Eh bien… Le devoir m'appelle, dit-il en faisant un pas de côté.

— Jacob, je…

Mais il s'éloignait déjà vers le fond du magasin et n'entendit pas la fin de sa phrase.

Il était en train de passer l'aspirateur, vers midi, quand les jumelles firent irruption au magasin. Il eut juste le temps d'éteindre et de repousser l'appareil pour les recevoir alors qu'elles sautaient dans ses bras.

— Tu as du noir sur la figure, dit Hannah en tirant sur son T-shirt. Et tu sens pas bon.

— Votre maman m'a donné toutes les corvées à faire.

Hope échappa à son étreinte et déclara d'un ton sérieux :

— Tu as dû faire des bêtises. Maman nous fait balayer la cave quand nous ne sommes pas gentilles.

— Je l'ai fait souvent, dit Hannah en secouant la tête d'un air entendu.

— Je l'aurais parié, coquine, dit-il en lui ébouriffant les cheveux. Mais dites-moi, pourquoi n'êtes-vous pas à l'école ?

— On n'y allait que le matin aujourd'hui. Papa vient nous chercher, expliqua Hannah.

— Il nous veut tout le week-end, ajouta Hope, les yeux brillants de plaisir.

Jusqu'à ce que Billy entre dans le magasin, Jay, à entendre les filles parler de lui, avait imaginé un homme bien découplé, à la présence virile ; mais il était plutôt petit, avec des cheveux blonds et des yeux bleus très doux. Ses vêtements étaient dc bon goût et visiblement chers.

Trop, sans doute, pour un homme qui ne versait pas de pension à son ex-femme.

Les filles sautèrent ensemble des fauteuils d'où elles n'avaient cessé de guetter la porte, et se jetèrent dans les bras de McMann, exactement comme elles l'avaient fait avec Jay quelques minutes plus tôt. A demi caché derrière des piles de livres, celui-ci réalisa qu'il détestait l'idée de partager l'affection des fillettes avec leur père.

— Comment vont mes petits cœurs ? demanda Billy en les serrant dans ses bras avec ce qui semblait être une vraie sincérité.

Jay se rendit compte qu'il était en train de les épier, mais il ne put se résoudre à s'éloigner. Une farouche animosité à l'égard de cet homme montait en lui, qu'il ne parvenait ni à dompter ni à tout à fait comprendre.

Kate entra dans son champ de vision, deux sacs à dos sur les bras.

— Bonjour, dit-elle, sans la trace d'affection que Jay avait craint de déceler dans sa voix.

— Salut, chérie. Tu as l'air en forme. Très joli pull, dit Billy en baissant les yeux sur ses seins.

Furibond, Jay scruta l'expression de Kate pour voir si elle était sensible au compliment. Mais son visage était resté imperturbable.

— Voilà les affaires des filles, dit-elle en tendant les sacs à son ex-mari. A quelle heure les ramènes-tu, dimanche ?

— Euh, je…

McMann se passa une main dans les cheveux.

— … j'ai eu un imprévu, un chantier qui commence demain à Lynchberg. Je peux les prendre ce soir, mais je devrai te les ramener demain matin, avant de partir.

Hannah ouvrit de grands yeux.

— Mais tu avais dit que tu nous emmènerais à Chicago et que nous irions voir le train du Père Noël ! protesta-t-elle.

— Je sais, mon cœur, mais papa doit travailler.

« Menteur, aucun chantier ne démarre un samedi matin », disait clairement le regard de Kate.

Hope, les yeux remplis de larmes, s'agrippa au pantalon de sa mère.

— Alors, je ne veux pas venir du tout, dit Hannah, fixant son père avec un dédain d'adulte.

Jay fut surpris de sa propre réaction : il éprouvait une furieuse envie de se précipiter sur McMann et de lui envoyer son poing dans la figure. Il se retint cependant et observa Kate écraser Billy d'un regard de pur mépris, puis faire ce qui était le mieux pour les filles. Elle fit taire ses propres sentiments, convainquit Hannah de passer la nuit chez son père, et les accompagna tous les trois à la porte en leur souhaitant une bonne soirée.

Jay n'avait jamais éprouvé plus de respect pour Kate qu'en cet instant. Il s'approcha d'elle tandis que, les épaules soudain voûtées, elle regardait les filles monter dans la voiture.

— Kate, je suis désolé.

Elle s'essuya promptement les joues.

— Tout ce que je veux de lui, c'est qu'il passe un peu de temps avec ses enfants. Je ne lui demande pas de pension alimentaire, ni rien pour le médecin ou les vêtements des filles. J'aimerais juste que…

Jay ne savait pas quoi dire. Ses propres réactions le dépassaient. D'abord, il avait envie de frapper Billy, ensuite de réconforter Kate, mais ce qui le déroutait plus que tout, c'était qu'il éprouvait soudain un désir formidable de prendre la place de cet homme dans la vie des jumelles, de combler leurs désirs, de réaliser leurs rêves, et de faire en sorte que jamais plus Billy McMann ne les fasse souffrir.

Vers 17 heures cet après-midi-là, Kate s'était suffisamment calmée pour réfléchir au moyen d'emmener les filles à Chicago. Son fonds de réserve était trop bas pour qu'elle puisse y puiser, et ce serait irresponsable de sa part d'engager une telle dépense alors qu'elle ne savait pas combien de temps encore elle conserverait son emploi. Peut-être pouvait-elle annuler la commande de son nouveau manteau d'hiver ? Exaspérée, elle soupira et, derrière la porte fermée du cabinet de toilette qui jouxtait le bureau de la librairie, elle acheva de se rafraîchir et se changea. Elle passa la robe de cocktail noire indémodable qu'elle avait apportée et décida de se maquiller un peu.

Elle s'observa dans le miroir d'un œil critique. Ses joues étaient réellement trop rondes. Ses sourcils n'étaient-ils pas trop épais ? Elle appliqua un peu de mascara sur ces cils puis un trait de rouge à lèvres et jugea que c'était déjà mieux. Par bonheur, ses taches de rousseur avaient presque complètement disparu et une touche de fond de teint dissimula celles qui restaient visibles. Peut-être devrait-elle se faire couper les cheveux ?

Avec quel genre de femmes Jay sortait-il ? Elle lui avait posé la question, mais il n'avait pas répondu.

Soupirant de nouveau — ça devenait une habitude —, elle éteignit la lampe de la petite salle de bains, enfila ses escarpins, attrapa au passage, dans le bureau, le châle ancien qu'elle avait trouvé dans une brocante, et se dirigea vers le devant du magasin. Paul serait là d'une minute à l'autre. Paul, dont elle avait accepté l'invitation parce qu'elle avait besoin de la compagnie d'un adulte.

Et parce qu'il fallait qu'elle cesse de penser à Jay…

Accoudé au comptoir, celui-ci sirotait une tasse de café, qu'il posa si brusquement lorsque Kate passa près de lui que la tasse se renversa.

— Mince ! fit-il en attrapant une serviette en papier pour essuyer son pantalon.

— Eponge tout de suite la moquette, que la tache ne s'incruste pas.

Elle le regarda opérer consciencieusement. Enfin, il se releva et, les mains pleines de serviettes souillées, lui jeta un regard appréciateur.

— Où peux-tu bien aller ainsi ?

— J'ai un rendez-vous.

— Un rendez-vous ? Avec qui ?

— Avec Paul. Bien que je ne pense pas que cela te concerne. Attention ! Ça goutte.

— Quoi ?

— Les serviettes.

— Oh.

Il les jeta dans la poubelle, puis se tourna de nouveau vers elle.

— Où allez-vous ?

Elle ne répondit pas.

— C'est vendredi. Je croyais que vous alliez toujours voir le match de basket.

— Pas ce soir.

— Pourquoi t'es-tu mise sur ton trente et un ?

— Cela ne te…

— Tu crois ?

Il avait prononcé ces mots si doucement, avec une telle note d'humilité dans la voix, qu'elle se sentit obligée de répondre :

— Il m'emmène dîner chez Charter, puis nous allons voir une pièce à Cleesberg.

— Ce n'est pas tout près, observa-t-il.

— C'est pourquoi nous partons de bonne heure.

Jay serra les dents, peut-être pour s'empêcher de lui poser une nouvelle question. Mais cela ne marcha pas.

— Tu ne passes pas la nuit là-bas, si ?

Elle fut tentée de le torturer un peu en ne répondant pas, mais cela aurait été à l'encontre du premier de ses principes moraux : ne pas blesser sciemment autrui. Et peu importait la raison pour laquelle il se comportait ainsi — il s'agissait probablement d'un gène masculin qui l'incitait à défendre son territoire parce qu'ils avaient dormi ensemble —, elle ne mentirait pas ni ne lui ferait délibérément du mal.

— Non, nous avons prévu de rentrer.

Il se détendit perceptiblement.

— Tu es très belle.

— Merci, répondit-elle en se sentant rougir.

— Kate, je…

Le carillon de la porte l'interrompit. Paul entra, vêtu d'un très classique costume marine. Les deux hommes se saluèrent d'un bref signe de tête, et Kate souhaita une bonne soirée à Jay avant de précéder Paul vers la porte. Mais le regard de Jay resta comme en suspens devant ses yeux et elle pria pour qu'il ne la poursuive pas toute la soirée.

A 1 heure, Jay était derrière sa fenêtre et scrutait la rue. Où était-elle ? Il avait commencé à la guetter vers minuit et elle n'était toujours pas rentrée. Bon sang, et si elle avait décidé de rester à Cleesberg avec Flannigan, après tout ?

Il frappa du poing le bord de la fenêtre. Qu'avait-il à se morfondre ainsi à cause d'une femme ? Tout ça parce qu'elle était sortie avec un autre. Il n'avait pas vu Mallory depuis des semaines et pas une fois il ne s'était demandé si, elle, elle passait du temps avec un autre homme. Mais voir Kate habillée pour sortir *avec un autre*… Et lorsqu'il parvenait à écarter cette image, il revoyait le désarroi des jumelles devant la nouvelle trahison de leur père. Et cela le rendait fou. Jay n'était pas homme à attendre sans rien faire lorsque quelque chose le perturbait, mais quel parti prendre en la circonstance ? Il ne pouvait pas quitter Riverbend et retourner à sa vie new-yorkaise. Pas s'il voulait l'argent pour s'associer à ComputerConcepts.

« Tu pourrais rester ici. Pour de bon », lui susurra une voix.

Ridicule.

Des phares percèrent la nuit et une berline de taille moyenne vint se garer à côté de la jeep de Kate. La lumière plongeante d'un lampadaire éclairait la voiture, mais elle l'empêchait d'en distinguer l'intérieur.

Jay attendit.

Kate ne descendait pas.

Il s'imagina les mains de Flannigan sur elle et serra les poings. Ils s'embrassaient, il le savait. Elle laissait un autre homme la toucher. Il pouvait sentir encore sa peau sous ses doigts, douce, souple et ferme à la fois. Elle sentait le bain moussant et les fleurs. Son imagination s'emballa ainsi pendant presque dix minutes, jusqu'à ce que Flannigan ouvre sa portière et sorte de la voiture. Il en fit le tour et aida Kate à descendre.

Puis, sa main toujours dans la sienne, il l'escorta jusqu'à la jeep. Elle lui tendit sa clé et il ouvrit sa portière. Parfait, il allait partir maintenant. Mais au lieu de ça, il attira Kate à lui et enfouit la main dans ses cheveux, plaquant son corps contre celui de Kate, et Jay eut envie de bondir dehors. C'était plus qu'il n'en pouvait supporter. Un autre homme la touchait. Un homme meilleur que lui. Un homme qui pourrait même être le père que McMann n'était pas.

Jay s'éloigna brusquement de la fenêtre.

Il traversa la pièce à grandes enjambées, essayant de se convaincre que c'était plutôt une bonne chose qu'elle ait quelqu'un sur qui compter. Il jura, saisit finalement son portable et, sans s'inquiéter de l'heure avancée, composa le numéro de son mandataire à New York.

Martin Jones répondit à la cinquième sonnerie.

— Jones ? C'est Jay Lawrence, annonça-t-il sèchement.

Il voyait les visages de Kate et des filles.

— Arrêtez immédiatement toutes les négociations avec Anderson Books.

Il y eut un bruit étrange à l'autre bout du fil, une réaction de surprise que Jones avait essayé d'étouffer, sans doute.

— Puis-je vous demander pourquoi ? s'enquit Jones. Vous ne voulez plus vendre ?

Jay fixait la fenêtre noire.

— Je ne suis plus certain de ce que je veux faire.

12.

Le jour de son mariage, toute de dentelle et de satin blancs vêtue, Lynn Kendall avait l'air d'un ange. Kate, très émue dans sa robe de demoiselle d'honneur, pensait en l'observant à ce que Tom et elle avaient traversé et elle remercia le ciel pour le bonheur qu'ils avaient trouvé ensemble. A côté d'elle, dans le chœur envahi de feuillages d'hiver et de poinsettias, se tenait le deuxième témoin de Lynn, Libby Baines, la fille de Tom. L'adolescente, dans une robe rose pâle qui mettait en valeur ses yeux noisette et ses cheveux auburn, était rayonnante. Tom, entouré de son fils, Pete, et de Jay, ses deux garçons d'honneur, paraissait ne pas pouvoir en croire sa chance.

Rachel entama l'*Ode à la Joie* à l'orgue et Lynn commença à remonter la travée centrale au bras de son oncle Will, pasteur lui-même et qui allait célébrer le mariage.

Tom accueillit Lynn au pied de l'autel, et lui demanda d'une voix rendue rauque par l'émotion :

— Tu es prête, mon amour ?

La dévotion avec laquelle il contemplait celle qui était sur le point de devenir son épouse serra la gorge de Kate.

Les futurs mariés prirent place devant l'oncle de Lynn et la cérémonie débuta : « Nous voici réunis en ce jour… »

Kate jeta un coup d'œil vers Jay ; il ne regardait pas le couple, ne l'avait pas regardé une fois depuis le début du service. Vêtu d'un smoking à la coupe impeccable et d'une chemise immaculée, il était si beau que Kate ressentait par moments une étrange douleur au cœur. Et le demi-sourire entendu avec lequel il persistait à la dévisager depuis une semaine la rendait on ne peut plus nerveuse.

Comme Lily Mazerick s'avançait vers le lutrin, Kate observa Aaron, assis au second rang. Il semblait complètement fasciné par sa femme. Derrière lui, Mitch et Tessa se tenaient la main. A côté d'eux, Charlie avait passé un bras sur le dossier du banc, derrière Beth. Tout le monde était heureux, sauf…

Kate se reprit et se concentra sur la chanson de Salomon qu'avait entonnée Lily et qui évoquait la renaissance et les nouveaux départs.

Lorsque celle-ci eut terminé, le pasteur se leva, adressa quelques mots à l'assemblée, puis dit à Lynn et Tom : « A présent, veuillez répéter après moi. Tom, veux-tu… »

Tom et Lynn prononcèrent solennellement leurs vœux, échangèrent leurs anneaux, puis le pasteur dit : « Je vous déclare unis par les liens sacrés du mariage. Tom, vous pouvez maintenant embrasser la mariée. »

Tom ne se fit pas prier. Il embrassa Lynn avec une telle fougue qu'un rire parcourut l'assistance. Après quoi, tenant fièrement sa femme par le bras, il descendit l'allée principale au milieu des félicitations.

Ainsi qu'ils l'avaient fait à la répétition, Kate rencontra Jay au milieu du chœur. Il passa son bras sous le sien.

« A une condition, lui avait-elle dit, que tu promettes de ne me plus me toucher. »

— Ça ne compte pas, nous sommes dans une église, murmura-t-il, comme si lui aussi s'était rappelé son avertissement.

Et voilà, de nouveau, il la taquinait, l'œil malicieux, dissipant le nuage qui avait plané au-dessus de sa tête depuis des jours.

— On est toujours à l'église, après tout, dit-il encore en la tenant par l'épaule alors qu'on prenait les photos sur le parvis, après que tout le monde eut embrassé les mariés.

Durant la longue séance de poses, Kate se remémora la semaine qui venait de s'écouler. D'abord, Jay ayant entendu Billy se dérober, il avait insisté pour emmener les filles à Chicago le samedi après-midi et Kate en avait été extrêmement touchée. Elle avait cependant essayé de ne pas participer à l'excursion ; mais les filles s'étaient récriées, et elle avait dû s'asseoir près de Jay, à l'avant, tandis que Ruth, Rachel et les jumelles se serraient à l'arrière de la Volvo. Plus tard dans la semaine, elle lui avait donné la tâche, ingrate, d'inventorier les vieux livres du grenier, ce qu'il avait fait sans se plaindre, en la priant toutefois de l'appeler désormais Cendrillon. Et lorsque, ce même jour, le rapport du cabinet Allen et Young était arrivé au courrier de l'après-midi, il le lui avait enlevé prestement des mains et l'avait jeté à la poubelle, disant qu'il n'en avait plus besoin. Elle ne savait pas pourquoi.

Jay sourit en découvrant la transformation qu'avait subie la salle commune de la paroisse. Un restaurant chic, voilà à quoi ressemblait la salle. Comme il y pénétrait à la suite de Mitch et Tessa, et de Kate, il entendit cette dernière s'exclamer :

— Comme c'est joli !

Des nappes rose vif recouvraient les tables, toutes pourvues en leur centre d'une bougie blanche. L'éclairage était tamisé et une appétissante odeur de viandes rôties et de légumes caressait les narines des invités dès leur entrée.

Bien qu'ayant accouché seulement quelques jours plus tôt, Tessa avait déjà recouvré sa silhouette élancée.

— C'est ravissant, dit-elle le bras passé autour de la taille de son mari.

A la surprise de tous, Mitch et Tessa s'étaient mariés quelques minutes à peine avant la naissance de leur enfant.

— Tout comme ta robe, Kate. C'est toi qui l'as faite ?

— Mmm.

Ravissant, le mot était faible. C'était une robe de satin vert, dont le bustier, sans bretelles, était pour l'instant dissimulé sous une veste ajustée à manches longues. Son ourlet frôlait le sol, mais une longue fente sur le côté révélait, au goût de Jay, un peu trop de sa jambe. Jay réprima un juron lorsqu'il vit la piste de danse et qu'il entendit le DJ lancer la première chanson. Bien qu'il se délectât à l'avance à l'idée de tenir Kate dans ses bras, il appréhendait d'avoir à la regarder danser avec un autre.

Jay baissa les yeux comme une petite main tirait un pan de sa veste.

— Monsieur Lawrence ? Tu veux bien aller chercher du punch avec moi ?

Hannah se tenait toute droite devant lui, dans sa robe de princesse, une robe en taffetas à jupe large et manches bouffantes de la même couleur que celle de sa mère. Celle de Hope était du même rose que celle de Libby. Ruth lui avait dit que c'était Kate qui avait fait les quatre robes. Cette femme ne devait jamais dormir.

— Bien sûr, trésor, on y va, dit-il en la prenant par la main. Tu m'as réservé une danse ?

La fillette hocha vigoureusement la tête et le conduisit jusqu'à la table où se trouvaient les boissons. Comme ils se frayaient un chemin à travers la foule, Jay se demanda comment il pourrait vivre sans les jumelles. Il était assis entre elles deux dans le train, à Chicago et, comme elles, il s'était époumoné quand celui-ci avait entamé la plus raide des pentes et avait acclamé avec le même enthousiasme le Père Noël et le renne Rudolf ; après quoi ils étaient allés tous les trois boire un chocolat chaud. Les filles étaient si heureuses qu'elles n'avaient pas cessé de se précipiter dans ses bras toute la journée.

Jay servit deux verres de punch en faisant attention à ne pas trop remplir celui d'Hannah et le lui tendit en disant :

— Fais attention à ne pas tacher ta jolie robe, trésor.

— Oui, répondit-elle en tournant la tête vers un coin de la salle où trois garçons s'amusaient à shooter dans un ballon en mousse.

Sam Sterling, le fils de Mitch, qui était déficient auditif, se trouvait parmi eux.

— Est-ce que je peux aller jouer avec eux ? lui demanda-t-elle, comme s'il était son père.

— Bien sûr, mais donne-moi…

Trop tard. Hannah se faufilait déjà à travers la foule. Elle avait presque rejoint les garçons quand une invitée pivota juste devant elle. Hannah ne put l'éviter et laissa échapper son verre dont le contenu se répandit sur l'élégante robe de soie de Sarah Smith.

— Regarde ce que tu as fait ! s'écria Sarah.

Hannah se figea, les joues toutes rouges. Jay arriva à l'instant même où elle allait éclater en sanglots. Il la prit dans ses bras et la berça doucement contre lui.

— Chut, Hannah. Ce n'est rien. C'était un accident.

Elle marmonna quelque chose en serrant très fort ses petits bras autour de son cou. Mais Jay regardait Sarah dont le visage exprimait une myriade de sentiments dont le premier était le regret. Et il savait pourquoi.

— Je paierai le nettoyage, ou même la robe, dit-il froidement. Hannah ne l'a pas fait exprès.

Sarah secoua la tête.

— Non, non, la robe n'a pas d'importance.

Ses yeux trahissaient une tristesse dont l'origine n'avait rien à voir avec une robe abîmée.

— Hannah, dit-il, tu as entendu Mme…

— Cole.

— Tu as entendu Mme Cole ? Elle dit qu'elle sait que c'était un accident.

De grands yeux bleus dévisagèrent Sarah.

— Absolument, Hannah. Ce n'est rien du tout. Je vais simplement rentrer chez moi et me changer.

— Je crois que tu devrais t'excuser, Hannah, même si tu ne l'as pas fait exprès, chuchota Jay à l'oreille de la fillette.

— Je suis désolée, dit docilement Hannah.

Comme Sarah s'éloignait, Kate apparut au côté de Jay.

— Merci, murmura-t-elle avec une regard si plein de tendresse qu'il en eut presque mal.

Et cette fois, il se demanda comment il parviendrait à vivre sans elle.

On commença à danser aux alentours de 21 heures. A 22 h 30, Jay, adossé contre un pilier, observait la piste improvisée d'un air furieux.

Le marié arriva derrière lui et lui tendit une coupe de champagne. Ils trinquèrent. Jay remercia Tom, but une gorgée de champagne, et reporta aussitôt son regard sur les mains de Nick Harrison — posées bien trop bas dans le dos de Kate, le dos presque *nu* de Kate. Elle avait ôté sa veste une demi-heure plus tôt.

— Hmm, jolie robe, n'est-ce pas ?

— Ferme-la, Tom.

— Je me suis laissé dire que Nick aimait les enfants lui aussi. Kate apprécierait sûrement un peu d'aide parfois. Les petites ne sont pas toujours faciles.

Jay pesta intérieurement.

— Je parie que Nick ne détesterait pas jouer ce rôle, continua Tom en parcourant innocemment la salle du regard. Quant à Flannigan, j'en suis sûr.

— Tom, tu n'es pas drôle.

Si les mains d'Harrison descendaient encore…

Par bonheur, la chanson se terminait et Jay put se détendre un peu tandis que Kate dansait avec Mitch Sterling — un homme marié, enfin. Mais le répit de Jay fut de courte durée. Le slow fit place à un rock entraînant dont Kate marqua le tempo avec ardeur, découvrant sa jambe par la fente de sa robe quasiment à chaque mouvement. Et le supplice n'était pas fini. Charlie Callahan vola Kate à Mitch pour la macarena endiablée qui suivit. Le bustier de sa robe se tendait dangereusement sur ses seins chaque fois que, dans un mouvement gracieux mais ample, elle levait les bras.

Mitch les avait rejoints.

— Comment ça va, cousin ? s'enquit Tom comme Aaron se joignait aussi à leur petit groupe.

— Bien. J'attends mon tour pour danser avec Kate, répondit-il en souriant.

Jay les regarda attentivement tous les trois.

— Bon, les gars, si vous me disiez ce qui se passe ?

— Rien, répondit Aaron avec un visage d'enfant de chœur.

Personne ne dit plus un mot jusqu'à ce qu'Aaron s'exclame :

— Ah, c'est mon tour !

Non, elle n'allait tout de même pas danser un twist avec cette robe !

C'est pourtant ce que fit Kate avec une énergie qui fit craindre le pire à Jay — il était impossible que son bustier tienne en place une seconde de plus. Cependant elle suivit tous les mouvements d'Aaron — diablement bon danseur — sans anicroche, et c'est avec soulagement que Jay vit la danse se terminer. Puis il aperçut, sur le côté gauche de la piste, Paul Flannigan qui semblait chercher Kate des yeux.

— Ah, non, pas toi, mon vieux, marmonna-t-il en se redressant.

Ses amis rirent.

— Tu ferais mieux d'y aller, alors, Jacob, dit Charlie.

— Flannigan est prêt à passer à l'action, renchérit Mitch.

Laissant Kate bavarder avec Lily sur le bord de la piste de danse, Aaron rejoignit le trio en s'exclamant :

— Eh bien, je peux vous dire que Kate est une sacrée danseuse !

Nick Harrison arriva à son tour et, les voyant regarder Kate, observa avec une sincère admiration dans la voix :

— Cette robe lui va vraiment à ravir.

Cette fois, c'en était trop. Jay tendit sa coupe à Tom et, ignorant les rires de ses amis, se dirigea vers Kate à grandes enjambées. Il lui saisit le bras juste avant que Flannigan l'atteigne.

— C'est ma danse, dit-il en la prenant d'autorité dans ses bras.

Les yeux de Kate étincelèrent brièvement, mais Jay ne perçut aucune réticence de sa part lorsqu'il l'attira à lui.

Comme ils évoluaient sur la piste, elle s'écarta légèrement pour dire :

— Je te remercie d'être venu au secours d'Hannah tout à l'heure. La plupart des gens lui auraient fait des reproches.

— C'était un accident.

— Sarah était blanche comme un linge. Je sais que c'était une robe de soie, mais tout de même, se mettre dans un état pareil pour un vêtement…

Elle parcourut la salle du regard.

— Elle n'est pas revenue ?

— Je ne crois pas, non.

Lui seul savait que ce n'était pas l'incident de la robe qui avait bouleversé son ancienne petite amie. Il éprouva un soudain élan de compassion pour Sarah, qui le surprit et qu'il refoula dès qu'il en eut pris conscience.

— Tu peux me remercier en me permettant de te raccompagner chez toi, dit-il en la serrant un peu plus étroitement contre lui.

Elle hésita.

— Je suis venue en voiture.

— S'il te plaît.

— Je vais y réfléchir.

Elle posa la tête sur son épaule et Jay se sentit autorisé à passer une main dans ses cheveux. Rien dans sa vie ne lui avait jamais paru plus juste.

Malheureusement, ce sentiment s'évanouit une heure plus tard comme la réception finissait. Tous les plus de soixante ans étaient partis, ainsi que les enfants. Ruth et Rachel étaient rentrées aussi, emmenant deux fillettes épuisées.

Jay aidait Kate à enfiler sa veste quand un policier en uniforme fit irruption dans la salle, évitant de justesse la collision avec Mme Baden, le maire de Riverbend, qui sortait.

— Est-ce que le commissaire Garvey est là, madame ?

— Oui, John, pourquoi ? Il est arrivé quelque chose ?

— Sarah Cole est rentrée dans un pylône électrique. J'ai bien peur qu'on ne puisse plus rien pour elle.

Rachel grimpa l'escalier qui menait à l'appartement de Jacob, le cœur lourd. Bien qu'elle eût des raisons de ne pas aimer cette femme, elle pleurait la mort de Sarah Cole. Si jeune. Si malheureuse. Mais pour l'instant elle était inquiète au sujet de Jacob. Le moment était venu de se libérer du douloureux secret qu'elle gardait depuis quinze ans. Pas seulement parce que Sarah était morte, mais aussi parce que Rachel savait au tréfonds d'elle-même que Jacob était sur le point de prendre de grandes décisions et qu'il avait besoin de conseils. Elle frappa ; la voix grave de son neveu répondit aussitôt :

— Entrez.

Quand elle ouvrit la porte, il tourna la tête dans sa direction depuis la fenêtre où il se tenait et elle vit disparaître la lueur d'espoir qui avait éclairé un instant son visage.

— Tu pensais que c'était Katie ?

Il acquiesça d'un mouvement du menton, l'air sombre.

— Eh bien, jeune homme, ta déception devrait t'apprendre quelque chose.

Il se tourna de nouveau vers la fenêtre et avala une gorgée de son soda.

— Je ne vois pas de quoi tu parles.

Elle entra et s'approcha de lui. Il avait ôté sa veste de smoking et roulé ses manches, et ressemblait ainsi tant à Abraham que Rachel sentit sa poitrine se serrer.

— Tu as de la peine pour Sarah, n'est-ce pas ?

Il hocha de nouveau la tête.

— Tout le monde en ville en aura. Elle avait beau vivre en recluse, sa mort sera pleurée.

Jacob ne répondit pas.

— Même par toi.

Toujours pas de réaction. Rachel s'approcha davantage et posa la main sur son bras.

— Même après ce qu'elle t'a fait.

Lentement, Jacob pivota. Son regard était interrogateur, et triste.

— Je sais, chéri, dit Rachel.

Aussitôt, il recouvra son visage de marbre, le visage de Jay Lawrence. Eh bien, Rachel n'allait pas le laisser faire. Elle voulait enterrer Jay Lawrence en même temps que Sarah Cole ; après tout, c'était cette dernière qui avait transformé Jacob en homme froid et malheureux.

— Qu'est-ce que tu sais, Rachel ? demanda-t-il d'une voix affreusement contrôlée.

— Je sais ce qui s'est passé avec ton père. Et avec Sarah.

Il pâlit.

— Lorsque tu es parti, je suis allée voir ton père. J'étais certaine que tu n'avais pas abandonné ta famille sans une sérieuse raison. J'ai insisté pour qu'il me dise la vérité.

— Et il l'a fait ?

— Oui, bien sûr.

Elle se redressa et tapota sa coiffure.

— Tout le monde pense que je suis une chiffe molle, Jacob, mais je peux t'assurer que ce n'est pas le cas.

— Je m'en rends compte, repartit-il avec une pointe d'amusement dans la voix.

— Je n'ai rien dit à Ruth.

— Pourquoi ?

— Parce que ce n'était pas nécessaire. Celui lui aurait causé encore plus de chagrin que ton départ. Elle était très proche d'Abraham, même s'ils se disputaient comme chien et chat. Je n'ai vu aucune raison de le lui dire. Jusqu'à aujourd'hui.

— Tu n'en as pas plus aujourd'hui.

— Si, il est temps qu'elle apprenne la vérité. Je la lui dirai demain.

Elle hésita. Durant un court moment, elle se demanda s'il lui appartenait d'intervenir. Mais, bonté divine, comment aurait-elle pu laisser son neveu s'enfuir de nouveau ?

— Et il faut que Kate la connaisse également.

— Kate ? Pourquoi ?

— Parce que tu l'aimes.

Le visage de Jay avait maintenant perdu toute couleur.

— Non, tu te trompes.

— Bien sûr que non. Je vois bien la façon dont tu la regardes. Tu ne peux pas détacher tes yeux d'elle. L'heure est venue de prendre des risques de nouveau, Jacob.

— Je ne peux pas.

Aussi grand et solide fût-il, Jacob était toujours son petit garçon. Elle caressa sa joue d'une main légère.

— Si, tu le peux. Fais simplement fond sur ce que tu ressens.

Il ferma les yeux et secoua la tête.

— Je lui ai fait trop de mal.

— Une femme peut pardonner beaucoup de choses à l'homme qu'elle aime.

— Tu ne peux pas comprendre.

— Je comprends plus que tu ne crois.

Après un bref silence, elle ajouta :

— Va à la ferme, Jacob. Dis-lui que tu as changé d'avis à propos de la librairie, que tu ne veux plus la vendre.

Il parut ébahi.

— J'ai deviné tes intentions dès le début, déclara-t-elle. Mais tout le monde a le droit de changer son fusil d'épaule.

— Elle ne me pardonnera jamais.

— Je pense que si, pour peu que tu te montres assez repentant, dit-elle en souriant. C'est bien ce que tu souhaites, n'est-ce pas ?

Jacob semblait en proie à des émotions conflictuelles.

— Tout ce que je sais, dit-il finalement, c'est que je veux que Kate fasse partie de ma vie.

Rachel se haussa sur la pointe des pieds et l'embrassa.

— Alors, va la chercher, chéri.

Pour la millième fois, Kate se retourna dans son lit en soupirant. Il était 3 heures du matin, mais elle n'était toujours pas parvenue à trouver le sommeil. Elle continuait de voir le visage de Jay lorsque le policier avait annoncé la mort de Sarah Cole. Il avait serré si fort sa main sur son épaule qu'il lui avait fait mal, puis ils avaient quitté la réception, muets de stupeur. Elle avait essayé de le faire parler, mais il n'avait rien voulu dire. Il avait cependant insisté pour la raccompagner chez elle, et bien qu'elle ait refusé sa proposition un peu plus tôt, elle n'avait pas eu le cœur à argumenter après ce qui s'était passé ; il l'avait laissée, inquiète et troublée, devant la porte de la ferme.

Ils n'avaient pas d'avenir ensemble, Kate le savait, mais cela ne changeait rien aux sentiments qu'elle avait pour lui. Trois semaines auparavant, elle en avait eu assez pour faire l'amour avec lui et, bien qu'elle sût qu'elle ne lui pardonnerait jamais de s'être servi d'elle, ses sentiments ne s'étaient pas altérés.

« Tu ne peux pas être sûre qu'il t'ait utilisée », tentait de dire son cœur. « Bien sûr que si », répondait sa raison. Jamais plus elle ne pourrait lui faire confiance, même si elle le voulait. C'était comme avec Billy. Du jour où elle l'avait trouvé dans les bras d'une autre, leur relation avait été terminée.

Se retournant de nouveau, elle s'efforça d'appeler à son esprit les images agréables qui, habituellement, l'apaisaient, mais elle était toujours éveillée quand, une demi-heure plus tard, une soudaine lumière perça l'opacité du petit matin. Elle sut aussitôt que c'était Jay. Elle bondit hors de son lit, courut à la porte de derrière et l'ouvrit avant même qu'il ait eu le temps de frapper.

— J'ai vu tes phares, expliqua-t-elle devant sa surprise.

— Il faut que je te parle.

Le prenant par la main, elle le conduisit dans le séjour où elle alluma une lampe. Le tourment ravageait ses traits. Il laissa tomber son manteau sur une chaise et elle vit qu'il portait encore son pantalon de smoking et sa chemise blanche.

— Je ne suis pas sûr d'y arriver, dit-il d'une voix étranglée.

— A quoi ?

— A te dire ce que j'ai à te dire.

Quelque part au fond d'elle-même, la peur commença à se nouer, puis elle sentit que ce n'était pas comme les fois précédentes. Cette révélation-ci ne la concernait pas directement.

— Est-ce que tu as besoin d'un petit moment ? Je peux aller préparer du café pendant que tu allumeras le feu.

Il acquiesça en silence.

Lorsqu'elle revint dans le séjour, le feu crépitait, mais le regard que Jay tourna vers elle la glaça. Elle lui tendit sa tasse et s'assit dans le canapé. Il but une gorgée de café, mais ne la rejoignit pas.

— Est-ce à propos de la mort de Sarah ? demanda-t-elle au bout d'un moment.

— D'une certaine façon.

Elle attendit, et finalement, d'une voix altérée par la souffrance, il commença :

— Tu sais que Sarah et moi sortions ensemble lorsque nous étions au lycée. J'étais fou d'elle, et je croyais que c'était réciproque. Nous nous entendions bien, mais il nous arrivait de nous disputer, surtout à cause du temps que je passais avec les River Rats.

— Sarah ne faisait pas partie de la bande ?

— Non. Sarah était snob, en fait, elle considérait qu'elle leur était supérieure. Mais je l'aimais. Quand j'ai eu mon diplôme, je suis allé à l'université de l'Indiana et elle à Cleesberg. Nous avions l'intention de nous marier à la fin de ma troisième année.

Jay, qui fixait le feu d'un regard absent, semblait presque avoir oublié la présence de Kate.

— J'espérais pouvoir jouer au basket en professionnel. Lorsque je me suis blessé, j'étais alors en deuxième année, j'ai cru que ma carrière sportive était finie. J'aurais pu le supporter... du moment que j'avais Sarah... Elle ne voulait pas que je passe ma vie sur les terrains, de toute façon. Elle voulait vivre à Riverbend et elle me pressait de revenir et de travailler à la banque avec mon père.

— Mais tu as rejoué ?

— Oui, mon genou a guéri et j'ai rejoué. Et je me suis mis à jouer si bien qu'au début de ma troisième année les découvreurs de talents fourmillaient autour de moi.

Kate connaissait cet épisode de l'histoire.

— Pourquoi n'as-tu pas terminé ton cursus, Jay ? Que s'est-il passé ? Parle, je veux savoir.

Il s'agrippa d'une main au manteau de la cheminée.

— Cette année-là, juste avant Noël, j'ai offert une bague à Sarah. J'étais si heureux ! Elle ne semblait pas l'être autant que moi, pourtant... J'ai pensé que c'était parce que j'allais jouer en professionnel. Le soir du réveillon, nous avons dîné chez moi, dans la maison d'East Poplar Street, avec mon père, et nous étions sur le point de venir ici pour annoncer nos fiançailles à Ruth et à Rachel quand… — je m'en souviens comme si c'était hier — j'ai surpris quelques mots entre Sarah et mon père alors que je descendais l'escalier de la cuisine où ils se trouvaient tous les deux.

— De quoi parlaient-ils ?

— De leur secret.

— Quel secret ?

— Il lui disait qu'il leur faudrait se montrer prudents afin que je ne découvre rien. Que je n'avais pas besoin de savoir, que cela devait rester entre eux.

Kate sentit une sueur froide descendre le long de sa colonne vertébrale. Mon Dieu, non… Abraham n'avait tout de même pas… ? Non, pas avec la petite amie de son fils.

— Quel était ce secret, Jay ?

Il posa sa tasse sur la cheminée et s'appuya des deux mains contre le manteau de marbre.

— Elle a dit qu'elle se sentait coupable de ne pas me le dire et lui a répondu que je ne pouvais pas savoir. Et il a ajouté que… l'avortement était légal, à présent, que ce n'était pas un crime. Même pas un péché.

— Un avortement ?

— Oui. Sarah avait attendu un enfant de moi. Elle l'avait découvert après le week-end de Thanksgiving, et entre la fin novembre et Noël, elle l'a dit à mon père. Il était dans tous ses états. Il lui a dit que cela pouvait ruiner ma carrière sportive, sans parler de ma réputation en ville, et il l'a convaincue de se faire avorter.

« Et elle l'a fait ! C'est Julian Bennett qui s'en est occupé. Ils ont tué mon bébé à cause d'une stupide carrière de basketteur et d'un nom qu'il ne fallait pas salir ! s'exclama-t-il avec un rire sinistre. L'homme qui avait engendré un bâtard défendait l'honneur de son propre nom. C'est à pleurer ! »

Les yeux embués de larmes, Kate se leva et s'approcha de lui. Il avait toujours le dos tourné, mais elle passa les bras autour de sa taille et murmura :

— C'est affreux, Jay. Je suis désolée.

Pendant un moment, il resta ainsi immobile, le dos raide, les mains toujours crispées sur le bord de la cheminée. Puis il se tourna vers elle et noua lâchement ses bras dans le dos de Kate. Ses joues étaient mouillées. Elle les essuya doucement de la main.

— Je voulais toute une flopée d'enfants, Kate. J'adore les enfants.

— Je sais que tu les aimes.

Il se raidit de nouveau et expliqua :

— J'ai laissé Jacob Steele à Riverbend, cette nuit-là, et je suis devenu Jay Lawrence.

— Je comprends.

— Vraiment ? fit-il en la saisissant aux épaules. Tu peux comprendre pourquoi je suis devenu l'homme que je suis ?

— Qui es-tu, Jay ?

— Je suis l'homme qui a abandonné deux vieilles femmes qui l'adorent parce qu'il a été incapable d'encaisser une mauvaise nouvelle.

— D'abord, Jay, un avortement est davantage qu'une mauvaise nouvelle. Ensuite, tu m'as dit toi-même que tu n'étais pas resté à Riverbend parce que tu ne voulais pas détruire l'image que tes tantes avaient de leur frère.

— Elles l'aimaient tellement ! Tout le monde pense que c'est un homme entièrement dévoué à sa famille. Je savais qu'il pouvait être dur, exigeant, mais moi aussi je l'avais toujours considéré comme quelqu'un d'honnête, d'intègre. Il ne l'était pas.

— Non, il ne l'était pas. Pas après ce qu'il t'a fait.

— Et ce qu'il a fait à Aaron.

De nouveau, il fit une pause, avant de reprendre :

— Plusieurs fois, j'ai été sur le point de prendre contact avec mes tantes, mais j'ai eu peur qu'elles réussissent à me faire dire pourquoi j'étais parti. Finalement, j'ai décidé qu'il valait beaucoup mieux pour tout le monde que je disparaisse complètement. C'est ainsi que je suis devenu Jay Lawrence ; c'était la seule façon de laisser mon passé derrière moi.

Kate se représenta le jeune garçon qu'elle apprenait à connaître, découvrant que son père était lâche, sa petite amie, faible, et renonçant à la vie qu'il avait rêvée jusque-là. Son cœur saignait pour lui.

— Rachel savait, en fait, dit-il soudainement.

— Ah oui ?

— Elle est venue me voir ce soir. Elle m'a dit que, sitôt après mon départ, elle était allée trouver Abraham et l'avait forcé à lui dire ce qui s'était passé.

Le regard de Jay se perdit au plafond.

— Elle aussi a gardé ce secret pendant quinze ans, dit-il d'une voix sourde. Comme moi.

— Tu ne l'as jamais dit à personne ?

— Si. A toi. Maintenant.

Il la regarda dans les yeux.

— C'est important pour moi que tu saches qui je suis.

— Je ne suis pas sûre de vraiment comprendre qui tu es en réalité. Je ne suis pas sûre que tu le comprennes toi-même.

— Tu as peut-être raison. J'ai changé depuis mon retour ici. Il faut que je parvienne à découvrir qui je suis vraiment et ce que je veux.

Elle sourit douloureusement. Elle voulait faire partie de la vie de Jay, mais serait-ce possible ? Ainsi qu'il l'avait lui-même découvert à l'âge de vingt ans, sans confiance, rien ne garantissait jamais qu'une relation existe durablement…

Mais cela ne signifiait pas qu'elle ne pouvait pas l'aider. Etre son amie. Elle prit sa main et l'entraîna vers le canapé.

— Assieds-toi et parle-moi de ta vie durant ces quinze années.

Ils s'assirent devant le feu et parlèrent. Il lui raconta comment il avait erré de ville en ville, de petits boulots en petits boulots. Son chagrin s'était mué en amertume, qui, progressivement, avait fait place à une détermination nouvelle. Tout en parlant, il s'était renversé en arrière sur le canapé et avait attiré Kate contre lui ; il lui caressait distraitement le bras. Il avait fini par retourner à l'université, suivi un troisième cycle, puis créé sa propre entreprise et gagné beaucoup d'argent, mais rien de ce qu'il avait entrepris ne l'avait jamais vraiment satisfait. La dernière chose qu'elle l'entendit dire comme elle fermait les yeux était : « Je ne suis pas heureux, Kate. Je le sais maintenant. Mais je ne sais pas ce qu'il faut faire pour que ça change. »

Il faisait grand jour lorsque Jay se réveilla, désorienté et le cou raide. Il lui fallut quelques minutes pour réaliser qu'il se trouvait à la ferme et que Kate était blottie contre lui, endormie. S'abandonnant avec délices à la sensation de son corps près de lui, il se remémora les événements de la veille.

Sarah était morte. Rachel savait pourquoi il avait quitté Riverbend quinze ans plus tôt. Et il s'était finalement ouvert de son secret à quelqu'un. Heureux de l'avoir fait.

Il fallait maintenant qu'il réfléchisse. Quelle décision devait-il prendre ? Il n'allait pas vendre la librairie et la ferme. Et il ne pouvait pas laisser échapper Kate. Etait-il prêt à renoncer à sa vie new-yorkaise ? Tout ce qu'il avait toujours voulu se trouvait là-bas. Non, ce n'était pas vrai. La femme qu'il tenait dans ses bras avait tout changé. Kate, et les filles, *devaient* faire partie de sa vie.

Rachel lui avait conseillé de se faire humble. Eh bien, qu'à cela ne tienne ! Il ramperait devant elle s'il le fallait. Il ne s'était jamais comporté ainsi avec les femmes, mais… *les femmes* ! Mon Dieu, comment avait-il pu oublier Mallory ? Il lui avait pourtant téléphoné chaque semaine depuis son départ, mais entre deux coups de fil, il ne pensait presque jamais à elle, alors qu'il pensait sans cesse à Kate.

Bon, il allait donc devoir rompre avec Mallory. L'homme qu'il avait été pendant quinze ans n'aurait pas hésité à se débarrasser du problème d'un simple appel téléphonique, seulement il n'était plus cet homme-là. Et Mallory méritait mieux. Cependant, cela devrait attendre un peu car il ne pouvait pas quitter Riverbend pour l'instant sans renoncer à son héritage.

Il travaillerait donc d'abord à regagner la confiance de Kate, puis, une fois qu'il aurait rompu avec Mallory, il lui demanderait de l'épouser.

Elle remua un peu dans ses bras, et sourit en ouvrant les yeux. Il embrassa le bout de son nez.

— Bonjour, dit-il.

— Bonjour.

— J'ai quelque chose à te dire, reprit-il après qu'elle eut papilloté quelques secondes.

— Il y a encore autre chose ?

— Une petite chose.

— Quoi ?

— Je ne vais pas vendre la librairie, Kate, ni la maison. J'aimerais… une deuxième chance.

Un long silence suivit et Jay en fut alarmé. Puis Kate se dégagea doucement de ses bras, se leva et alla à la cheminée où quelques tisons rougeoyaient encore.

Il fut épouvanté lorsqu'elle dit posément :

— Je ne crois pas que ce soit si simple, Jay.

13.

Le 12 décembre, le lendemain de l'enterrement de Sarah Cole et trois jours après que Jay lui eut demandé une autre chance, Kate trouva en arrivant au magasin un grand vase de marguerites sur le comptoir. Noël approchait à grands pas et elle avait essayé de se concentrer sur sa liste de cadeaux pour ne pas penser à Jay, mais les fleurs se chargeaient de le rappeler à sa mémoire.

— Tu comptes énormément pour moi, avait-il dit le dimanche matin après lui avoir révélé son secret.

— Toi aussi, tu comptes beaucoup pour moi, avait-elle répondu sans oser le regarder. Mais le risque est trop grand.

— Je te prouverai le contraire.

— Comme Billy ?

Je ne suis pas Billy.

— Qui es-tu ?

La conversation les ayant menés à une sorte d'impasse, Kate était allée se doucher, abandonnant Jay dans le séjour. Il l'avait ensuite reconduite en ville où elle avait récupéré sa voiture pour aller chercher les filles. « Je suis sérieux, Kate. Je n'abandonnerai pas », était la dernière chose qu'il lui avait dite ce jour-là. Et dès ce moment, il avait commencé à user, lentement, la résistance de Kate.

— Qui a envoyé ces fleurs ? s'enquit Simon en pénétrant dans la librairie.

Elle prit alors la petite enveloppe dans le bouquet et l'ouvrit.

— Je ne sais pas. Ça dit : « Le jour de Noël, mon amoureux m'a offert une brassée de marguerites…

— … et une perdrix dans un poirier… », continua Simon, dont les yeux bleus pétillaient de gaieté. Nous ne sommes pourtant que treize jours avant Noël, remarqua-t-il.

— La carte dit aussi : « Pardon pour le décalage, mais il faut commencer tôt cette année car Noël tombe un lundi. »

— Ah, un homme cultivé, nota Simon. Serait-ce un nouveau prétendant ?

— Non.

— Intéressant, se contenta de marmonner Simon en s'éloignant vers le bureau.

Les tantes, qui arrivèrent avec Jay après avoir pris un petit déjeuner tardif au Sunny Side Café, se montrèrent plus insistantes. Rachel en particulier parut très impressionnée.

— Que ces fleurs sont belles ! Regarde, Ruthie ! s'exclama-t-elle.

Ella adressa un petit sourire de connivence à Kate avant d'ajouter :

— Est-ce que Jack Kerouac ne t'a pas envoyé des fleurs printanières en plein milieu de l'hiver, un jour, Ruth ?

— Peut-être, je ne me souviens pas. Je me demande où l'on peut bien trouver des marguerites en cette saison.

Jay sourit à Kate par-dessus les têtes de ses tantes. C'était un sourire malicieux et sensuel tout à la fois.

— Je n'en ai aucune idée, dit Kate en jetant à Jay un regard noir.

— C'est Paul qui te les a fait porter ? s'enquit Ruth.

Le sourire de Jay s'évanouit, faisant place à une expression d'une telle possessivité que Kate sentit son pouls s'accélérer. Se tournant vers le comptoir, elle répondit :

— Non, je ne crois pas.

Les filles furent aussi enthousiastes que Rachel lorsqu'elles virent les fleurs en rentrant de l'école.

— Maman n'a jamais reçu de fleurs, déclara Hannah à Jay qui était en train de faire Dieu sait quoi sur l'ordinateur.

— Jamais ? avait-il répété d'un ton incrédule.

— Non, dit Hannah. Le jour où elle nous a lu *Le bouquet de Ramona*, elle nous a dit qu'elle aimait les fleurs, mais que personne ne lui en avait jamais offert.

Jay posa son menton sur la tête d'Hannah qui s'était assise sur ses genoux, et dit en regardant Kate dans les yeux :

— Ta maman devrait recevoir des fleurs tous les jours.

— Ne t'y essaie pas ! susurra-t-elle entre ses dents comme les filles s'éloignaient de nouveau en gambadant.

— A quoi ? demanda-t-il innocemment.

— A m'envoyer des fleurs tous les jours.

— Je n'y penserais même pas.

Une lueur diabolique brillait dans ses prunelles et Kate ne pouvait s'empêcher d'être attirée par ce nouvel aspect de la personnalité de Jay ; ce côté rieur, insouciant, grignotait petit à petit le mur qu'elle avait érigé entre eux.

— Promis ?

— Je te promets de ne pas t'envoyer de fleurs tous les jours, dit-il avec une docilité… suspecte.

Mais le téléphone sonna et Kate ne put le questionner plus avant.

Chaque matin, cette semaine-là, elle découvrit un paquet superbement emballé sur le comptoir de la librairie. Le second jour, ce fut un flacon de l'huile de bain Paloma Picasso qu'elle convoitait depuis qu'elle en avait respiré le parfum chez Killian. Le troisième jour, une ponceuse électrique. Le quatrième, un magnifique exemplaire de *Roméo et Juliette*. Puis, une perceuse électrique. C'est seulement à ce moment-là qu'elle comprit.

Sa liste de souhaits ! Jay avait trouvé sa liste de souhaits et s'en servait pour la séduire ! Ça, c'était un peu fort !

Etant arrivée tôt au magasin, elle alla tout droit, perceuse en main, à l'escalier qui menait à l'appartement de Jay, et c'est remplie d'indignation qu'elle frappa à sa porte. Il ne répondit pas tout de suite. Mais quand il eut enfin ouvert sa porte, elle le regretta aussitôt.

A l'évidence, elle l'avait réveillé. Il se tenait là presque nu, ou du moins seulement vêtu d'un caleçon fantaisie. Il avait les cheveux en désordre et les yeux ensommeillés. Malgré elle, son regard alla successivement de son visage à son torse nu, puis à son ventre plat, puis…

— Arrête de me regarder comme ça, Kate, dit-il, ou je ne réponds plus de rien, dit-il d'une voix dangereusement basse.

Prise de panique, elle brandit la perceuse sous son nez.

— Tu as trouvé ma liste de souhaits, dit-elle.

— Ah oui ?

— Oui. Quand tu m'espionnais.

Elle passa devant lui, puis fit volte-face.

— Je ne te laisserai pas faire !

— Faire quoi ? demanda-t-il en s'adossant nonchalamment contre la porte.

— Satisfaire tous mes désirs.

Une lueur sensuelle s'alluma dans le regard de Jay. De nouveau, elle se sentit comme hypnotisée par ce Jay plus frivole, plus heureux qu'elle ne connaissait pas encore très bien. Envolé le ténébreux Heathcliff… Pourtant, il lui semblait plus redoutable encore.

— Tu as fouillé les plus personnelles de mes affaires.

— Oui, mais je te l'ai déjà avoué.

— Crois-tu que cela te donne le droit d'utiliser ce que tu as appris ?

— J'invoque le cinquième amendement : nul ne peut être jugé deux fois pour le même délit, repartit Jay. Quoique, continua-t-il, en amour comme à la guerre, tous les coups soient permis.

— Jay ! Tu nc m'écoutes pas ! protesta-t-elle, indignée par sa légèreté.

— Sais-tu que tes yeux ressemblent à du jade poli lorsque tu es en colère ?

— Je n'ai jamais vu de jade.

— Tu aimerais en voir ?

— Non !

Il rit et Kate sentit son cœur s'emballer. Jamais elle ne l'avait entendu rire de cette façon, il semblait heureux, libéré. Pour la première fois, elle regretta de ne pas l'avoir connu alors qu'il était encore Jacob Steele.

— Mon ange, les femmes sont supposées aimer les bijoux.

— Pas moi, déclara-t-elle, exaspérée.

Il s'avança vers elle et, rompant la promesse qu'il lui avait faite de ne pas la toucher, releva son menton d'un geste doux et caressa son cou.

— Je sais pourquoi, dit-il en lui embrassant le bout du nez. Tu n'en as pas besoin parce que tu en es un toi-même. Très rare. Très précieux.

Elle ferma les yeux comme il effleurait son front de ses lèvres.

— Jay, s'il te plaît, non.

— Non quoi ?

— Ne me poursuis pas ainsi.

— Oh, chérie, murmura-t-il contre son oreille, je ne fais que commencer.

Jay se rendit compte que Kate n'était pas décidée à lui faciliter les choses quand il arriva à la ferme le samedi un peu avant midi.

— Qu'est-ce que tu fais ici ? s'exclama-t-elle. Cela ne t'a pas suffi de faire de mes filles tes complices en leur demandant de me donner ta boîte de chocolats, ce matin ?

Il sourit, plutôt fier de son bon tour.

— Elles ne t'ont pas dit ? s'enquit-il. Pour aujourd'hui ?

— Dit quoi ?

— Je les emmène voir le Père Noël. Chaque année, il réquisitionne tout un étage du grand magasin Killian pour stocker ses jouets.

— Je sais. Je les y emmène toujours.

— Tu crois que je pourrais entrer ? demanda Jay en se frottant les bras. Il fait bigrement froid dehors.

Il avait délibérément laissé son manteau dans sa voiture, et quand elle le vit frissonner, comme prévu, elle le fit entrer.

— Je les emmène toujours voir le Père Noël, répéta-t-elle, les mains sur les hanches, lorsqu'il fut à l'intérieur.

— Viens avec nous, alors, proposa-t-il de son ton le plus convaincant.

Elle maugréa un peu, mais elle n'était pas de taille à lutter contre l'enthousiasme des filles.

Pour Jay, ce fut un après-midi magique. Il adora voir les filles s'asseoir sur les genoux du Père Noël, leur petite frimousse se lever vers lui pour lui parler tandis qu'ils déambulaient, main dans la main, dans le somptueux décor d'hiver du magasin. Jamais il ne s'était senti aussi content. Au-dessus d'une tasse de chocolat, elles lui demandèrent ce qu'il voulait pour Noël.

Il leva les yeux vers Kate qui se trouvait en face de lui, à côté d'Hannah.

— Le pardon, dit-il simplement.

Hope écarquilla les yeux.

— Maman dit que c'est le plus beau cadeau que quelqu'un puisse faire, observa-t-elle.

— Elle dit ça ? Vraiment ? fit-il en regardant Kate droit dans les yeux.

— Il y a M. et Mme Sterling, là-bas, avec Sam et le bébé, dit soudain Hannah en bondissant de sa chaise. Est-ce que je peux aller les voir ?

— Oui, mais ne t'éloigne pas, répondit Kate.

Lorsque les fillettes eurent rejoint Mitch et Tessa, Jay tendit le bras au-dessus de la table pour essuyer une petite trace de crème fouettée sur la joue de Kate.

— Est-ce que Lynn ne t'a jamais conseillé de mettre en pratique les valeurs que tu défends ? demanda-t-il.

— C'est ce que je fais. Je t'ai pardonné, Jay. C'est juste que je ne peux pas te faire confiance.

— A cause de ce que Billy t'a fait ?

— En partie.

— Qu'y a-t-il d'autre ? dit-il en s'emparant de sa main sur la table. Dis-moi.

— J'ai peur.

Elle releva le menton.

— Tu comptes beaucoup pour moi, Jay. Beaucoup trop, en fait. Je dois me protéger. Tu n'es pas le genre d'homme sur qui j'accepterais de m'appuyer.

Elle avait parlé d'une voix douce, mais ses mots blessèrent Jay au plus profond. Il reprit néanmoins :

— J'ai trahi ta confiance, je le reconnais et je le regrette.

— En es-tu certain ? Comment puis-je savoir si, quand tes huit semaines seront écoulées, tu ne repartiras pas à New York en nous laissant tous derrière toi ?

— Et si je te promettais de rester à Riverbend ?

Elle secoua la tête.

— Tu aurais vite fait de t'ennuyer. Les filles et moi ne te suffirons pas.

Une objection lui vient immédiatement aux lèvres, mais il n'eut pas le temps de l'exprimer car les Sterling approchaient de leur table. Ils se saluèrent et bavardèrent quelques instants avant que Kate, qui n'avait d'yeux que pour Laura, le bébé, demande à sa mère :

— Je peux la tenir un peu ?

— Bien sûr, répondit Tessa.

Kate installa l'enfant au creux de son bras et se mit à gazouiller doucement. Jay était fasciné. Il eut soudain une vision fulgurante de Kate enceinte de son enfant à lui, et il en fut complètement bouleversé. S'ennuyer avec elle ? Jamais.

— Jacob ?

— Hmm ?

— Je te demandais pourquoi tu n'étais pas venu voir le match de basket hier soir ?

— J'étais… euh, occupé.

— Nous nous sommes donné rendez-vous mercredi après-midi au gymnase pour un match entre copains. Ça te dirait de te joindre à nous ?

Détachant à regret son regard de Kate, il tourna la tête vers Mitch.

— Je ne crois pas, non.

Il n'avait pas touché un ballon depuis quinze ans et avait refusé d'aller voir les matchs du lycée.

— Tu crains que ton boss refuse de te libérer quelques heures ? demanda Mitch, les yeux brillants de malice, en indiquant Kate du pouce.

— Ça ne pose pas de problème pour moi, dit celle-ci. Jay est censé avoir une journée de congé par semaine et il ne la prend jamais.

Elle avait parlé d'une voix douce et gaie sans quitter des yeux le visage endormi du bébé.

— A quelle heure ?

— Vers 3 heures.

— Je ne sais pas, dit-il, surpris de se sentir aussi mal à l'aise.

— Tous des River Rats, Jay. Tom, Charlie, Nick Harrison, Ed Pennington seront là. Et Wally vient nous regarder jouer. Ce sera comme au bon vieux temps.

C'était justement ce qui effrayait Jay.

*
* *

Lynn Kendall accéléra le pas pour rester à la hauteur de Kate qui s'échauffait en faisant le tour du gymnase, levant et baissant les bras à un rythme d'enfer.

— C'est exaspérant, fulminait-elle, le visage empourpré. Je ne peux pas croire qu'il ose me faire ça.

— Exaucer tous tes rêves ? Ah, oui, ça, c'est rageant, fit Lynn, quelque peu sarcastique.

Kate tourna brièvement la tête vers son amie.

— Le mariage t'a changée, observa-t-elle avec aigreur.

Lynn rit.

— Sans aucun doute.

— Excuse-moi, Lynn, je suis heureuse pour toi, sincèrement, dit-elle — se rendant compte qu'elle était aussi jalouse parce que, au plus profond de son cœur, Kate désirait ce que Lynn et Tom avaient, ce que les Sterling avaient, ce que Aaron et Lily, ou Beth et Charlie avaient. Tom et toi méritez votre bonheur.

— Toi et Jay le méritez autant que nous.

— Je t'en prie, évite de prononcer son nom devant moi.

— Entendu. Parle-moi plutôt de cette toilette. De quelle couleur est-elle ?

Kate leva les yeux au ciel comme son amie évoquait la robe de cachemire rouge cerise que Jay lui avait offerte la veille. C'était son neuvième cadeau. Lorsqu'elle avait de nouveau fait irruption dans son appartement, il lui avait simplement dit qu'elle serait magnifique dans cette robe.

— J'ai l'intention de la rapporter au magasin, avait-elle rétorqué.

Ainsi que les chaussures et le sac de voyage de l'avant-veille. Elle soupira et accéléra encore l'allure. Au bout d'un moment, Lynn s'arrêta et s'assit sur le sol, le dos appuyé contre le dernier gradin.

— Viens t'asseoir une minute, dit-elle.

Kate s'assit et Lynn prit sa main en disant :

— Pourquoi est-ce que tu t'infliges cela à toi-même ? Ce combat contre Jay.

— Il me mine, tu ne peux pas savoir. Ce ne sont pas tant ses cadeaux que cette attention de tous les instants, cette persévérance inlassable… Ajoute à tout cela ce qu'il a fait pour ses tantes, et pour les filles…

Elle serra la main de Lynn.

— J'ai peur, Lynn.

— Vas-tu laisser le souvenir de Billy gâcher toute ton existence ? demanda celle-ci en regardant Kate attentivement. Te défier de tous les hommes à cause de lui ?

— Non. Seulement de Jay Lawrence, ou de Jacob Steele, ou quel que soit son nom.

Lynn resta silencieuse.

— Je vois Paul de temps en temps, reprit Kate. Et Nick Harrison m'a fait quelques avances récemment. Je le trouve charmant.

— Kate, tu n'es intéressée par aucun des deux, et tu le sais très bien.

— Peut-être, mais je pourrais le devenir…

— Non, dit Lynn fermement. Maintenant, écoute, tu vas inscrire ceci sur ta liste de bonnes résolutions pour la nouvelle année : « prendre des risques ».

— Comment puis-je savoir s'il sera encore là une fois passé le 1er janvier ?

— C'est facile. Fais en sorte qu'il lui soit impossible de te quitter, dit Lynn en se relevant. Si j'en juge par son attitude, tu n'auras pas beaucoup d'efforts à faire.

Jay jeta un coup d'œil à l'horloge comme Kate passait la porte du magasin après sa séance de sport avec Lynn. Elle était en sueur et sa tresse était défaite, mais elle lui sembla particulièrement belle et sexy. Plus calme aussi. Très différente en tout cas de ce qu'elle avait paru lorsqu'elle avait découvert la robe rouge.

— Il est 14 h 30, dit-elle en faisant une halte devant le comptoir. Les gars se retrouvent au gymnase à 15 heures.

— Je n'y vais pas, dit-il en reportant son attention sur l'écran de l'ordinateur. Il y a un livre à vendre sur cette liste que tu devrais voir.

— Je regarderai tout à l'heure. Quand tu seras parti.

— Je n'y vais pas.

— Pourquoi ?

Il se renversa dans son fauteuil, nouant ses mains sur sa nuque.

— Je ne suis pas prêt à faire face à tous ces fantômes.

Le visage de Kate s'adoucit, mais Jay n'avait aucune envie qu'elle le prenne en pitié.

— Ne me regarde pas comme ça. Je ne veux pas de ta compassion.

— Il ne s'agit pas de ça. Je suis simplement surprise que tu sois si lâche.

— Lâche ?

— Oui. Tu n'es pas allé voir un seul match au lycée, et maintenant tu me dis que tu as peur d'aller jouer avec tes anciens amis.

— Comme diraient mes tantes, ne serait-ce pas la paille et la poutre ?

Le petit sourire narquois de Kate s'évanouit.

— Qu'est-ce que tu veux dire ?

— Si je suis un lâche, tu en es une aussi. Tu laisses tes propres fantômes affecter ta vie d'aujourd'hui. Notre vie.

— Je ne tiens pas à discuter de ça.

— Parfait, fit-il en se redressant. Je ne tiens pas à parler d'entraînement de basket non plus.

Elle partit comme une flèche et disparut dans le bureau tandis qu'il se remettait au travail. Cinq minutes plus tard, elle était de retour, et lui lança en même temps qu'un regard noir :

— Lynn dit ça aussi.

— Quoi ?

— Que je suis lâche.

— Elle est pasteur, Dieu éclaire son jugement.

— Va au gymnase et je serai plus gentille avec toi.

— Accepte de dîner avec moi ce soir, et j'irai.

Il n'avait pas prévu de dire ça, mais à présent que c'était dit, il ne le regrettait pas. Il continua même sur sa lancée :

— Puisque les filles dorment chez Allison ce soir et que tu as ton après-midi, tu auras tout le temps de rentrer chez toi pour te changer. C'est l'occasion d'étrenner ta nouvelle robe, ajouta-t-il en lui adressant un large sourire.

— Non.

Il haussa les épaules.

— Tu vois bien que tu es lâche.

— Tu essaies encore de me manipuler.

— Mais au moins je ne m'en cache pas.

Il regarda l'heure.

— Tu ferais bien de te décider. Il sera bientôt trop tard pour rejoindre les autres au gymnase.

— C'est bon, j'accepte.

Jay faillit en tomber à genoux de gratitude. Au lieu de quoi, il dit en se levant :

— Je passe te prendre à 18 heures.

— Non, je te retrouverai ici. J'ai un travail à finir avant ce soir.

— Comme tu voudras.

Il se pencha vers elle, saisit son menton et déposa un baiser sonore sur ses lèvres. Puis il se dirigea vers le fond du magasin et grimpa à son appartement, se sentant plus heureux qu'il avait cru pouvoir l'être de nouveau un jour.

Kate essaya de dresser une liste de raisons de ne pas laisser Jay revenir dans sa vie — en vain. Tandis qu'elle rentrait chez elle, puis prenait un bain, tout ce à quoi elle parvenait à penser, c'était à la lueur de défi qui brillait dans les yeux de Jay lorsqu'il lui avait promis d'aller jouer au basket à condition qu'elle accepte de dîner avec lui. Et même en enfilant la fameuse robe rouge, elle ne put songer qu'à ce rire si plein, si vrai qu'il avait parfois.

En réalité, s'avouait-elle en reprenant le volant pour retourner en ville, il avait su trouver, progressivement, le chemin de son cœur, par ses attentions envers les filles, sa dévotion à l'égard de ses tantes, par sa sollicitude de tous les instants. Et elle était prête à l'admettre : si lui pouvait affronter ses fantômes, elle aussi en était capable.

Elle arriva à la librairie à 17 h 30. Ayant libéré Izzy et Joan, elle alla travailler dans le bureau, et, à 18 heures pile, comme elle cachetait une dernière enveloppe, Jay apparut dans l'encadrement de la porte.

Le voir lui coupa le souffle. Avec son blazer de laine marine, sa chemise blanche et son pantalon gris, il était aussi beau que Rhett Butler. Ses cheveux étaient peignés en arrière et ses yeux brillaient de joie.

— Lève-toi, ordonna-t-il d'une voix douce avant qu'elle ait eu le temps de lui demander comment s'était déroulé l'entraînement de basket.

Il écarquilla les yeux.

— Tu es… renversante.

Normalement, elle aurait émis une objection devant une telle exagération. Mais elle s'était maquillée et avait bouclé ses cheveux précisément pour susciter chez lui cette réaction. Et elle n'avait pas manqué de remarquer combien la robe rouge mettait sa silhouette en valeur.

— Merci, dit-elle simplement.

Il s'avança vers elle et fit courir le dos de sa main sur ses clavicules. Puis il inclina la tête et effleura de ses lèvres la peau nue de son cou, éveillant chacune de ses terminaisons nerveuses. Une de ses mains se posa ensuite sur sa taille, y resta immobile un moment, puis glissa vers sa hanche. Son front rencontra le sien et Jay murmura en fermant les yeux :

— Je ne peux pas te toucher plus longtemps… ou bien nous n'irons jamais dîner.

Elle rit, se rendant compte que son timbre était devenu plus bas, plus rauque.

— Embrasse-moi, dit-elle.

— Je ne peux pas. Je ne pourrai jamais…

Elle frôla sa bouche de ses lèvres.

— C'est ce que je veux, Jay. Je te veux. Je veux une autre chance.

Elle hésita, puis acheva :

— Je suis prête à prendre le risque.

— Oh, Katie…, dit-il avant de refermer ses lèvres sur les siennes avec fougue.

— Jay…

Le carillon de la porte avait ramené Kate à la réalité. Mais pas Jay.

— Jay, c'est la porte.

— On s'en fiche, marmonna-t-il, tout occupé à mordiller son cou.

— Il y a quelqu'un ? chantonna une voix dans le magasin.

— Jay, il y a un client.

— Il est plus de 18 heures.

— Je n'ai pas fermé, dit-elle en se libérant de l'étreinte de ses bras. Il faut que j'y aille.

Jay reprit progressivement ses esprits et il finit par la lâcher. Kate constata les dégâts avec saisissement : sa cravate était tout de travers, sa ceinture était défaite. Avait-elle vraiment fait ça ? Elle étouffa un gloussement et lissa ses cheveux.

— Reste ici, dit-elle. Je vais me débarrasser de cet importun.

— Bonne idée.

Kate flottait littéralement en traversant le magasin, le corps et l'esprit encore pleins des sensations que lui avait procurées le baiser de Jay. Quelqu'un attendait devant le comptoir : une femme, vêtue d'un long manteau de cuir bordé de fourrure. Son allure, tout comme son tailleur, son sac et ses chaussures criaient son appartenance sociale. Lorsqu'elle vit Kate, elle s'exclama :

— Eh bien, il était temps !

— Je suis désolée, mais l'heure de fermeture est passée, madame, répondit Kate.

Des yeux soigneusement fardés la détaillèrent d'un œil critique. Puis la femme repoussa gracieusement une mèche de ses cheveux blonds et dit :

— Je ne suis pas une cliente. Je suis venue...

Elle s'interrompit soudain, son attention ayant été attirée par quelque chose derrière Kate.

— Jay ! Tu es là.

Elle contourna Kate qui pivota pour voir la femme courir vers Jay et se jeter dans ses bras.

— Tu m'as tellement manqué !

Mallory s'était jetée dans ses bras avec un tel emportement que Jay avait dû se rattraper à elle pour ne pas perdre l'équilibre. Il était si surpris de la voir qu'il accepta son étreinte sans réagir. Ce n'est qu'au bout de quelques secondes que son cerveau reprit les rênes.

— Attends, Mallory. Arrête.

Quand il eut finalement réussi à se dégager, il regarda Kate. Jamais, aussi longtemps qu'il vivrait, il n'oublierait les émotions qui se succédèrent sur son visage : le choc, l'incompréhension, puis le désarroi et la douleur.

— Oh, mon Dieu, excusez-moi, dit Mallory en se tournant vers Kate. Je n'ai pas vu Jay depuis des semaines. Nous n'avions jamais été séparés aussi longtemps.

— Séparés ? répéta Kate d'une voix étranglée.

Mallory passa son bras sous celui de Jay et s'appuya contre lui. Sa poitrine ferme était pressée contre son bras. Jay sentit son estomac se nouer.

— Oui, reprit Mallory. Nous ne nous sommes pas vus depuis qu'il a quitté New York pour Riverbend.

Avant qu'il ait pu intervenir, elle ajouta :

— Je suis Mallory Claybourne, la fiancée de Jay.

Jay vit Kate baisser les yeux vers la main de Mallory, où, il le savait, brillait un diamant de trois carats. « Je ne suis pas très doué dans ce domaine, avait-il dit à sa compagne. Mieux vaut que tu choisisses ta bague toi-même. »

— Et vous êtes… ? s'enquit Mallory.

Kate releva le menton.

— Je suis Kate McMann et je gère cette librairie.

— Oh, comme c'est gentil à vous de vous être occupée de ce magasin pour nous.

Kate blêmit. Et cette réaction, enfin, le tira de sa stupeur.

— Kate, tu ne…

— Excusez-moi, dit-elle, le coupant. J'ai quelques coups de téléphone à passer.

— Kate, attends.

Il tendit le bras vers elle, mais elle s'esquiva. Il s'apprêtait à la suivre quand Mallory le retint par le bras.

— Jay, que se passe-t-il ? demanda-t-elle.

Il se tourna vers elle et dit sans aménité :

— Qu'est-ce que tu fais ici, Mallory ?

— Tu me manquais, chéri. Et tu n'as pas répondu à un seul de mes appels cette semaine. Alors, j'ai décidé de venir te voir. J'ai pris une chambre dans cette ravissante petite auberge à l'entrée de la ville. On peut y aller tout de suite, si tu veux.

Elle pressait son corps svelte contre lui, papillotant des cils. Jay se sentait à présent nauséeux. Il prit une profonde inspiration et s'écarta de Mallory.

— Ecoute, Mallory. Tu vas retourner à l'auberge. Maintenant. Je te rejoindrai dans…

Il jeta un coup d'œil à l'horloge.

— … aussi vite que je pourrai.

— Mais pourquoi ferais-je une chose pareille ?

— Parce que je te le demande, Mallory.

Elle fit un pas en arrière.

— Il s'est passé quelque chose, Jay…

— Je suis désolé, je…

Il tourna la tête vers le fond du magasin, conscient du temps qui s'écoulait. Chaque seconde durant laquelle il était retenu loin de Kate pouvait s'avérer désastreuse.

— Ecoute, pars, s'il te plaît. Je te rejoins aussi vite que possible.

— Bon, très bien. Mais je préfère te dire que tout cela ne me plaît guère.

— Je sais, dit-il, embarrassé. Je t'expliquerai plus tard.

« Trop tard, c'est trop tard », songeait Jay en regardant sortir Mallory.

Non, il n'était pas trop tard. Le cœur battant, il se dirigea vers l'arrière du magasin. La porte du bureau était fermée. Murmurant une courte prière, il tourna la poignée. C'était fermé à clé.

— Kate, ouvre.

Pas de réponse.

— Kate, s'il te plaît.

Toujours pas de réponse.

— Kate, ouvre !

Il se mit à marcher de long en large.

— Je ne m'en irai pas ! cria-t-il.

Il s'immobilisa de nouveau face à la porte. Bon sang, il fallait qu'il la voie.

Alors, il leva la jambe et donna un coup de pied dans le battant qui s'ouvrit. La pièce n'était pas éclairée, mais il vit immédiatement Kate assise sur le sol, le dos contre le mur. C'était comme si elle s'y était adossée et s'était ensuite laissée glisser contre lui, vaincue par la lassitude. Elle serrait ses bras autour de ses genoux et le regardait, le visage baigné de larmes. Et elle ne dit rien.

Il traversa la pièce et alla s'agenouiller devant elle.

— Mon ange…

— Je t'en prie, laisse-moi seule.

— Kate, je… C'est un malentendu.

Une faible lueur d'espoir s'alluma dans le regard de Kate.

— Elle n'est pas ta fiancée ?

Il déglutit péniblement.

— Si, elle l'est.

Kate ferma les yeux, mais les larmes continuaient à couler. Elle essuya ses joues d'un geste brusque et le regarda d'un air accusateur.

— Tu voulais quelqu'un dans ton lit pendant ton séjour ici, hein ?

Il effleura ses cheveux et elle ne le repoussa pas, ce qui montrait bien à quel point elle était désespérée. Jay chercha ses mots.

— Elle *est* ma fiancée. Mais c'était avant toi et moi…

Même à ses propres oreilles, l'explication semblait insatisfaisante. Indécente, en fait.

Pleurant toujours, elle dit d'une voix étonnamment ferme :

— Avant que nous *couchions* ensemble, Jay, voilà ce que tu veux dire. Tu nous as trahies toutes les deux ! Oh, tu as dû me trouver si facile ! Et j'étais prête à recommencer il y a seulement un quart d'heure !

Elle enfouit la tête dans ses mains.

— Je ne suis pas amoureux d'elle.

Kate releva la tête.

— Et cela devrait me réconforter ? Quelle sorte d'homme es-tu, Jay, pour te fiancer à une femme que tu n'aimes pas ?

— Je peux t'expliquer, répéta-t-il.

— Non. Non, pas d'explications cette fois, dit-elle en le repoussant pour se relever. Je suis tout à fait capable de répondre à mes propres questions. Tu es un être méprisable, plus méprisable encore que ton père.

Elle passa à côté de lui, attrapa son sac et quitta le bureau.

Il savait qu'il aurait dû la rattraper, mais ses mots l'avaient anéanti. Car elle avait raison.

Il était un salaud.

14.

Refoulant les larmes qui lui montaient encore aux yeux, Kate ôta rageusement sa robe de cachemire et la jeta sur le sol. Jamais plus elle ne pleurerait pour cet homme ! Jamais ! Sa colère lui donna la force d'enfiler un survêtement, d'aller dans la cuisine chercher un sac poubelle, où, de retour dans la chambre, elle fourra la robe détestée et le volume de Shakespeare qui était resté sur sa table de chevet. Elle alla ensuite à la salle de bains et jeta aussi le bain moussant — qu'elle avait eu la bêtise d'utiliser dans l'après-midi ! La perceuse et la ponceuse suivirent, puis elle ferma le sac et le porta sur le perron.

L'air froid la fit frissonner, mais ce n'était rien comparé à la claque qu'elle avait reçue un moment plus tôt. Comment avait-elle pu être aussi stupide ? Un homme comme lui ne pouvait qu'avoir une femme dans sa vie, voire plusieurs ! Il était trop beau, trop charmant, trop élégant pour ne pas attirer les femmes en foule !

L'horrible vérité s'était faite jour : Kate n'avait été pour lui qu'un bouche-trou. Cette pensée la rendait malade. Il fallait qu'elle s'occupe, qu'elle s'affaire.

Elle retourna dans la cuisine et rassembla les ingrédients nécessaires à la confection de cookies. Il était essentiel d'être occupée pour ne pas penser. Mais comme elle amalgamait le beurre et le sucre, les conversations qu'ils avaient eues se mirent à défiler dans sa tête.

« Je suis un homme égoïste… On ne peut pas compter sur moi. »

Elle l'avait aussi entendu au téléphone : « J'ai dit non, Mallory. Je n'en discuterai pas plus longtemps. »

Lorsqu'une voiture freina dans l'allée vers 22 heures, Kate avait du chocolat sur les joues et de la farine dans les cheveux ; et quatre différentes sortes de cookies refroidissaient sur le comptoir. Une portière claqua et Kate pria pour que ce ne soit pas Jay.

« Ne sois donc pas si veule ! se réprimanda-t-elle. Si c'est lui, tu ne réponds pas. Non, mieux, tu ouvres et tu lui envoies ton poing dans la figure. »

La tête haute, elle marcha vers la porte et regarda au-dehors. Lynn Kendall remontait l'allée.

Kate ferma les yeux. Elle ne pouvait pas *déjà* savoir ! Même à Riverbend, la rumeur publique ne courait pas aussi vite. Par conséquent, son amie était là pour une autre raison.

Oh, mon Dieu, les jumelles étaient chez les Pennington…

Alarmée, Kate ouvrit la porte à la volée juste comme Lynn l'atteignait. Elle lui saisit vivement le bras.

— Les filles vont bien ?

— Oui, autant que je sache. Où sont-elles ?

— Chez Allison. Je leur ai parlé vers 4 heures cet après-midi, mais j'ai cru que…

— Je suis sûr qu'elles vont bien, dit Lynn en lui pressant gentiment le bras.

— Alors qu'est-ce que tu fais ici ?

— N'est-il plus permis de rendre visite à sa meilleure amie ?

— Oh, si, bien sûr. Entre.

Lynn suivit Kate dans la cuisine. Elle déboutonna son manteau en parcourant la pièce du regard. Kate soupira et dit :

— Je sais ce que tu penses, et tu as raison. Quelque chose m'a bouleversée. Mais ce n'est pas très important.

— Je suis sûre que si, au contraire, repartit Lynn.

— Je croyais que tu étais seulement venue rendre visite à une amie, dit Kate, tendue.

— C'est ce que je fais. Mais je sais ce qui s'est passé avec Jay.

— Je n'ai pas envie d'en parler, dit-elle, de nouveau au bord des larmes.

— D'accord. Alors, assieds-toi et c'est moi qui parlerai.

— Regarde, reprit Kate comme si Lynn n'avait rien dit, j'ai essayé de nouvelles recettes de cookies et il y a du…

Lynn l'attrapa par le bras comme elle passait à côté d'elle.

— Je t'en prie… Kate.

Kate ferma les yeux pour ne pas voir la compassion de son amie.

— Comment le sais-tu ? demanda-t-elle.

— Il est chez nous. Avec Tom.

— Quoi ?

— Il n'est plus lui-même, Kate. Je crois que tu devrais lui parler.

— Non, non, c'est hors de question ! s'écria Kate, incapable de maîtriser la colère qu'elle ressentait. Lynn, je sais que tu es pasteur et que tu te dois de l'écouter, mais pas moi. Je ne veux pas le voir, ni maintenant ni jamais.

Lynn enleva son manteau et s'assit. Puis elle répéta d'une voix calme :

— Jamais ?

— J'ai pris des décisions.

— Kate, ce n'est pas…

— … avisé de prendre des décisions quand on est en colère, termina Kate. Je sais. Mais c'en est fini de la sage, la raisonnable Kate. J'en ai plus qu'assez de penser à tout le monde ; désormais, je ferai ce qui est bien pour moi.

— C'est-à-dire ?

— Je quitterai la librairie le lendemain de Noël et je vais déménager aussi tôt que possible. J'ai l'intention de m'occuper de ça dès demain matin.

— Je vois. Et tu vas tout simplement renoncer à l'amour de ta vie sans te battre.

— L'amour de ma vie est fiancé, Lynn, dit-elle durement. Mais peut-être t'a-t-il dissimulé ce détail, comme à moi ?

— Il nous l'a dit. Mais il a une explication. Si tu l'avais laissé...

— Je ne veux pas de ses explications ! Et, pour être franche, je n'apprécie pas que tu te ranges de son côté.

Elles se dévisagèrent par-dessus la table de la cuisine. Pas une once de ressentiment ne transparut sur le visage de Lynn.

— Tu sais que jamais je ne ferais quelque chose qui puisse te blesser.

Kate croisa les bras et baissa la tête.

— Excuse-moi, c'était une réflexion stupide.

— Ecoute-moi, Kate. S'il te plaît.

— Oh, Lynn, je ne peux pas.

— J'ai bien peur de devoir insister.

Kate se leva et alla remplir deux tasses de café. Puis elle se rassit facc à Lynn.

— Il cst à bout, Kate.

— Je regrette, Lynn, j'ai du mal à le croire, dit-elle sans lever les yeux de sa tasse. A dire vrai, je suis surprisc qu'il nc soit pas avec Mallory.

— Mallory est sur le chemin de New York. Sans sa bague de fiançailles.

— Quelle importance, à présent...

— Je pense que cela en a une.

— Lynn, il a couché avec moi alors qu'il était fiancé à une autre.

— Il a eu tort.

Kate frappa la table du plat de la main.

— Et il a continué de me poursuivre de ses assiduités alors qu'il était toujours fiancé !

— Il nous a dit, à Tom et à moi, qu'il avait eu l'intention de rompre avec Mallory dès qu'il la verrait, puis de te demander de l'épouser.

L'épouser ? Le cœur de Kate fit un bond dans sa poitrine. Mais elle réprima promptement la joie qu'elle ressentait.

— Et tu l'as cru ?

— Oui. Si tu le voyais, tu le croirais aussi.

— Je ne veux plus le voir. Jamais. Et je ne le crois pas.

Elle dévisagea Lynn.

— Est-ce que tu comprends, Lynn ? Il dirait n'importe quoi, n'importe quoi, pour obtenir ce qu'il veut.

— Tu parles ainsi parce que tu es blessée.

— Non, parce qu'il me reste encore un peu de bon sens. Ce qu'il a fait est détestable. Il est… mauvais.

— Je pense pour ma part que ce sont ses bons sentiments qui l'ont conduit à s'enferrer dans ce malentendu.

Kate se leva si brusquement qu'elle en renversa sa chaise.

— Ce n'est pas un malentendu, Lynn ! J'ai vu la bague à son doigt.

Lynn leva calmement son visage vers elle.

— Il nous a expliqué qu'il n'avait pas voulu rompre avec Mallory par téléphone. Qu'il aurait pu faire ça, autrefois, mais qu'il ne pouvait plus se montrer aussi insensible, désormais. Il attendait de pouvoir aller à New York pour lui dire face à face qu'il ne l'épouserait pas.

Kate arpentait la cuisine.

— S'il avait vraiment tenu à moi, il aurait été honnête et m'aurait dit toute la vérité.

— Il a fait une erreur de jugement.

— Eh bien, c'est une erreur que je ne peux pardonner. Je ne lui pardonnerai jamais, Lynn. Tu peux lui dire ça.

Après une longue pause, Lynn dit :

— Il va s'installer chez Tom. Ils déménagent ses affaires en ce moment même. Il a dit que tu ne voudrais pas qu'il reste au-dessus de la librairie.

— En effet.

Elle s'arrêta de marcher.

— Demande-lui de ma part de ne pas venir travailler pendant quelques jours. Il a des jours de congé qu'il n'a jamais pris, cela ne remettra pas son héritage en cause.

— Kate…

— Non, Lynn. Cette conversation est terminée.

A 8 heures, le lendemain matin, Kate buvait son café dans la cuisine de la maison de Jay. Elle avait la migraine depuis la veille au soir, n'avait presque pas dormi, et se sentait presque aussi nerveuse qu'une junkie en manque.

Pendant une bonne partie de la nuit, elle avait erré dans la maison, en retournant dans sa tête les arguments de Lynn, les juxtaposant à tous les mensonges, les faux-semblants dont Jay l'avait abreuvée depuis le début. Elle s'était rappelé aussi ce qu'il lui avait dit à propos de son père et de Sarah, mais elle avait refusé de prendre ça en compte. Elle ne voulait pas ressentir la moindre compassion pour lui.

Elle s'était douchée et habillée quand un livreur se présenta à la porte, un grand paquet rectangulaire sous son bras.

— Kate McMann ?

— Oui.

— Signez ici, s'il vous plaît.

Surprise, elle signa avant de réaliser qu'il s'agissait probablement du dixième cadeau de Jay.

Respirant profondément, elle retourna dans la maison et déchira l'emballage qui révéla une boîte luxueuse marquée Neiman Marcus.

A l'intérieur se trouvait un superbe manteau en daim marron bordé de fourrure. Elle se souvint de l'avoir essayé un jour à Chicago ; la coupe sobre et fluide avait épousé sa silhouette à la perfection, et il était si chaud ! Puis elle l'avait revu photographié dans un magazine et avait découpé la page pour la glisser dans la pochette qui contenait sa liste de souhaits.

Ses yeux la brûlaient. Il s'était montré si plein de sollicitude. « Ce manteau n'est pas assez chaud, Kate. Tu as besoin de quelque chose de plus confortable. » Elle chercha un appui contre la table. Pourquoi avait-il feint de s'inquiéter pour elle ? Alors que, durant tout ce temps, il était promis à une autre. Kate pouvait à peine en supporter l'idée.

Se redressant, elle prit une nouvelle inspiration et alla jeter le manteau dans le sac qui contenait les autres cadeaux de Jay, se promettant de sortir les poubelles le soir même. Puis elle quitta la maison.

Elle se rendit directement à la fonderie à la limite de la ville. Le bâtiment gris surgit devant elle, massif, lugubre, duquel s'échappait une fumée nauséabonde. En quelques minutes, le contrat fut conclu : de 8 heures à 17 heures, cinq jours par semaine, sept dollars de l'heure.

— Vous êtes sûre que vous êtes assez forte pour ce travail ? s'était contenté de demander le chef du personnel.

— Oui, monsieur Conkin, je suis solide.

Et tout en retraversant la ville au volant de sa voiture, elle se répétait comme un mantra : « Je suis solide. Je peux le faire. Je suis forte. »

Charter's, le restaurant où elle avait travaillé des années plus tôt, était ouvert pour le déjeuner. La grosse bâtisse habillée de bardeaux délavés semblait échappée d'un roman victorien. Comme elle se garait sur le parking et franchissait les quelques mètres qui la séparaient de l'entrée, Kate se rappela la dernière fois qu'elle avait gravi ces marches. Elle était enceinte des jumelles alors et avait le cœur brisé par l'infidélité de Billy.

Certaines choses ne changent jamais.

Une fois à l'intérieur, elle parla au vieux gérant et lui expliqua que, cette fois, elle avait besoin d'un travail de serveuse qui ne commencerait pas avant 21 heures. Elle connaissait une femme qui gardait les enfants le soir et qui pratiquait des tarifs raisonnables.

Le gérant la jaugea d'un œil grave.

— Kate, je sais que vous êtes une femme courageuse qui ne recule pas devant le travail. Je vous embaucherais sur-le-champ, mais... avez-vous vu les nouveaux costumes des serveuses ?

Non, elle ne les avait pas vus, et sa gorge se serra quand elle découvrit le pantalon de jersey noir archimoulant et le haut largement décolleté. Mais elle haussa les épaules et déclara que cela ne la dérangeait pas. « Tout ira bien », se répétait-elle en roulant vers la Troisième Rue, sans toutefois oser regarder la tenue de serveuse posé sur le siège avant. « Tout ira bien. »

Le pire, cependant, l'attendait. Kate connaissait Mme Valerio depuis son enfance, mais cela n'atténua pas l'angoisse qu'elle ressentit en pénétrant dans son « bureau ».

— Que se passe-t-il, ma jolie ? Pourquoi voudrais-tu quitter ta belle ferme pour revenir ici ? demanda Mme Valerio, l'air inquiet.

Elle sera vendue au 1er janvier.

— Par ce propre à rien de Jacob Steele ?

— Exactement, par ce propre à rien de Jacob Steele, repartit Kate.

Par chance, le petit duplex était libre. Mme Valerio dit à Kate que si elle le nettoyait elle-même, elle pourrait l'occuper gratuitement entre Noël et le 1er janvier. Sans hésiter, Kate signa le bail et prit les clés.

Elle faillit pourtant changer d'avis en entrant dans l'appartement. Il était tel que dans son souvenir. Sinistre. Des vitres si crasseuses qu'on voyait à peine au travers, un tapis maculé de taches, de larges fissures sur les murs du séjour et des éléments de cuisine couverts de graisse, voilà ce qu'avait à offrir son nouveau lieu. Tout, en fait, était à repeindre.

Mais cela, elle savait le faire. N'avait-elle pas entièrement rénové plusieurs pièces à la ferme ? Bien qu'incapable d'affronter les deux chambres qui se trouvaient à l'étage, elle se dit que l'endroit ne serait pas si mal une fois qu'elle y aurait apporté leurs affaires. Cependant, elle ne voulait pas que les filles le voient dans cet état. Après le travail, ce soir, elle confierait les jumelles à Ruth et Rachel et elle reviendrait pour commencer le nettoyage. Sa décision prise, elle referma l'appartement et regagna sa voiture.

Elle évitait une bosse sur le trottoir — celui-ci était en piteux état — lorsqu'elle heurta quelqu'un.

— Oh, excusez-moi, dit-elle en relevant la tête.

Aaron Mazerick tendit le bras pour l'aider à recouvrer son équilibre.

— Kate ? Bonjour.

— Bonjour, Aaron. Tu ne travailles pas aujourd'hui ? s'enquit-elle en jetant un coup d'œil à sa montre.

— Si, mais j'ai profité d'une pause pour venir voir ma mère. Elle a un robinet qui fuit et ne veut pas appeler le gérant. Et toi, que fais-tu ici ?

— Euh… j'ai loué un duplex.

Il ne parut pas surpris.

— Je suis désolé, Kate. A propos de toute cette histoire d'héritage.

— Tout ira bien, assura-t-elle, à la fois émue et embarrassée par sa gentillesse.

— Jacob est passé ce matin, avant l'école. Il a bu un café avec Lily et moi.

Kate fronça les sourcils.

— Il avait l'air bizarre, dit-il en l'observant attentivement. Il a dit des choses étranges.

— Comme quoi ? demanda-t-elle par politesse.

— Oh, il a redit combien il était heureux que nous soyons frères... Combien il espérait que nous resterions en contact.

— Il est difficile de ne pas rester en contact à Riverbend, remarqua-t-elle.

— Je sais, fit-il en enfonçant les mains dans ses poches. C'était presque comme s'il était venu nous dire adieu.

Kate pensa qu'il était sans doute préférable de le prévenir.

— Je ne suis pas sûre qu'il restera à Riverbend lorsqu'il aura rempli les conditions du testament, Aaron. Mieux vaut que tu le saches.

— Je le sais. Mais j'avais eu l'impression qu'il ne repartirait pas avant le 1er janvier.

— C'est un homme compliqué, dit Kate en haussant les épaules. Dieu seul sait pourquoi il fait ce qu'il fait.

— Oui, je suppose.

Elle serra son manteau autour d'elle, mais le vent le traversait.

— Cela m'a fait plaisir de te parler.

Elle se détourna pour partir.

— Kate, si tu as besoin de te confier, je suis quelqu'un qui sait écouter. Et j'ai grandi ici aussi. Je sais ce que cela signifie.

L'émotion menaça de la submerger.

— Merci, Aaron, parvint-elle cependant à dire. Je m'en souviendrai.

A 4 heures, ce même après-midi, Kate faisait les comptes du magasin dans le bureau. La fatigue pesait sur ses épaules et son mal de tête était revenu. Quelle journée. Ruth et Rachel avaient senti quelque chose et l'avaient questionnée avec une douce insistance. Pourquoi Jay s'était-il installé chez Tom ? Qu'était-elle allée faire dans son ancien quartier ? Apparemment, un voisin l'y avait vue.

Kate avait esquivé les deux questions. Et lorsque Izzy était arrivée, les tantes étaient reparties. Probablement pour voir Jay.

Kate remplissait la cafetière dans le coin détente du magasin quand Mitch Sterling et Charlie Callahan franchirent la porte.

— Bonjour, les gars. Qu'est-ce qui vous amène ?

— Nous cherchons Jacob, dit Mitch.

— Il a pris un jour de congé.

— Ceci est une lettre de lui, dit Mitch en tirant une enveloppe de sa poche. Est-ce que tu sais ce que tout ça veut dire ?

— Non. Pourquoi t'écrirait-il ?

— J'en ai eu une aussi, dit Charlie. Ainsi que Wally Drummer.

— Je ne comprends pas.

— Nous non plus. Les trois lettres disent…

— Arrête, Charlie, dit Kate en levant une main. Ce que disent ces lettres ne me regarde pas.

Mitch fit un pas vers elle et lui serra le bras.

— Vraiment ? Je suis allé livrer des fournitures à la fonderie aujourd'hui. Tu y aurais accepté un emploi.

— Je ne travaillerai plus ici après Noël.

— Pourquoi ?

— La librairie appartient à Jacob, maintenant.

— Il t'a licenciée ? demanda Charlie, visiblement sceptique.

— Non, je démissionne.

Plusieurs clients entrèrent, évitant à Kate de répondre aux questions qui n'auraient pas manqué de suivre.

— Ecoutez, j'ai du monde. Je ne peux pas bavarder plus longtemps, dit-elle en se dirigeant vers le premier client.

Elle les vit du coin de l'œil la suivre du regard, puis échanger quelques mots et enfin partir. Ciel ! Quand cette journée allait-elle donc prendre fin ?

*
* *

Le lendemain, premier jour des vacances scolaires, ne s'annonçait pas plus réjouissant. Kate avait toujours la migraine, il pleuvait, et les filles, à l'arrière de la voiture, semblaient moroses.

— On ne veut pas aller à la garderie aujourd'hui, déclara soudain Hannah.

— On veut voir M. Lawrence, renchérit Hope.

Ce refrain avait usé les nerfs de Kate la veille au soir jusqu'à ce que, perdant patience, elle finisse par leur dire brutalement de cesser de l'ennuyer avec leur M. Lawrence.

— Je vais être occupée toute la journée au magasin aujourd'hui. Je ne pourrai pas vous surveiller.

— M. Lawrence peut nous surveiller.

— Non, il sera occupé aussi.

— Il nous aime bien. Il voudra bien, insista Hannah.

Kate luttait pour garder son calme.

— Je vous ai expliqué hier soir que vous ne deviez pas trop compter sur M. Lawrence. Il est seulement en visite à Riverbend.

Les yeux de Hope se remplirent de larmes, exactement comme la veille lorsque Kate avait abordé le sujet. Elle avait pensé qu'une bonne nuit les aiderait à accepter cette idée, mais, de toute évidence, elle avait sous-estimé l'influence de Jay sur elles.

— J'ai une idée, vous allez rester au magasin jusqu'à l'heure de l'ouverture. Nous prendrons un bon chocolat et une tranche de ce gâteau au café que j'ai fait hier soir. Et ensuite, je vous emmènerai à la garderie, d'accord ?

Un peu apaisées, les jumelles se tinrent tranquilles durant le reste du trajet. Arrivées à la librairie, elles eurent la surprise de trouver Ruth et Rachel installées dans un des canapés, l'air grave, malgré leurs ensembles pimpants. Les filles coururent à elles.

— Bonjour, dit Kate en se débarrassant de son manteau. Que faites-vous là d'aussi bonne heure ?

— Nous avons à parler, chérie, répondit Rachel en aidant Hope à monter sur ses genoux.

— Je ne veux pas parler.

— C'est bien ce que nous pensions, dit Ruth.

Elle se leva et lui tendit une grosse enveloppe.

— Qu'est-ce que c'est ?

— C'est le onzième cadeau de Jacob pour toi.

Reculant d'un pas, Kate fixa l'enveloppe.

— Rends-le-lui.

— Ce n'est pas possible pour l'instant.

Kate fronça les sourcils.

— En fait, Katie, c'est pour nous cinq, dit Rachel avec un sourire triste.

— Pour nous aussi ? demanda Hannah.

— Oui, trésor.

— Ça ne fait rien. Nous ne pouvons pas accepter un cadeau de lui.

— Mais si, on peut, maman, plaida Hope.

— Regarde au moins ce que c'est, dit Ruth.

— Non.

— Moi, je regarde.

Avant que Kate ait pu l'en empêcher, Hannah s'était emparée de l'enveloppe et l'avait ouverte. Des brochures s'en échappèrent et tombèrent sur le sol, ainsi que des billets d'avion et une feuille de papier blanc pliée. Hannah ramassa les brochures.

— Maman, c'est Disney World.

Hope se pencha et saisit la feuille blanche. Kate se sentit pâlir. Comment Jay pouvait-il lui faire ça ?

Mais déjà Hope dépliait la feuille.

— C'est de M. Lawrence, annonça-t-elle. Ça dit : « Chère Kate, s'il te plaît, accepte ce cadeau pour toi, pour les filles et pour mes tantes. Tout est ar… » Je ne connais pas ce mot.

— Tu peux lire cette lettre, Hope ? demanda Kate avec incrédulité.

Tout le monde avait les yeux baissés sur la timide fillette.

— Ben… oui.

— Depuis combien de temps est-ce que tu sais lire ?

— Je ne sais pas. Longtemps. M. Lawrence a deviné. Nous voulions te faire la surprise à Noël.

Abasourdie par cette révélation, Kate regarda Ruth prendre la lettre sans réagir.

— Je vais continuer, dit celle-ci. « Tout est arrangé et payé. Le départ est fixé au 27 décembre… »

— Stop ! cria Kate en arrachant la feuille des mains de Ruth. Ce n'est pas juste. Il ne peut pas faire ça. Il ne peut pas…

De grands coups résonnèrent à l'arrière du magasin. Kate se tut et Rachel, au bout de quelques secondes, se leva en défroissant sa jupe. Puis elle se dirigea vers la porte de service, située au fond de la librairie. Hope, Hannah et Ruth fixaient Kate d'un air accusateur.

Rachel réapparut rapidement, suivie par deux hommes qui portaient un énorme cadre de bois emballé dans du plastique.

— Ces messieurs sont des livreurs, Kate. Ils disent que ceci était censé arriver demain, mais comme ils ne travaillent pas le samedi, ils l'ont apporté aujourd'hui.

Kate ferma les yeux. Qu'était-ce encore ? Elle ne voulait même pas le savoir.

— Je n'en veux pas, quoi que ce puisse être.

Quoi ? firent les deux hommes ensemble.

— Je n'en veux pas, répéta-t-elle.

— Bien sûr que si, chérie, intervint Rachel d'une voix ferme en passant son bras autour des épaules de Kate. Mettez-le là, ordonna-t-elle. Dans l'autre sens, s'il vous plaît.

Quand les hommes eurent retourné l'objet, Kate put distinguer une écriture noire au travers de l'emballage.

Personne ne bougea jusqu'à ce que les livreurs soient partis. Puis Rachel alla chercher une paire de ciseaux. Kate, les bras croisés autour de sa taille, se prépara à faire face à cet énième assaut. Quand le plastique s'affala sur sol, elle en resta bouche bée.

C'était un panneau de bois peint, superbement calligraphié, tout à fait semblable à celui qui surplombait la vitrine de la librairie, à ceci près qu'au lieu de « Steele Books », on y lisait l'inscription « McMann Books ».

Cette fois, Kate fut incapable de retenir ses larmes.

— Je ne comprends pas, bredouilla-t-elle.

Le carillon de la porte retentit et un homme à la large carrure, vêtu d'une veste de cuir, entra. L'espace d'un instant, elle crut que c'était Jay.

Mais ce n'était pas lui. C'était Nick Harrison.

— Bonjour, Kate.

Il jeta un coup d'œil alentour et ajouta :

— J'arrive à un mauvais moment ?

Personne ne répondit.

— Ah, reprit-il en repérant l'enseigne, je vois que vous savez déjà.

— Que nous savons ?

Nick posa tranquillement sa serviette sur le comptoir et en sortit une liasse de papiers.

— Que nous savons quoi, Nick ? répéta Kate.

— Que la librairie est à toi, répondit-il en lui tendant des papiers. Voici les documents.

— A moi ? Je ne comprends rien.

Nick chercha Rachel du regard. Elle lui fit un signe de tête et il poursuivit :

— Jacob a quitté la ville hier soir, Kate.

— Mais c'est absurde. Il ne peut pas quitter la ville. S'il part…

— C'est ça, Katie, dit Ruth, Jacob n'a pas rempli les conditions stipulées dans le testament.

Tous regardèrent Kate.

Ce fut Rachel qui rompit le silence de sa voix douce :

— Il te donne la librairie et la ferme, chérie. Légalement, elles t'appartiennent toutes les deux à partir d'aujourd'hui.

15.

Un vent froid soufflait sur la Cinquième Avenue, mordant Jay au visage. Celui-ci se contenta de boutonner son manteau de cachemire et de resserrer l'écharpe que Rachel lui avait donnée autour de son cou. Quand la neige commença à tomber, en gros flocons humides, il rentra la tête dans les épaules et continua à marcher. Ça lui était égal d'avoir froid, de se sentir mal. Il méritait bien pire que cela.

« Quelle sorte d'homme es-tu ?... Tu es plus méprisable encore que ton père... »

Les paroles de Kate le torturaient plus que n'importe quelle douleur physique n'aurait pu le faire. La seule pensée de ce qu'il lui avait infligé le mettait à l'agonie. Au souvenir de son visage maculé de larmes la dernière fois qu'il l'avait vue, il accéléra le pas. Mais chacune des vitrines devant lesquelles il passait lui renvoyait son image. Chaque rafale de vent lui rapportait les paroles qu'elle lui avait dites lorsqu'elle le prenait encore pour un autre. « Tu es un homme généreux, un héros. Tu as sauvé mes filles... Tu comptes beaucoup pour moi. »

« Eh bien, plus maintenant », songea-t-il en traversant la rue, sans prêter attention aux taxis impétueux et aux citadins pressés de rentrer chez eux. L'effervescence des fêtes semblait le narguer. Il était 17 heures en ce 23 décembre et il n'avait nulle part où aller. Certes, il aurait pu se rendre à l'une des invitations qu'il avait trouvées, soigneusement empilées par sa femme de ménage, dans son appartement de Park Avenue à son retour. Il aurait également pu passer la soirée avec Mallory. Ils vivaient dans le même immeuble et il l'avait croisée en sortant cet après-midi, alors qu'il fuyait les murs de son propre appartement.

— Quelle surprise ! s'était-elle exclamée avec une étonnante absence d'animosité.

— Bonjour, Mallory.

— Alors, les choses se sont arrangées avec la fille de la librairie ?

— Non.

Elle avait paru sensible à son désarroi.

— Tu l'aimes vraiment, hein ?

Il n'avait pu que hocher la tête. Mallory avait semblé perplexe. Ils n'avaient pas éprouvé l'un pour l'autre de sentiments réellement profonds et ils le savaient tous les deux. Mais ils avaient été de bons partenaires de travail et de bons amis.

— Je suis désolée, avait-elle dit en haussant légèrement les épaules. Tu veux venir boire un verre ?

— Non, merci.

— Si tu changes d'avis, je suis chez moi jusqu'à 18 heures.

— Merci, Mallory. Je ne mérite pas ta gentillesse.

Enfin, Jay s'arrêta de marcher pour se repérer. De l'autre côté de la rue, un magasin bondé attira son attention. « Fuis », lui souffla son instinct. Mais il entra quand même.

Schwartz, le magasin de jouets réputé, était littéralement assiégé par une foule d'enfants et de parents en nage. Il se faufila au milieu d'eux, regrettant qu'Hannah et Hope ne soient pas avec lui. Kate savait-elle à présent que Hope savait lire ? Cela avait été leur petit secret à tous les deux ; ils avaient eu l'intention d'en faire la surprise à Kate le matin de Noël. La gorge serrée, il continua à déambuler entre les rayons, s'arrêtant devant chaque jouet que les filles auraient aimé. Bon sang, il pouvait encore sentir le poids de leurs corps d'enfants dans ses bras, se rappeler leurs élans tumultueux, la façon dont Hannah avait caché son visage dans le creux de son épaule quand elle avait renversé son verre sur la robe de Sarah. Il désirait si désespérément être leur père que c'en était à peine supportable.

Il se raidit en passant devant un stand de livres de contes, mais lorsque les premières notes de *Je serai à la maison pour Noël* résonnèrent dans le magasin, il décida de partir au plus vite. Depuis quinze ans, il détestait cette chanson. Près de la sortie, cependant, il tomba de nouveau en arrêt devant un décor de Noël constitué d'une multitude d'ornements au milieu desquels se trouvait un petit ange aux cheveux blonds et aux grands yeux bleus. Il ressemblait tant aux jumelles qu'il n'eut pas un instant d'hésitation. Il le prit et alla directement à la caisse, tout en s'intimant de penser à autre chose.

Quelques minutes plus tard, en descendant la Cinquième Avenue, il se remémorait sa dernière conversation avec ses tantes. Il leur avait dit qu'il avait tout raté avec Kate.

— Non, avait protesté Rachel. Laisse-lui un peu de temps.

— Je dois partir.

Devant leurs regards affolés, il avait ajouté rapidement :

— Je prendrai des dispositions pour que nous nous voyions. Mais je ne peux pas rester et gâcher le Noël de Kate.

— Jacob, tu vas perdre ton héritage.

— J'ai déjà perdu plus que ça. Et je veux qu'elle ait la librairie et la ferme.

— Si tu l'aimes autant, reste, essaie d'arranger les choses.

— Je l'aime trop pour rester plus longtemps.

Il les avait embrassées avec toute la chaleur dont il était capable à cet instant et leur avait promis de rester en contact.

Il approchait de son appartement quand quelque chose dans une vitrine accrocha son regard. C'était le manteau de daim qu'il avait offert à Kate. Il se demanda ce qu'elle avait pensé de son cadeau, si elle le porterait jamais. Kate accordait peu d'importance aux biens matériels. Elle était plus sensible aux attentions, aux petits gestes… Il avait vu combien il l'avait touchée en lui préparant à dîner ou en faisant ses courses… Et il savait que plus que les cadeaux eux-mêmes, elle appréciait le fait que quelqu'un ait voulu lui faire plaisir. Vraiment, elle ne méritait pas la vie qu'elle avait eue. L'avenir lui serait peut-être plus clément. Avec qui le partagerait-elle ? Flannigan ? Harrison ?

Songer qu'un autre homme poserait ses mains sur elle faillit le précipiter dans le bar qui jouxtait son immeuble. Mais il avait promis à Ruth et à Rachel de les appeler dans la soirée et c'est habité de sombres pensées qu'il regagna son appartement.

Déposé en douceur à son étage par un ascenseur ultra-silencieux, il longea le couloir moquetté d'un pas lourd, déverrouilla sa porte et la poussa d'une main lasse.

Et il s'immobilisa.

Un chant de Noël résonnait dans l'appartement. Avait-il laissé la radio ou la télévision allumée en partant ? Non, sûrement pas. Etait-ce le jour de la femme de ménage ? Non plus ; il lui avait donné congé pour les fêtes. Alors quoi ? L'immeuble était bien gardé. Personne n'avait pu pénétrer dans son appartement en son absence. Même l'ascenseur ne pouvait fonctionner sans une clé spéciale…

Ah, mais oui, Mallory avait une clé de chez lui. Otant son manteau et ses gants, il conserva son écharpe autour de son cou pour se rappeler de se montrer gentil et pénétra dans la grande pièce.

Le tableau qu'il découvrit faillit lui faire perdre l'équilibre. Il aurait cru à une hallucination s'il n'avait pas reconnu le parfum du bain moussant, son second cadeau à Kate, qui imprégnait la pièce, et s'il n'avait vu, jeté sur le canapé, son nouveau manteau de daim.

Kate, à demi assise sur l'appui de la fenêtre, le regardait. Elle portait la robe de cachemire qu'il lui avait offerte. Ses cheveux bouclés formaient une auréole autour de son doux visage, ses traits étaient un peu fatigués, mais elle souriait.

— Bonjour, dit-elle simplement.

S'agrippant au chambranle, Jay s'efforça de contenir l'émotion qui l'envahissait.

— Bonjour. Je… euh, je ne comprends pas… Comment es-tu entrée ici ? Comment es-tu venue à New York ?

— En voiture.

— Depuis Riverbend ? Ça a dû te prendre…

— Quatorze heures et vingt-six minutes. J'aurais pu être là plus tôt si je n'étais pas arrivée en pleine heure de pointe.

— Tu es vraiment venue *en voiture* ?

— Oui.

— Pourquoi ?

— Je craignais de ne pas trouver d'avion. Tes tantes m'ont dit que tu avais dû attendre dix heures en stand-by à l'aéroport. Je n'ai pas voulu prendre le risque.

— Toute seule ? Tu es venue *toute seule* ?

— Mmm. Mais ne t'inquiète pas. Ruth et Rachel m'avaient pourvue d'une longue liste intitulée « Consignes de sécurité en voyage ». Ne pas prendre d'auto-stoppeur ; boire du café pour me tenir éveillée ; m'arrêter dans un motel à mi-chemin ; les appeler toutes les deux heures…

Elle sourit timidement et avoua :

— Elles ne voulaient pas que je vienne en voiture.

Il s'avança vers elle.

— Pourquoi l'as-tu fait ?

— Il fallait que je te voie, répondit-elle en allant à sa rencontre.

Elle tendit la main vers lui et posa sa paume sur sa joue.

— Tu as froid.

— Pourquoi es-tu là ?

— Pour te ramener à Riverbend.

Son cœur sombra. C'était donc ça. Elle n'était pas venue à New York pour elle. Pour lui. Elle était venue pour ses tantes. Il s'approcha du bar.

— Tu veux boire quelque chose ?

— Peut-être plus tard.

Après avoir bu une gorgée de whisky, il put la regarder de nouveau.

— Comment es-tu entrée ?

Il gagnait du temps. Reculait le moment de l'entendre dire qu'elle était venue pour le ramener auprès de ses tantes. Il voulait la contempler encore un peu. Elle était si belle dans cette robe… Cette robe, mais… Pourquoi aurait-elle porté cette robe — et ce manteau — si elle n'était là que pour Ruth et Rachel ?

L'espoir gonfla de nouveau sa poitrine. Mais avant qu'il ait pu lui demander de lui expliquer clairement la raison pour laquelle elle avait fait ce long voyage, elle avait repris :

— J'ai rencontré Mallory qui sortait de l'immeuble. Nous avons bavardé un moment et elle m'a fait entrer.

Jay en resta coi.

— Elle a laissé sa clé sur la table, mais je l'ai mise dans mon sac. Aucune autre femme que moi n'aura plus ses entrées chez Jay Lawrence. Avant longtemps.

Il ferma les yeux.

— Ne me fais pas ça, s'il te plaît.

Il l'entendit venir vers lui, sentit sa présence toute proche. Et rouvrit les yeux. Kate le regardait avec une expression étrange qu'il n'osait déchiffrer.

— D'accord, dit-elle en passant les bras autour de son cou. Je t'aime. Nous allons retourner ensemble à Riverbend et nous fêterons Noël à la ferme. En famille.

En famille. Il posa son verre sur le bar et dit en la serrant contre lui :

— Tu es sérieuse ?

— Bien sûr.

Les lèvres de Kate se promenaient sur son cou, sur sa mâchoire, puis trouvèrent sa bouche. Son baiser, d'abord tendre et doux, devint rapidement avide.

Un moment plus tard, il enfouit le visage dans ses cheveux et murmura :

— Je suis tellement désolé, Kate. Pour tout ce que je t'ai fait subir.

— Chut… C'est fini. Nous avons tous les deux fait des erreurs, mais nous allons les laisser derrière nous.

— Tu y parviendras ? demanda-t-il en s'écartant.

— Je l'ai déjà fait. Je voudrais seulement pouvoir retirer les horribles choses que je t'ai dites.

— Oh, mon ange…

Ils s'embrassèrent longuement jusqu'à ce que Kate, cette fois, s'écarte légèrement pour demander d'une voix incertaine :

— Tu es *sûr* que c'est que tu veux, n'est-ce pas ?

— Tu plaisantes ? Je me suis senti si misérable que j'ai cru que j'allais mourir.

Elle ne parut pas convaincue. Alors quelque chose le frappa. Elle lui avait dit qu'elle l'aimait, mais lui ne l'avait pas dit. Il n'avait pas prononcé ces mots depuis quinze ans.

Prenant son visage entre ses mains en coupe, il plongea son regard dans ses yeux verts et dit :

— Je vous aime, Mary Katherine McMann. Plus que ma vie même.

Elle lui adressa le plus beau sourire qu'il ait jamais vu et se jeta dans ses bras.

— Alors rentrons à la maison.

Il l'étreignit, ferma les yeux de nouveau en songeant : « Oui, mon amour, rentrons à la maison. A Riverbend. »

Épilogue

Depuis le seuil de la pièce, Kate observait Hannah qui contemplait le petit ange accroché au sommet du sapin de Noël. Hannah rêvait de jouer avec la petite figurine depuis la minute où Jay l'avait mise sur l'arbre, le soir du réveillon.

Son regard alla de l'ange au manteau de la cheminée, puis à la chaise garnie d'un coussin qui se trouvait à côté : un parcours envisageable pour atteindre le haut de l'arbre. Kate était sur le point d'intervenir quand Hannah tourna la tête vers Jay, qui, de l'autre côté de la pièce, feuilletait un livre avec Hope. Il leva la tête, étudia la situation, et adressa un regard parlant à Hannah. Au bout d'un long moment, celle-ci soupira, sautilla jusqu'au canapé et s'installa sur le genou libre de Jay.

Jay lui sourit, puis l'embrassa sur la tempe.

— Tu es une gentille petite fille, dit-il.

Kate secoua la tête. Son enfant terrible avait énormément changé depuis que Kate et Jay s'étaient mariés le 27 décembre à Disney World, avec deux paires de jumelles comme témoins. Simon avait eu raison, Hannah avait besoin d'un père pour tempérer sa hardiesse, et Jay avait adopté le rôle avec bonheur. Quinze jours seulement après leur retour de New York, c'était comme s'il avait toujours fait partie de leur famille. En les regardant tous les trois, ainsi serrés sur le canapé, Kate remercia Dieu pour la nouvelle vie qui lui était offerte.

Lorsqu'elle traversa la pièce, Jay leva la tête, un air de parfait bonheur sur le visage.

— Te voilà, mon cœur, dit-il.

Elle se percha sur l'accoudoir du canapé, lissant d'une main le velours rouge de la robe qu'il lui avait achetée.

— Qu'est-ce que c'est ? s'enquit-elle en désignant le livre.

— Un nouveau livre que Jay a rapporté du magasin aujourd'hui, répondit Hope en portant machinalement les doigts à sa bouche avant de les écarter vivement.

C'est sa résolution de début d'année ; et avec les encouragements de Jay, elle comptait déjà six jours de succès.

— *Susie réclame un frère*, répondit Hannah en gloussant.

Kate glissa un regard de côté à Jay. La lueur qu'elle vit briller dans ses yeux la fit frissonner.

— Quand on aura un petit frère, maman ? demanda Hope.

— Aussi vite que possible, trésor.

Elle fronça les sourcils.

— L'attente vous paraîtrait peut-être moins longue si l'impatient papa que voilà voulait bien arrêter de vous apporter des livres sur ce sujet.

— Je veux juste que tout le monde soit prêt quand le moment sera venu, se défendit Jay. A vrai dire, je pensais que cette annonce pourrait être mon cadeau d'anniversaire.

— Tu sais qu'il est encore trop tôt.

Elle jouait les raisonnables, mais elle aussi espérait une bonne nouvelle d'un jour à l'autre.

— Quoi qu'il en soit, nous allons continuer d'y travailler, dit Jay en lui faisant un clin d'œil.

— Comment ça, y travailler, maman ? voulut savoir Hannah.

— Jay va t'expliquer ça, chérie, dit Kate avec un mouvement de tête moqueur à l'intention de Jay.

Mais la sonnette retentit à ce moment, évitant à Jay d'avoir à fournir des éclaircissements délicats.

— Ce doit être Ruth et Rachel, dit-il.

Ils étaient allés au restaurant tous les six pour fêter le trente-sixième anniversaire de Jay ; les tantes avaient dit qu'elles les rejoindraient à la ferme pour le gâteau et la glace, mais qu'elles avaient quelque chose à faire auparavant.

Sautant des genoux de Jay, les filles coururent à la porte. Jay se leva et posa sa main sur le ventre de Kate.

— Peut-être qu'il est déjà là, dit-il.

— Peut-être. Je l'espère.

Il la serra fort contre lui, comme il le faisait parfois, leur rappelant à tous les deux qu'ils avaient failli se perdre.

— Je t'aime.

— Je t'aime aussi. Est-ce que c'était un bon anniversaire ?

— Le meilleur que j'aie jamais eu.

Kate entendit Hannah dire dans l'entrée :

— Ils se bécotent encore, tante Ruth. Jacob dit que nous ferions mieux de nous y habituer.

Ruth rit, puis elle cria, comme la sonnette retentissait une seconde fois :

— J'y vais.

— Ce doit être les Baines et les Mazerick, dit Jay.

Tom et Aaron avaient promis de venir partager le dessert à la ferme ce soir-là. Et en effet, une seconde plus tard, Tom pénétrait dans le séjour suivi par Lynn, Lily et Aaron.

— Heureux anniversaire, cousin, dit-il en tendant à Jay une bouteille de vin.

Ayant aidé Lily à enlever son manteau, Aaron avança à son tour et dit un peu timidement en lui tendant une grosse boîte carrée :

— Bon anniversaire, mon frère. C'est un ballon de basket.

Jay serra la main d'Aaron, puis lui donna une accolade bourrue.

On sonna de nouveau à la porte et Kate vit Ruth et Rachel échanger des regards étranges. Il se tramait quelque chose. Comme Ruth allait ouvrir, Jay demanda à Kate :

— Tu n'as pas prévu autre chose pour mon anniversaire ?

— Non, tu m'avais dit que tu ne voulais que la famille.

Ruth revint dans la pièce accompagnée des Sterling.

— Mitch, Tessa, bonjour, dit Kate.

Elle admira le bébé endormi dans les bras de sa mère tandis que Caleb, le père de Mitch, faisait son entrée en tenant son petit-fils, Sam, par la main.

— Est-ce que je peux tenir Laura ? demanda Hannah.

— Pourquoi est-ce que tout le monde veut toujours la tenir, grand-père ? demanda Sam en signant les mots en même temps qu'il les prononçait.

Caleb lui ébouriffa les cheveux.

— Tu peux parler, toi ! Tu la sors de son berceau dès que ta mère a le dos tourné.

Quand Charlie et Beth arrivèrent quelques minutes plus tard, Jay éprouva tout à coup un extraordinaire sentiment de bien-être.

— Cette fois, on dirait bien une réunion de River Rats ! s'exclama-t-il.

— En quelque sorte, chéri, dit Ruth. Maintenant, si vous voulez bien tous vous asseoir. Rachel a quelque chose à partager avec vous.

Jay perçut un tremblement inhabituel dans la voix de Ruth. Rachel paraissait nerveuse aussi. Leurs regards ne cessaient de passer d'un visage à l'autre. Kate avait dû percevoir leur trouble car elle s'était instinctivement rapprochée de lui.

— Tout va bien, Ruth ? demanda-t-elle.

— Oui, chérie. Assieds-toi.

Ils s'assirent — Beth et Charlie sur le sol, près du feu, tout comme les Baines ; Tessa bien calée dans un fauteuil, son bébé sur les genoux ; Caleb et Mitch sur des chaises apportées de la cuisine ; Sam près de la télévision, tandis que Aaron, Lily, Jay et Kate trouvaient place sur le canapé, les jumelles à leurs pieds.

Rachel se tourna vers Jay.

— Jacob, j'ai un cadeau d'anniversaire pour toi, annonça-t-elle en sortant de son sac un paquet plat rectangulaire.

— Une cassette vidéo ? Ce n'est pas moi enfant ? se récria-t-il. Les River Rats ?

— Non, fit-elle d'une voix enrouée. C'est une vidéo qu'Abraham m'a laissée. Dans son testament.

Un souffle presque palpable parcourut la pièce, mais personne ne dit mot. Jay sentit Kate passer son bras sous le sien.

Finalement, elle demanda :

— Qu'y a-t-il sur cette bande, Rachel ?

— Je ne sais pas exactement. La note qui l'accompagnait me demandait de ne pas la regarder avant l'anniversaire de Jay. Dans l'hypothèse où il serait revenu à Riverbend à cette date, je devais inviter toutes les personnes qui se trouvent ici à se rassembler pour que nous la visionnions ensemble.

Jay regarda son demi-frère.

— Aaron, tu es d'accord ?

— Mmm.

— Alors, vas-y, Rachel.

Il se renfonça dans le canapé et Hope grimpa sur ses genoux tandis que Rachel introduisait la cassette dans le lecteur et allumait le téléviseur. Puis elle lui confia la télécommande et rejoignit Ruth dans la causeuse.

Jay appuya sur « play » et la vidéo commença à défiler.

Rien n'aurait pu préparer Jay à la vision de son père sur l'écran. Abraham était assis dans le salon de la maison d'East Poplar Street. Il avait vieilli bien sûr, ses cheveux épais étaient complètement blancs et il était beaucoup plus mince qu'autrefois, mais il fixait la caméra d'un œil acéré.

— « Je suppose, puisque vous regardez ceci, que je ne suis plus de ce monde et que mes biens ont été distribués… »

Jay frissonna en reconnaissant la voix de baryton de son père.

— « Je suppose également que Jacob est revenu à la maison et qu'Aaron sait qui est son père. »

Sam Sterling se rapprocha du téléviseur et Hannah dit :

— C'est le vieux M. Steele de la librairie.

— Oui, chérie, c'est lui, dit Kate.

Percevant un reniflement, Jay jeta un coup d'œil sur sa droite. Ses tantes se tenaient les mains et des larmes roulaient sur leurs joues. Il pressa immédiatement la touche « pause » et dit :

— Nous ne sommes pas obligés de faire ça, Ruth, Rachel. C'est trop pénible.

— Non, ça va. Continue.

— Aaron ?

Il avait vu que son demi-frère serrait la main de Lily.

— Je veux l'entendre.

— Jay, dit Lynn, si tu ne te sens pas le courage pour le moment…

— Si. Tout va bien.

Il prit une inspiration et appuya de nouveau sur « play ».

— « Vous vous demandez peut-être dans quelles circonstances j'ai établi ce testament. Il se trouve que j'ai appris récemment que je souffrais du cœur. Julian Bennett pense qu'un pontage sera vraisemblablement nécessaire. Personne n'est au courant et je veux qu'il en soit ainsi. Je suis reconnaissant à la vie de me donner le temps de régler mes affaires.

« Je voudrais m'adresser à chacun de vous personnellement. Du moins aussi personnellement que ce moyen me le permet, ajouta-t-il en souriant. Je commencerai par Lily Holden. »

Lily sursauta.

— « J'espère que tu aimes mes tableaux. Je te les ai laissés en pensant qu'ils t'inspireraient. Je t'ai offert ta première boîte de peintures à l'huile et, d'après ce que je sais, tu n'as pas persévéré. Tu devrais. Tu as du talent et j'aimerais pouvoir penser que mon œil ne m'a pas trompé. Alors, mets-toi au travail. »

— Je m'y suis mise, murmura-t-elle.

— « Mitch Sterling, j'espère que tu as amené ton fils Sam avec toi. Ainsi que ton père. Caleb, leur as-tu jamais raconté ce pari que nous avions fait au bord de la rivière ? »

Caleb laissa échapper un gloussement et hocha la tête.

— « J'avais parié vingt-cinq cents que je pouvais traverser la rivière gelée. Non seulement je n'ai pas réussi, mais tu as dû venir à mon secours. Et je n'ai jamais payé ma dette. C'est pourquoi je lègue cette somme, augmentée des intérêts qu'elle a générés en quelques dizaines d'années, soit vingt-sept mille dollars, à Sam. »

Sam se redressa.

— Il m'a laissé tout ça ?

— Bien sûr.

Abraham dit quelques mots à Sam à propos de l'homme qu'était son grand-père, et termina :

— « Quant à ton père, j'espère qu'il trouvera une bonne épouse bientôt. Il en a besoin et il le mérite. »

Mitch se pencha vers Tessa et l'embrassa dans les cheveux.

— C'est fait, Abraham.

— « Charlie et Beth Callahan, vous êtes là ? »

— Il m'a appelée Callahan, remarqua Beth avec surprise.

— « Vous êtes contents de votre house-boat ? Vous l'avez toujours aimé, et je me suis dit que c'était là que tout avait commencé entre vous. Sans doute étiez-vous trop jeunes pour vous en rendre compte, alors j'ai voulu vous donner une seconde chance. J'espère que le bateau saura vous réunir. »

— Quoi ? Ce vieux bonhomme avait tout manigancé ? feignit de s'indigner Beth.

Charlie l'étreignit et l'embrassa de nouveau.

— On le dirait bien, chérie.

Tout le monde rit.

— « A présent… mon neveu, Tom Baines est-il là ? »

Tom se redressa à son tour. On eût presque dit qu'Abraham était vraiment présent dans la pièce.

— « Un homme a besoin de racines, Tom. Un endroit où il peut toujours revenir. Je sais que tu es un grand journaliste, mais Riverbend est ton pays natal et j'ai voulu que tu aies un endroit à toi ici, aussi t'ai-je laissé une des fermes.

« Ruth et Rachel, je vous ai laissé une grosse somme d'argent, mais ne le dépensez pas à la légère. Surtout toi, Ruth, plus de livres de Kerouac, hein ? Tu sais ce que j'en pense. »

— Vieux fou, dit Ruth, des larmes plein les yeux. J'achèterai ce que je voudrai.

— « Rachel, surveille-la, continuait Abraham. Je vous aime, mes sœurs. J'espère que vous le savez. »

— Oui, on l'a toujours su, murmura Rachel.

Comme sur un signal invisible, Hope glissa des genoux de Jay, Hannah se leva, et toutes deux coururent se blottir dans les bras de leurs tantes.

Jay, la gorge serrée, les yeux fixés sur l'écran, se rapprocha encore de Kate, tandis qu'Aaron se penchait en avant, les mains croisées entre ses genoux.

— « Aaron, j'ai plusieurs choses à te dire. Je t'ai laissé cette somme d'argent pour que tu puisses maintenir les stages de basket que tu diriges. Mais Nick Harrison te dira bientôt que j'ai aussi institué un legs en fidéicommis à l'intention de tes enfants… Mes petits-enfants, ajouta-t-il après un silence.

« J'ai deux immenses regrets. Et le premier, c'est de ne pas avoir dit la vérité te concernant. Tu t'en es bien sorti et ce n'est pas grâce à moi, je veux que tu saches que je respecte l'homme que tu es devenu. J'ai été un imbécile de ne t'avoir jamais reconnu. »

Les yeux du vieil homme étaient embués de larmes.

— « Je suis fier de toi, mon fils. »

Sans un mot, Aaron se leva et quitta la pièce. Lily le suivit.

— « Jacob… Mon deuxième regret, c'est ce que je t'ai fait. Je n'aurais jamais dû. J'espère que ton retour en ville signifie que tu es venu réclamer ton héritage : la ferme et la librairie — et aussi Kate et ses filles. »

— *Quoi* ? s'écria Kate.

Abraham rit comme s'il avait prévu la réaction de Kate.

— « Ne te fâche pas, Katie. Je sais depuis des années que tu es celle qu'il faut à mon fils, et j'espérais que mon petit scénario vous aiderait à vous en rendre compte. »

— Quel vieux malicieux, commenta doucement Jay.

— Je n'arrive pas à y croire, dit Kate en secouant la tête.

— « Cependant, Jacob, au cas où tu n'aurais pas discerné la sagesse de mon projet, j'ai laissé à Katie assez d'argent sur un compte séparé afin qu'elle puisse vivre la vie qu'elle aura choisie. Harrison avait des instructions pour ne rien dire de cela non plus. Jusqu'à aujourd'hui. »

— Oh, Abraham, dit Kate dans un souffle.

— « Je veux que tu trouves le bonheur, Jacob. Ainsi que toi, Aaron. »

Du coin de l'œil, Jay vit qu'Aaron était revenu dans la pièce pour suivre la fin de l'enregistrement.

— « J'espère que vous tirerez tous les deux une leçon de mes terribles erreurs. Prenez soin de ceux que vous aimez et ne les laissez jamais tomber. Jamais. Je vous ai trahis tous les deux et je mourrai avec ce regret, hélas. Ma punition aura été de ne pas vous voir devenir ce que vous êtes aujourd'hui.

« Restez à Riverbend. Soyez de meilleurs Steele que je ne l'ai été. Tel est le souhait de votre père pour vous deux. »

Jay avait mal aux yeux. Aaron, qui s'était silencieusement approché du canapé, posa une main réconfortante sur son épaule.

Abraham leur adressa un dernier sourire, un très léger signe de tête, et l'écran devint noir.

Pendant quelques secondes, personne ne parla. Puis Hope et Hannah descendirent des genoux de leurs tantes et Hannah demanda :

— Est-ce qu'on peut manger le gâteau et la glace maintenant ?

Tessa se leva.

— Je vais préparer tout ça, déclara-t-elle. Sam, viens avec moi, tu surveilleras Laura.

Un concert de « Je vais t'aider » s'éleva aussitôt et il n'y eut bientôt plus dans le séjour que Kate et Jay, Lily et Aaron et les tantes.

Ruth et Rachel vinrent se planter devant Jay et Aaron qui se levèrent tous les deux.

— Nous vous aimons très fort, les garçons, dit Rachel en embrassant Jay, puis Aaron.

— Et nous sommes très contentes de pouvoir compter sur deux solides gaillards durant nos vieux jours, ajouta Ruth, essayant visiblement de détendre l'atmosphère.

— Nous ne serons jamais vieilles, sœurette, dit Rachel d'un ton enjoué.

Elle prit Ruth par la main et l'entraîna vers la cuisine.

Jay et Aaron se firent face.

— Eh bien, dit Aaron, c'était quelque chose, hein ?

— Pour ça, oui.

Jay sourit et ajouta :

— Frérot.

Aaron sourit en retour. Il glissa ensuite son bras autour de la taille de Lily et tous deux quittèrent la pièce. Jay se tourna vers Kate et l'attira à lui.

— Jouer les marieurs depuis sa tombe, c'est incroyable, non ?

— Mmm. Tu es heureux ?

— Très.

Plus qu'il n'aurait su l'exprimer. Plus qu'elle ne le saurait sans doute jamais. Comme il s'inclinait au-dessus d'elle pour l'embrasser, il sentit que quelqu'un tirait sa chemise. Hannah le regardait, le visage barbouillé de chocolat.

— Quand maman et toi aurez mangé votre gâteau, vous allez vous mettre au travail, pour mon petit frère ? demanda-t-elle ingénument.

— C'est un programme qui me plaît, murmura Jay contre les lèvres de Kate.

— A moi aussi.

Il l'embrassa à pleine bouche sans se soucier de la curiosité d'Hannah, puis les conduisit toutes les deux dans la cuisine où sa famille et ses amis les attendaient pour célébrer son anniversaire.

LE FORUM DES LECTEURS ET LECTRICES

CHERS(ES) LECTEURS ET LECTRICES,

VOUS NOUS ETES FIDÈLES DEPUIS LONGTEMPS?

VOUS VENEZ DE FAIRE NOTRE CONNAISSANCE?

SI VOUS AVEZ DES COMMENTAIRES, DES CRITIQUES À FORMULER, DES SUGGESTIONS À OFFRIR, N'HÉSITEZ PAS... ÉCRIVEZ-NOUS À:

LES ENTERPRISES HARLEQUIN LTÉE.
498 RUE ODILE
FABREVILLE, LAVAL, QUÉBEC.
H7R 5X1

C'EST AVEC VOS PRÉCIEUX COMMENTAIRES QUE NOUS ALLONS POUVOIR MIEUX VOUS SERVIR.

DE PLUS, SI VOUS DÉSIREZ RECEVOIR UNE OU PLUSIEURS DE VOS SÉRIES HARLEQUIN PRÉFÉRÉE(S) À VOTRE DOMICILE, NE TARDEZ PAS À CONTACTER LE SERVICE D'ABONNEMENT; EN APPELANT AU (514) 875-4444 (RÉGION DE MONTRÉAL) OU 1-800-667-4444 (EXTÉRIEUR DE MONTRÉAL) OU TÉLÉCOPIEUR (514) 523-4444 OU COURRIER ELECTRONIQUE: AQCOURRIER@ABONNEMENT.QC.CA OU EN ÉCRIVANT À:

ABONNEMENT QUÉBEC
525 RUE LOUIS-PASTEUR
BOUCHERVILLE, QUÉBEC
J4B 8E7

MERCI, À L'AVANCE, DE VOTRE COOPÉRATION.

BONNE LECTURE.

HARLEQUIN.

VOTRE PASSEPORT POUR LE MONDE DE L'AMOUR.

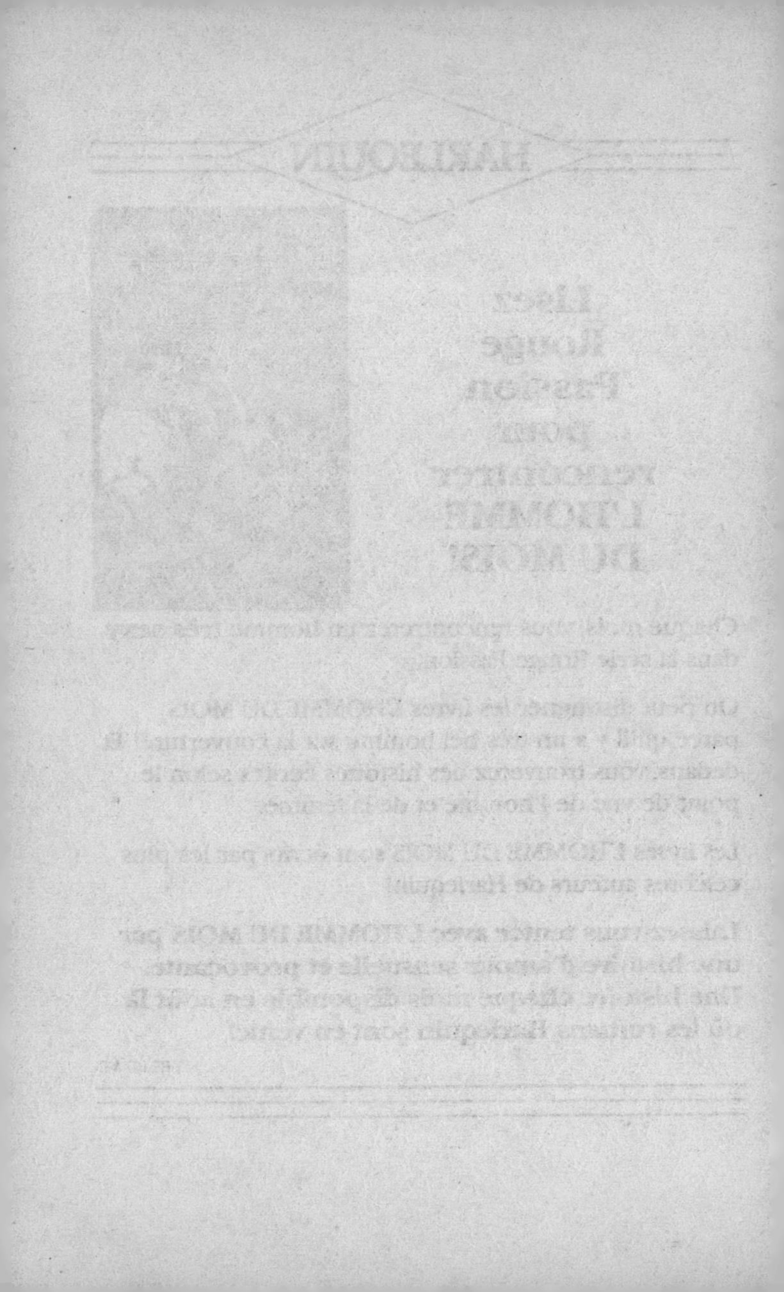

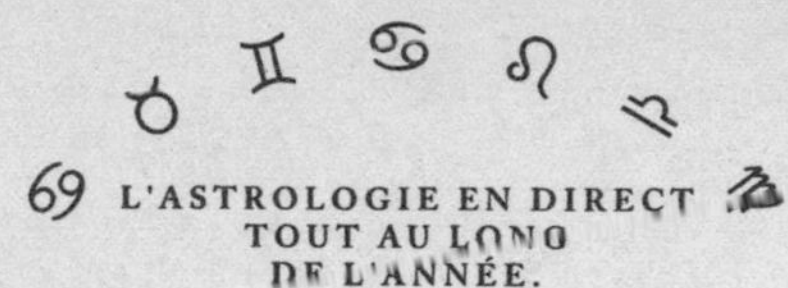

(France métropolitaine uniquement)

Par téléphone 08.92.68.41.01

0,34 € la minute (Serveur JET MULTIMÉDIA).

Composé et édité par les

éditions Harlequin

Achevé d'imprimer en décembre 2005

BUSSIÈRE

GROUPE CPI

à Saint-Amand-Montrond (Cher)

Dépôt légal : janvier 2006

N° d'imprimeur : 52747 — N° d'éditeur : 11788

Imprimé en France

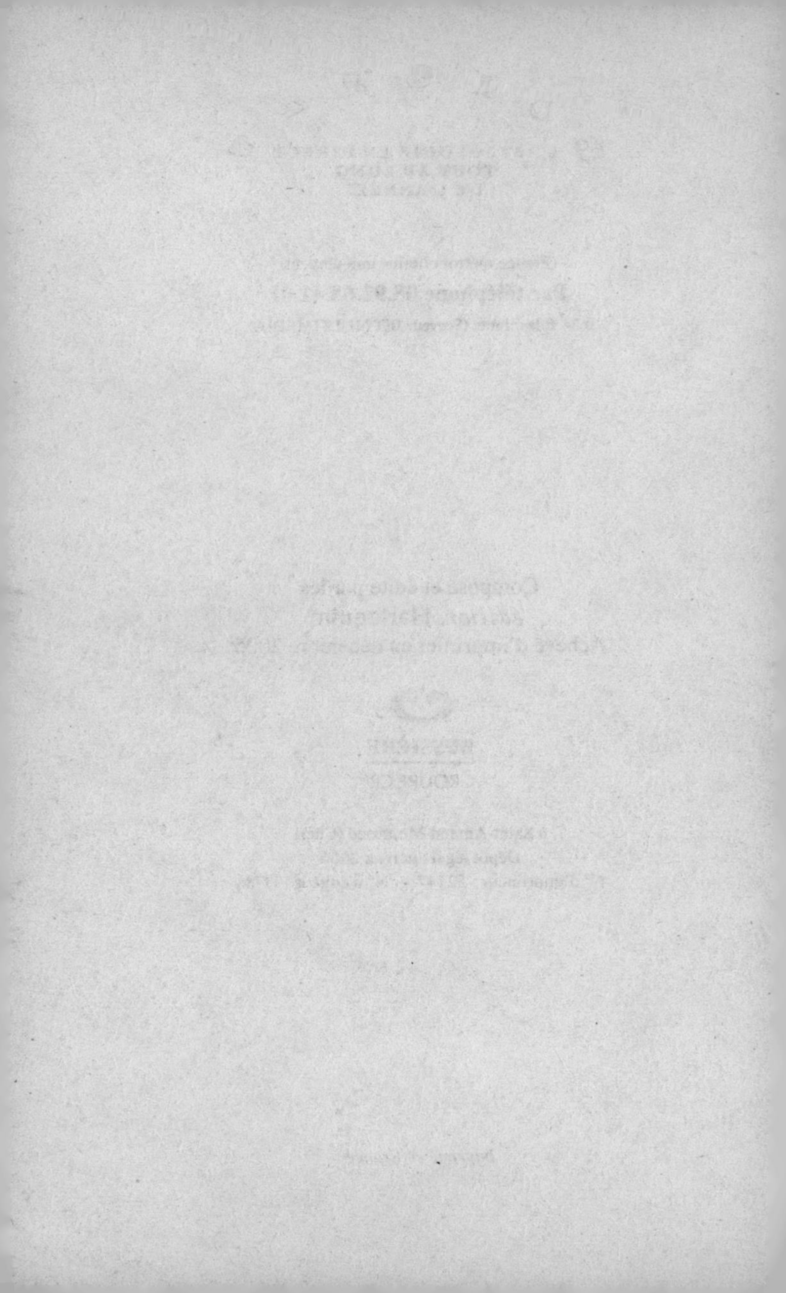